VADERS MOOISTE

Van Mary Higgins Clark zijn verschenen:

Dood op de kaap en andere verhalen*
Dreiging uit het verleden*
Stille nacht*
Vaders mooiste*
Waar zijn de kinderen?*
Dodelijk ontwerp*
Geen tranen om een actrice*
Jou krijg ik nog wel!*
... heeft een meisje weggehaald*
Moord op afspraak*
Vergeet mij niet*
Het Anastasia syndroom en andere verhalen*
Maanlicht staat je goed*
Moord om middernacht*
Compositie in rood*
Verbinding verbroken*
Zondagskind*
Doe alsof je haar niet ziet*
Jij bent van mij*
Het donkerste uur*
De weduwe*
Het bloed kruipt*
Losgeld* (*samen met Carol Higgins Clark*)
De herrezen moordenaar*
De allerlaatste kans (*samen met Carol Higgins Clark*)
Horen, zien, zwijgen*
Met gebruik van keuken
Dubbele leugen*
Verdwenen in de nacht*
De stiefvader*
Gestolen goed (*samen met Carol Higgins Clark*)
Twee meisjes in het blauw*
Verloren bel
De spookmelodie*
De verdwenen broer*
Neem mijn hart*
De vijfde winnaar (*samen met Carol Higgins Clark*)
De geheime erfenis*
Op een mooie zomerdag ⟐

*In Poema pocket verschenen
⟐ Ook als e-book verkrijgbaar

MARY HIGGINS CLARK

VADERS MOOISTE

Zevende druk mei 2012

Oorspronkelijke titel: *Let Me Call You Sweetheart*
Vertaling: Carla Benink
Omslagontwerp: Edd, Amsterdam
Omslagfotografie: Susan Fox / Trevillion Images

ISBN 978 90 210 1425 8
NUR 331

www.boekenwereld.com
www.poemapocket.com
www.watleesjij.nu

Voor mijn klasgenoten van de Villa Maria Academy in dit bijzondere jaar met een speciaal, liefdevol saluut aan
Joan Arnotte Nye
June Langren Crabtree
Marjorie Lashley Quinlan
Joan Molloy Hoffman

en in blijde herinnering aan Dorothea Bible Davis

Woord van dank

Geen mens staat alleen en geen enkele auteur – deze tenminste niet – schrijft alleen. Bijzondere dank aan mijn redacteuren, Michael V. Korda en Chuck Adams, die van conceptie tot publicatie altijd de sine qua non van mijn boeken zijn. Vooral met dit boek en in deze periode zijn ze fantastisch geweest.

Zoals altijd veel dank aan Eugene H. Winick, mijn literair agent, en Lisl Cade, mijn publiciteitsagent. Hun hulp is van onschatbare waarde.

Een auteur heeft adviezen van deskundigen nodig. Dit boek gaat over plastische chirurgie. Ik dank dokter Bennett C. Rothenberg van het Saint Barnabas Hospital, Livingston, New Jersey, voor zijn vakkundige medische adviezen. Petje af voor Kim White van het New Jersey Department of Corrections voor haar hulp. En ook deze keer heeft Ina Winick de psychologische aspecten van het verhaal voor me gecontroleerd. Dank je wel, Ina.

Mijn spruiten, alle vijf, hebben het werk tijdens het schrijven doorgelezen. Ze gaven me een heleboel wijze raad – op juridisch gebied: 'zorg dat je de jury afzondert'; wat de dialoog betreft: 'niemand van onze leeftijd zou zoiets zeggen, maak er maar van ...' en altijd opgewekte aanmoediging. Bedankt, kinderen.

Ten slotte mijn tienjarige kleindochter, Liz, die in veel opzichten voor Robin model heeft gestaan. Soms vroeg ik haar: 'Liz, wat zou jij zeggen als...' Haar opmerkingen waren 'onwijs gaaf'.

Ik hou van jullie allemaal.

Leg op dit graf
geen rozen, waar ze zo van hield;
kwel haar toch niet met rozen
die ze niet meer ruikt of ziet.

Edna St. Vincent Millay
'Epitaph'

Hij deed zijn uiterste best om Suzanne uit zijn gedachten te bannen. Soms lukte het hem een paar vredige uren te hebben of zelfs een hele nacht door te slapen. Alleen dan kon hij zijn werk doen en de dag doorkomen.

Hield hij nog wel van haar of kon hij haar alleen nog maar haten? Hij wist het niet zeker. Ze was zo'n schoonheid geweest met die stralende, spottende ogen, die wolk donker haar, die lippen die zo uitnodigend konden glimlachen of zo snel pruilen als een kind dat geen snoepje mocht.

Hij zag haar altijd voor zich zoals hij haar de laatste keer levend had gezien: hem tartend en vervolgens de rug toekerend.

En nu, bijna elf jaar later, wilde Kerry McGrath Suzanne niet laten rusten. Al die vragen! Hij kon het niet toestaan. Ze moest tegengehouden worden.

Laat de doden de doden begraven. Het oude gezegde, dacht hij, en nog steeds van kracht. Hij zou haar tegenhouden, hoe dan ook.

Woensdag, 11 oktober

1

Kerry streek de rok van haar donkergroene mantelpakje glad, legde de smalle, gouden ketting recht om haar hals en haalde haar vingers door haar donkerblonde, schouderlange haar. Het was een krankzinnig drukke middag geweest. Ze was om halfdrie van de rechtbank vertrokken om Robin van school te halen en door het drukke verkeer via routes 17 en 4 van Hohokus over de George Washington-brug naar Manhattan gereden. Na lang zoeken had ze eindelijk een parkeerplaats gevonden en was ze net op tijd voor Robins afspraak van vier uur bij de dokterspraktijk aangekomen. Na al dat gehaast zat er voor Kerry op dit ogenblik niets anders meer op dan te wachten tot ze in de spreekkamer werd geroepen. Ze had er graag bij willen zijn als Robins hechtingen werden verwijderd, maar de verpleegster was niet te vermurwen geweest: 'Dokter Smith staat niet toe dat er tijdens een behandeling behalve een verpleegster nog iemand anders in de spreekkamer aanwezig is.'
'Maar ze is pas tien!' had Kerry geprotesteerd. Daarna had ze haar mond gehouden en zich nogmaals voorgehouden dat ze dankbaar moest zijn dat het dokter Smith was geweest die na het ongeluk te hulp was geroepen. De verpleegsters in het St. Luke's-Roosevelt Ziekenhuis hadden haar verzekerd dat hij een fantastische plastisch chirurg was. De arts van de EHBO had hem zelfs een wonderdokter genoemd.
Terugdenkend aan die dag nu precies een week geleden besefte Kerry dat ze de schok van dat telefoontje nog steeds niet te boven was. Ze had in haar kantoor in het gerechtsgebouw van Hackensack zitten overwerken aan de voorbereidingen voor de moordzaak waarbij ze de aanklager zou zijn. Robins vader, haar ex-man Bob Kinellen, had haar daartoe de gelegenheid gegeven door Robin onverwachts uit te nodigen voor het Big Apple Circus in New York, gevolgd door een etentje.

Om halfzeven had de telefoon gerinkeld. Het was Bob geweest. Er was een ongeluk gebeurd. Terwijl hij de parkeergarage uit reed, had een vrachtwagen zijn Jaguar geramd. Robins gezicht was opengesneden door rondvliegend glas. Ze was onmiddellijk naar het St. Luke's-Roosevelt gebracht en er was een plastisch chirurg bij gehaald. Verder mankeerde ze niets, hoewel ze wel helemaal werd onderzocht.
Bij de herinnering aan die vreselijke avond schudde Kerry haar hoofd in een poging de gedachte aan die afschuwelijke rit naar New York te onderdrukken. Haar hele lichaam had geschokt van het snikken en ze had alleen het woord 'alstublieft' over haar lippen kunnen krijgen terwijl de rest van haar gebed door haar hoofd maalde: alstublieft God, laat haar niet doodgaan, ze is alles wat ik heb. Alstublieft, ze is nog maar zo klein, haal haar niet bij me weg. Toen Kerry in het ziekenhuis was aangekomen, had Robin al op de operatietafel gelegen. Dus was ze naast Bob in de wachtkamer gaan zitten, als ouders, maar niet samen. Hij had nu een nieuwe vrouwen twee andere kinderen. Kerry voelde nog steeds de overweldigende opluchting die door haar heen was gegaan toen dokter Smith eindelijk was verschenen en op een formele en eigenaardig neerbuigende toon had gezegd: 'Gelukkig zijn de laceraties niet diep in de dermis gedrongen. Robin zal er geen littekens aan overhouden. Ik wil haar over een week graag in mijn spreekkamer terugzien.'
Behalve de snijwonden had Robin niets gemankeerd. Ze was het ongeluk al gauw te boven gekomen en had maar twee schooldagen hoeven missen. Ze was zelfs een beetje trots op haar verband geweest. Pas vandaag, op weg naar hun afspraak in New York, had ze een beetje angstig gevraagd: 'Het komt toch wel weer goed, hè mam? Ik bedoel, ik krijg toch geen raar gezicht?'
Met haar grote, blauwe ogen, ovale gezichtje, hoge voorhoofd en fijnbesneden trekken was Robin een heel mooi meisje en sprekend haar vader. Kerry had haar nadrukkelijk gerustgesteld en hoopte dat ze gelijk had.
Nu keek Kerry als afleiding de wachtkamer rond. Hij was smaakvol ingericht met een aantal banken en stoelen bekleed met een stof met een bloemetjesdessin. Het licht was getemperd en er lag een weelderig tapijt.

Tussen de wachtenden zat een vrouw van zo te zien begin veertig met een verband over haar neus. Een andere vrouw, die een wat zenuwachtige indruk maakte, vertrouwde haar aantrekkelijke metgezellin toe: 'Nu ik hier eenmaal zit, ben ik blij dat je me hebt meegesleept. Je ziet er fantastisch uit.'
Dat is waar, dacht Kerry. Ze voelde zich niet op haar gemak en zocht in haar tas naar haar poederdoos. Ze klikte hem open, bekeek zichzelf in het spiegeltje en constateerde dat ze er vandaag geen dag jonger uitzag dan haar zesendertig jaar. Ze wist best dat veel mensen haar aantrekkelijk vonden, maar ze was nog steeds niet helemaal zeker van haar uiterlijk. Ze haalde het poederdonsje over haar neus in een poging het verafschuwde sproetenwolkje te bedekken, bekeek haar ogen en merkte op dat hun bruingroene kleur in een modderig bruin veranderde als ze moe was, zoals vandaag. Ze stopte een verdwaalde piek achter haar oor, sloot met een zucht het doosje en streek de lok, die nodig bijgeknipt moest worden, weg van haar voorhoofd.
Bezorgd staarde ze naar de deur die naar de spreekkamer leidde. Waarom duurde het zo lang om Robins hechtingen eruit te halen? vroeg ze zich af. Waren er soms complicaties?
Even later ging de deur open. Kerry keek verwachtingsvol op. In plaats van Robin verscheen echter een jonge vrouw van ongeveer midden twintig, met een wolk donker haar die de pruilende schoonheid van haar gezicht omlijstte.
Ik vraag me af of ze er altijd zo heeft uitgezien, peinsde Kerry, terwijl ze de hoge jukbeenderen, rechte neus, prachtig gevormde pruillippen, glanzende ogen en gewelfde wenkbrauwen bestudeerde.
De jonge vrouw voelde misschien haar blik en keek Kerry in het voorbijgaan enigszins vragend aan.
Kerry's keel trok dicht. Ik ken jou, dacht ze. Maar waarvan? Ze slikte, haar mond voelde opeens droog aan. Dat gezicht – dat heb ik al eens eerder gezien.
Toen de vrouw weg was, ging Kerry naar de receptioniste en legde haar uit dat ze de vrouw die zojuist de spreekkamer had verlaten misschien kende. Hoe heette ze?
De naam Barbara Tompkins zei haar echter totaal niets. Ze moest

zich vergist hebben. Maar toch had ze, toen ze weer was gaan zitten, een overweldigend gevoel van déjà vu. Het had zo'n verkillend effect dat ze er zelfs van rilde.

2

Zuster Kate Carpenter bekeek de patiënten in de wachtkamer van de dokter een beetje met een scheef oog. Ze was al vier jaar operatiezuster bij dokter Charles Smith en hielp hem bij de operaties die hij in zijn spreekkamer uitvoerde. Ze vond hem gewoonweg een genie.

Ze was zelf nooit in de verleiding gekomen om zich onder zijn behandeling te stellen. Ze was in de vijftig, stevig gebouwd met een aantrekkelijk gezicht en grijzend haar. Ze beschreef zichzelf tegenover haar vrienden als een contrarevolutionair op het gebied van de plastische chirurgie: 'Zo ben ik en niet anders!'

Ze voelde diepe sympathie voor de patiënten met echte problemen, maar lichte minachting voor de mannen en vrouwen die in hun streven naar lichamelijke volmaaktheid de ene ingreep na de andere lieten uitvoeren. 'Aan de andere kant,' had ze eens tegen haar man gezegd, 'betalen ze wel mijn salaris.'

Soms vroeg Kate Carpenter zich af waarom ze bij dokter Smith bleef. Hij was zo kortaf tegen iedereen, patiënten zowel als personeel, dat hij vaak een onbeleefde indruk maakte. Hij gaf zelden blijk van waardering, maar liet geen gelegenheid voorbijgaan om haar sarcastisch op ieder foutje te wijzen. Daar stond echter tegenover dat haar salaris en werkomstandigheden uitstekend waren en dat het een waar genoegen was om dokter Smith aan het werk te zien.

Maar het was haar de laatste tijd opgevallen dat hij steeds humeuriger werd. Nieuwe patiënten, die vanwege zijn uitmuntende reputatie naar hem toe waren gekomen, vonden zijn houding zo beledigend dat het steeds vaker voorkwam dat zij gemaakte afspraken weer afzegden. De enigen die hij met charmante zorg omringde, waren degenen die hij met die speciale 'blik' aankeek, en dat was nog iets waaraan Carpenter zich ergerde.

Behalve het feit dat de dokter zo prikkelbaar was, vond ze hem de laatste paar maanden ook zo gereserveerd geworden, afstandelijk zelfs. Soms als ze iets tegen hem zei, keek hij haar wezenloos aan, alsof hij met zijn gedachten ver weg was.
Ze keek op haar horloge. Zoals ze al had verwacht was dokter Smith na zijn controle van Barbara Tompkins, de meest recente patiënte die hij op die speciale manier bekeek, zijn privékantoor binnengegaan en had hij de deur achter zich dichtgetrokken.
Wat deed hij daar toch? vroeg ze zich af. Hij moest toch beseffen dat hij achterliep op zijn schema. Dat kleine meisje, Robin, zat al een halfuur lang alleen in kamer drie, en er zaten nog meer patiënten in de wachtkamer. Maar het was haar opgevallen dat de dokter, nadat hij een van zijn speciale patiënten had onderzocht, altijd wat tijd voor zichzelf nodig scheen te hebben.
'Mevrouw Carpenter...'
De verpleegster keek verschrikt op van haar bureau. Dokter Smith keek op haar neer. 'Ik denk dat we Robin Kinellen nu lang genoeg hebben laten wachten,' zei hij beschuldigend. Zijn ogen achter de randloze brillenglazen stonden ijskoud.

3

'Ik vind dokter Smith niet aardig,' zei Robin ronduit toen Kerry de parkeergarage in Ninth Street, een zijstraat van Fifth Avenue, uitreed.
Kerry wierp een snelle blik op haar. 'Waarom niet?'
'Ik vind hem eng. Onze eigen dokter Wilson maakt altijd grapjes. Maar bij dokter Smith kan er geen lachje af. Het leek wel of hij boos op me was. Hij zei zoiets van dat sommige mensen schoonheid ontvangen en anderen het bereiken, maar dat je die hoe dan ook nooit mag verspillen.'
Robin had haar vaders knappe uiterlijk geërfd en was inderdaad beeldig om te zien. Het was ook waar dat ze daar ooit nog wel eens last mee zou kunnen krijgen, maar waarom had de dokter zoiets vreemds tegen een kind gezegd? vroeg Kerry zich af.

'Ik had niet tegen hem moeten zeggen dat ik mijn gordel nog niet had vastgemaakt toen die vrachtauto tegen papa's auto aan reed,' voegde Robin eraan toe. 'Want toen begon dokter Smith me de les te lezen.'
Kerry keek naar haar dochtertje. Robin maakte altijd haar gordel vast. Dat ze het die keer nog niet had gedaan, betekende dat Bob de auto al had gestart voordat ze er de gelegenheid voor had gekregen. Kerry probeerde haar woede niet te laten doorklinken toen ze zei: 'Papa had waarschijnlijk haast toen hij de garage uit reed.'
'Hij had gewoon niet gezien dat ik nog geen tijd had gehad om hem vast te maken,' zei Robin verdedigend. De scherpe klank van haar moeders stem was haar niet ontgaan.
Kerry had ontzettend met haar dochtertje te doen. Bob Kinellen had hen in de steek gelaten toen Robin nog maar een baby was. Hij was nu getrouwd met de dochter van zijn oudste partner en ook nog vader van een vijfjarig meisje en een driejarig jongetje. Robin was dol op haar vader, en als ze bij hem was, sloofde hij zich geweldig voor haar uit. Maar hij stelde haar ook heel vaak teleur door op het laatste moment een afspraak af te zeggen. Omdat zijn tweede vrouw er niet aan herinnerd wilde worden dat hij nog een kind had, mocht Robin nooit bij hem thuis komen. Daarom kende ze haar halfbroertje en -zusje nauwelijks.
En als hij haar dan eindelijk eens een keer mee uit neemt, gebeurt er dit, dacht Kerry. Maar ze deed haar best haar woede in te houden en besloot er geen woord meer over te zeggen. In plaats daarvan zei ze: 'Waarom probeer je niet een dutje te doen tot we bij oom Jonathan en tante Grace zijn?'
'Oké.' Robin deed haar ogen dicht. 'Ik wil wedden dat ze een cadeautje voor me hebben.'

4

Terwijl Jonathan en Grace Hoover met het avondeten op Kerry en Robin zaten te wachten, genoten ze van hun dagelijkse martini in de woonkamer van hun huis in Old Tappan aan het Tappanmeer.

De ondergaande zon legde lange schaduwen over het kalme water. De bomen, die zorgvuldig waren gesnoeid om het uitzicht op het meer niet te belemmeren, vertoonden een schitterende kleurenpracht die ze weldra zouden afwerpen.
Jonathan had voor het eerst dat najaar het haardvuur aangestoken en Grace had zojuist opgemerkt dat voor die nacht de eerste vorst was voorspeld.
Ze vormden een knap paar van even in de zestig en waren al bijna veertig jaar getrouwd, verenigd door banden en behoeften die dieper lagen dan genegenheid en gewoonte. Ze waren in de loop van die tijd bijna op elkaar gaan lijken. Ze hadden allebei aristocratische trekken omlijst door een weelderige haardos, de zijne spierwit met natuurlijke golven en de hare kort en krullend met nog hier en daar een restje bruin.
Hun lichamen hadden echter totaal niets gemeen. Jonathan was een lange man die kaarsrecht in zijn hoge leunstoel zat. Grace lag op een bank tegenover hem met een gehaakte deken over haar nutteloze benen, haar kromme vingers levenloos op haar schoot en naast zich een rolstoel. Ze was al jaren het slachtoffer van reumatische artritis en werd met de dag meer hulpbehoevend.
Jonathan was haar gedurende haar hele lijdensweg zeer toegewijd gebleven. Hij was de oudste vennoot van een grote advocatenpraktijk in New Jersey die zich specialiseerde in belangrijke civiele zaken. Hij was bovendien al twintig jaar senator in de staatsregering, maar hij had meermalen de kans om gouverneur van de staat te worden afgeslagen. 'Ik kan in de senaat al genoeg goed of kwaad aanrichten,' had hij dikwijls verkondigd, 'en bovendien denk ik niet dat ik zou winnen.'
Iedereen die hem goed kende, geloofde geen woord van die tegenwerpingen. Men wist heel goed dat Grace de reden was van zijn keuze om de verplichtingen van het gouverneursleven te vermijden. Men vroeg zich zelfs wel eens heimelijk af of hij geen wrok tegen haar koesterde omdat haar lichamelijke conditie hem in de weg stond. Maar als dat al zo was, liet hij er beslist niets van blijken.
Grace nam een slokje van haar martini en slaakte een zucht. 'Ik denk echt dat dit mijn lievelingsseizoen is,' zei ze. 'Het is zo prach-

tig, vind je niet? Zo'n dag als vandaag doet me denken aan de keren dat ik van Bryn Mawr op de trein naar Princeton ben gestapt om samen met jou een rugby-wedstrijd te gaan zien en daarna in de Nassau Inn te gaan eten.'
'En dan logeerde je bij je tante, die net zolang opbleef tot ze zeker wist dat je thuis was,' grinnikte Jonathan. 'Ik hoopte altijd dat die ouwe taart ooit eens vroeg zou gaan slapen, maar ze heeft het tot het einde toe volgehouden.'
Grace glimlachte. 'Zodra we voor het huis stilhielden, begon ze met het verandalicht te knipperen.' Toen keek ze bezorgd naar de klok op de schoorsteenmantel. 'Zijn ze niet een beetje laat? Ik moet er niet aan denken dat Kerry en Robin in het spitsuurverkeer terecht zijn gekomen. Vooral na wat er vorige week is gebeurd.'
'Kerry rijdt prima,' stelde Jonathan haar gerust. 'Maak je maar geen zorgen, ze komen er zo aan.'
'Dat weet ik wel. Alleen...' Ze hoefde de zin niet af te maken, Jonathan wist precies wat ze bedoelde. Sinds het moment dat de destijds eenentwintigjarige Kerry, op het punt om aan haar rechtenstudie te beginnen, op hun advertentie voor een huisoppas had gereageerd, hadden ze haar als hun dochter beschouwd. Dat was vijftien jaar geleden geweest. Jonathan had Kerry sindsdien vaak geholpen bij het uitstippelen van haar loopbaan. Onlangs nog had hij zijn invloed bij de gouverneur uitgeoefend om haar naam op de lijst te krijgen van kandidaten die een rechtersfunctie ambieerden.
Tien minuten later kondigde het welkome geklingel van de deurbel de komst van Kerry en Robin aan. Zoals Robin had voorspeld, lag er een cadeautje op haar te wachten: een boek en een computerspelletje. Na het eten nam ze het boek mee naar de bibliotheek en krulde zich ermee op in een stoel, terwijl de volwassenen langzaam van hun koffie genoten.
Buiten het gehoor van Robin vroeg Grace zacht: 'Kerry, die littekens op Robins gezicht trekken toch wel weg, hè?'
'Dat heb ik ook aan dokter Smith gevraagd. Hij bezwoer me zo ongeveer dat ze zouden verdwijnen en leek bijna beledigd dat ik hem ernaar durfde vragen. Ik moet jullie wel bekennen dat ik vermoed dat de brave dokter zeer met zichzelf is ingenomen. Maar de

arts van de EHBO in het ziekenhuis heeft me vorige week nadrukkelijk verzekerd dat Smith een prima chirurg is. Hij noemde hem in feite een wonderdokter.'

Terwijl ze haar laatste restje koffie opdronk, dacht Kerry aan de vrouw die ze bij dokter Smith in de wachtkamer had gezien. Ze keek naar Jonathan en Grace die tegenover haar aan tafel zaten.

'Toen ik op Robin zat te wachten, gebeurde er iets vreemds. Er was iemand in dokter Smiths wachtkamer die me zo bekend voorkwam,' zei ze. 'Ik heb zelfs aan de receptioniste gevraagd hoe ze heette. Ik weet zeker dat ik haar niet ken, maar ik kon het gevoel niet van me afzetten dat ik haar al eens eerder had ontmoet. Ik kreeg er gewoon een onbehaaglijk gevoel van, gek hè?'

'Hoe zag ze eruit?' vroeg Grace.

'Bloedmooi op een soort verleidelijke, uitdagende manier,' antwoordde Kerry peinzend. 'Dat kwam, denk ik, door haar lippen, die waren nogal dik en pruilend. Maar misschien was ze wel een van Bobs vroegere vriendinnetjes en heb ik haar gewoon uit mijn herinnering gewist.' Ze haalde haar schouders op. 'Nou ja, het blijft waarschijnlijk net zolang door mijn hoofd malen tot ik erachter ben.'

5

'U hebt mijn leven veranderd, dokter Smith!' Dat had Barbara Tompkins eerder die dag gezegd voordat ze zijn spreekkamer verliet. En hij wist dat het waar was, hij had haar inderdaad veranderd en daarmee ook haar leven. Van een onopvallend, bijna muizig vrouwtje dat er ouder uitzag dan haar zesentwintig jaar had hij haar getransformeerd in een jeugdige schoonheid. Eigenlijk nog meer dan een schoonheid. Ze had pit gekregen. Ze was niet langer die onzekere vrouw die een jaar geleden bij hem had aangeklopt. Ze werkte toen voor een klein public-relationskantoor in Albany.

'Ik heb gezien wat u voor een van onze klanten hebt gedaan,' had ze gezegd toen ze die eerste keer in zijn spreekkamer zat. 'Ik heb onlangs wat geld van mijn tante geërfd. Kunt u me een knap uiterlijk geven?'

Hij had meer gedaan dan dat: hij had haar getransformeerd. Hij had haar beeldschoon gemaakt. Barbara werkte nu in Manhattan voor een groot, invloedrijk pr-kantoor. Ze was altijd al intelligent geweest, maar door die intelligentie te combineren met die speciale schoonheid was haar leven volkomen veranderd.

Dokter Smith ontving zijn laatste patiënt van de dag om halfzeven. Daarna liep hij de drie blokken verder in Fifth Avenue naar zijn verbouwde koetshuis in Washington Mews.

Hij had de gewoonte om zich elke dag na thuiskomst met een bourbon-soda voor het nieuws op de televisie te ontspannen en daarna te beslissen waar hij zou gaan eten. Hij woonde alleen en at bijna nooit thuis.

Vanavond werd hij overmand door een ongekende rusteloosheid. Van alle vrouwen leek Barbara Tompkins het meest op háár. Alleen al het aanzien van haar was een emotionele, bijna louterende ervaring. Hij had Barbara tegen mevrouw Carpenter horen zeggen dat ze die avond een klant mee uit eten zou nemen naar de Oak Room van het Plaza Hotel.

Hij kwam bijna met tegenzin overeind. Wat er op het punt stond te gaan gebeuren, was onvermijdelijk. Hij zou naar de Oak Bar gaan en in het restaurant van de Oak Room naar binnen kijken om te zien of er een tafeltje vrij was vanwaar hij Barbara kon bekijken terwijl hij zat te eten. Met een beetje geluk zou ze hem niet opmerken. Maar zelfs als ze dat wel deed, zelfs als ze hem daar zag zitten, zou hij alleen maar even naar haar zwaaien. Ze had geen enkele reden om te denken dat hij haar volgde.

6

Thuisgekomen na hun etentje bij Jonathan en Grace en lang nadat Robin in slaap was gevallen, zat Kerry nog te werken. Ze had de extra kamer van het huis, waar ze was ingetrokken nadat Bob haar had verlaten en ze het huis dat van hen samen was geweest had verkocht, als kantoor ingericht. Ze had het nieuwe huis in een slappe periode op de onroerendgoedmarkt tegen een redelijke prijs kun-

nen krijgen en ze was er heel blij mee, want ze vond het een heerlijk huis. Het was een vijftig jaar oud, ruim Cape Cod-landhuis met twee dakkapellen, omringd door een dicht beboomde, meer dan achtduizend vierkante meter grote tuin. Ze was er alleen niet zo dol op als de bladeren van de bomen vielen, want dat waren er heel wat. Die tijd stond alweer voor de deur, dacht ze zuchtend.
Morgen moest ze een verdachte die werd aangeklaagd wegens moord een kruisverhoor afnemen. Hij was een goed acteur. In de beklaagdenbank had zijn versie van de gebeurtenissen die tot de dood van zijn cheffin hadden geleid heel aannemelijk geklonken. Hij beweerde dat ze hem voortdurend had gekleineerd, zo erg dat hij op een dag door het dolle heen was geraakt en haar had vermoord. Zijn verdediger wilde proberen hem doodslag ten laste te laten leggen.
Het was aan Kerry om het verhaal van de verdachte te ontzenuwen en aan te tonen dat het een zorgvuldig beraamde en uitgevoerde wraakoefening was geweest tegen een superieur, die hem om goede redenen voor een promotie had overgeslagen. Dat had haar het leven gekost. En nu moest hij daarvoor boeten, vond Kerry.
Pas om een uur was ze tevreden over de lijst vragen die ze hem wilde stellen en de punten die ze naar voren wilde brengen.
Vermoeid liep ze de trap op naar de eerste verdieping. Ze ging even kijken bij de vredig slapende Robin, stopte de dekens iets vaster in en stak toen de hal over naar haar eigen kamer.
Vijf minuten later kroop ze met een gewassen gezicht, gepoetste tanden en in haar lievelingspyjama in het koperen tweepersoonsbed, dat ze na Bobs vertrek in de uitverkoop had gekocht. Ze had de hele slaapkamer opnieuw ingericht. Ze had het niet kunnen opbrengen tussen de oude spullen te blijven slapen en tegen zijn ladekast, zijn nachtkastje en het lege kussen aan zijn kant van het bed te moeten aankijken.
Het rolgordijn was maar gedeeltelijk omlaag getrokken en bij het zwakke licht van de tuinlamp naast de oprit zag ze dat het zachtjes was begonnen te regenen.
Nou ja, het kon ook niet eeuwig mooi weer blijven, dacht ze. Ze was in ieder geval blij dat het niet zo koud was geworden als was

voorspeld en dat de regen niet zou overgaan in natte sneeuw. Ze sloot haar ogen en probeerde haar ronddwarrelende gedachten tot stilstand te brengen. Ze vroeg zich af waarom ze zich zo onrustig voelde.

Ze werd om vijf uur wakker en het lukte haar weer in te dommelen tot zes uur. In dat uur kreeg ze de droom voor het eerst.

Ze zag zichzelf in de wachtkamer van een dokter. Er lag een vrouw op de grond wier grote, starende ogen op het niets waren gericht. Een wolk donker haar omlijstte de nukkige schoonheid van haar gezicht. Een stuk touw was om haar hals gedraaid.

Vervolgens zag Kerry dat de vrouw opstond, het touw van haar hals wegtrok en naar de receptioniste liep om een afspraak te maken.

7

In de loop van de avond was de gedachte bij Robert Kinellen opgekomen om op te bellen en te vragen hoe het bij de dokter met Robin was afgelopen, maar hij had er geen kans toe gekregen. Zijn schoonvader en de oudste vennoot van zijn advocatenpraktijk, Anthony Bartlett, had tegen zijn gewoonte na het eten bij de Kinellens op de stoep gestaan om een werkwijze uit te stippelen voor het aanstaande proces wegens belastingontduiking tegen James Forrest Weeks, hun belangrijkste en meest omstreden cliënt.

Weeks, een onroerendgoedmagnaat en ondernemer die miljoenen waard was, was de laatste dertig jaar in New York en New Jersey een vrij bekende figuur geworden. Hij gaf met gulle hand aan politieke campagnes en allerlei liefdadige instellingen en was bovendien het onderwerp van een stroom van geruchten over voorkennis van bepaalde zaken en het gebruiken van zijn invloed. Daarnaast werd beweerd dat hij connecties met bekende maffiafiguren had.

De openbare aanklager deed al jarenlang zijn best Weeks ergens van te kunnen beschuldigen en het had de firma Bartlett en Kinellen geen windeieren gelegd hem tijdens die onderzoeken te mogen vertegenwoordigen. Tot op dit moment was het justitie niet gelukt

genoeg bewijsmateriaal te vergaren voor een gegronde telastlegging.
'Maar deze keer zit Jimmy echt in het nauw,' verzekerde Anthony Bartlett zijn schoonzoon nogmaals, toen ze tegenover elkaar zaten in de studeerkamer van het huis van de Kinellens in Englewood Cliffs. Hij nam een slok van zijn cognac. 'En dat betekent natuurlijk dat we hier een probleem hebben.'
Gedurende Bobs tien jaar bij de firma was deze bijna tot een aanhangsel van Weeks Enterprises geworden, zo nauw waren ze met elkaar verweven geraakt. Zonder Jimmy's enorme zakenimperium zouden ze in feite nog maar een handjevol onbelangrijke cliënten overhouden en zouden hun inkomsten niet toereikend zijn om de firma draaiende te houden. Ze wisten allebei dat ze de winstgevende advocatenpraktijk van Bartlett en Kinellen wel konden opdoeken als Jimmy schuldig werd bevonden.
'Barney is degene over wie ik me zorgen maak,' zei Bob zacht. Barney Haskell was Jimmy Weeks' hoofdaccountant en medeverdachte in het huidige proces. Ze wisten allebei dat hij onder enorme druk stond om zich aan de kant van justitie te scharen in ruil voor strafvermindering.
Anthony Bartlett knikte. 'Dat ben ik met je eens.'
'En om meer dan één reden,' vervolgde Bob. 'Ik heb je toch van dat ongeluk in New York verteld? En dat Robin door een plastisch chirurg wordt behandeld?'
'Ja. Hoe gaat het met haar?'
'Het komt gelukkig allemaal in orde. Maar ik heb je niet verteld hoe die dokter heet. Zijn naam is Charles Smith.'
'Charles Smith.' Anthony Bartlett fronste zijn voorhoofd terwijl hij over de naam nadacht. Toen trok hij zijn wenkbrauwen op en ging rechtop zitten. 'Toch niet die vent die...'
'Dat is 'm,' antwoordde Bob. 'En mijn ex-vrouw, de assistent-aanklager, brengt onze dochter regelmatig naar hem toe. Kerry kennende, weet ik dat het niet lang meer zal duren voordat haar een lichtje opgaat.'
'O mijn god,' zei Bartlett op ongelukkige toon.

Donderdag, 12 oktober

8

Het kantoor van de openbare aanklager van Bergen County lag op de eerste verdieping van de westelijke vleugel van het gerechtsgebouw. Behalve Franklin Green, de openbare aanklager, waren er nog vijfendertig assistent-aanklagers, zeventig rechercheurs en vijfentwintig secretaressen in ondergebracht.

Ondanks de voortdurende overvloed van werk en de ernstige, vaak macabere aard van hun bezigheden hing er een kameraadschappelijke sfeer in het kantoor. Kerry werkte er met plezier. Ze kreeg regelmatig aanbiedingen van advocatenpraktijken om voor hen te komen werken, maar ondanks de financiële verleiding had ze besloten te blijven waar ze was. Ze had zich inmiddels opgewerkt tot de functie van eerste assistent en zich de naam verworven van een knap, onverschrokken en zorgvuldig strafpleiter.

Twee rechters die de verplichte pensioengerechtigde leeftijd hadden bereikt, hadden onlangs de rechtbank verlaten en nu waren er twee vacatures. In zijn positie van staatssenator had Jonathan Hoover Kerry aangemeld als een van de kandidaten. Ze durfde zelfs zichzelf niet te bekennen hoe graag ze die functie zou willen bekleden. Grote advocatenpraktijken boden een veel hoger salaris, maar een rechterschap had meer aanzien dan in geld kon worden uitgedrukt.

Kerry had 's morgens haar gedachten bij een eventuele aanstelling toen ze de code voor het slot van de buitendeur intoetste en bij de klik de deur openduwde. Ze zwaaide naar de telefoniste en liep vlug door naar het kantoor dat ze als eerste assistent in gebruik had. Vergeleken met de raamloze cellen die nieuwe assistenten ter beschikking kregen, had zij een vrij ruim werkvertrek. Het blad van het oude, houten bureau lag zo vol stapels dossiers dat het er nauwelijks toe deed hoe het eruitzag. De versleten stoelen met rechte ruggen pasten niet bij elkaar, maar waren functioneel. De boven-

ste la van de archiefkast moest met een ruk worden opengetrokken, maar dat vond Kerry niet zo erg.
Het kantoor had tegenover elkaar liggende ramen die zowel voor licht als frisse lucht zorgden. Ze had een persoonlijke noot aangebracht met weelderig groene planten op de vensterbanken en door Robin genomen ingelijste foto's. Het resultaat was functioneel comfort en Kerry was er heel tevreden mee.
Het had die morgen voor het eerst gevroren zodat Kerry toen ze de deur uit liep haar Burberry-jas had meegenomen, die ze nu zorgvuldig ophing. Ze had hem in de uitverkoop gekocht en was van plan er lang mee te doen.
Ze ging aan haar bureau zitten en zette de laatste gedachte aan de nare droom van de afgelopen nacht van zich af. Ze moest zich nu concentreren op het proces, dat over een uur zou worden voortgezet. De vermoorde cheffin had twee zonen in de tienerleeftijd, die ze alleen had grootgebracht. Wie zou nu voor hen zorgen? Stel dat er iets met mij gebeurde, dacht Kerry. Waar moest Robin dan naartoe? Beslist niet naar haar vader, in zijn gezin zou ze gelukkig noch welkom zijn. Maar Kerry zag haar moeder en stiefvader, die allebei in de zeventig waren en in Colorado woonden, ook geen tienjarig kind grootbrengen. Ik hoop alsjeblieft dat God me laat leven tot Robin op z'n minst volwassen is, dacht ze, terwijl ze haar aandacht vestigde op de map die voor haar lag.
Om tien voor negen ging haar telefoon. Het was Frank Green, de openbare aanklager. 'Kerry, ik weet dat je op weg bent naar de rechtbank, maar wil je eerst even langskomen?'
'Natuurlijk.' Heel even maar, dacht ze, want Frank weet best dat rechter Kafka het op zijn heupen krijgt als hij moet wachten.
Openbaar aanklager Frank Green zat achter zijn bureau. Hij had een verweerd gezicht met slimme ogen en hij had op zijn tweeën vijftigste nog hetzelfde gespierde lichaam als toen hij op de universiteit een gevierd rugbyspeler was. Zijn glimlach was warm maar er was iets vreemds aan, vond Kerry. Had hij zijn gebit laten verfraaien? vroeg ze zich af. Dat was dan heel verstandig geweest. Het zag er goed uit en zou bij zijn benoeming in juni mooie foto's opleveren. Het stond buiten kijf dat Green zich al op de verkiezingscampag-

ne voor het gouverneursambt aan het voorbereiden was. Hij kwam in zijn huidige functie steeds meer in de publiciteit en het was iedereen opgevallen dat hij meer aandacht aan zijn garderobe besteedde. Er had in een redactioneel artikel gestaan dat hij hoogstwaarschijnlijk degene zou worden die de staat zou gaan leiden, omdat de tegenwoordige gouverneur zijn twee termijnen zo succesvol had uitgediend en Green zijn uitverkoren opvolger was.

Na het verschijnen van dat artikel was Greens staf hem 'onze leider' gaan noemen.

Kerry bewonderde zijn juridische bekwaamheid en zijn efficiëntie. Hij had het roer stevig en met kennis van zaken in handen. Haar enige bezwaar tegen hem was dat hij in de afgelopen tien jaar een keer een assistent, die gewoon een fout had gemaakt, zonder meer had laten vallen. Green was in de eerste plaats loyaal aan zichzelf.

Ze wist dat haar eventuele nominatie voor een rechtersstoel haar aanzien in zijn ogen had vergroot. 'Het ziet ernaar uit dat wij tweeën voorbestemd zijn om naam te maken,' had hij in een zeldzame, uitbundig kameraadschappelijke bui tegen haar gezegd.

Nu zei hij: 'Kom binnen, Kerry. Ik wilde alleen maar even persoonlijk van je weten hoe het met Robin gaat. Toen ik hoorde dat je de rechter gisteren had gevraagd het proces te verdagen, maakte ik me zorgen.'

Ze bracht hem in het kort op de hoogte van het onderzoek en verzekerde hem dat alles onder controle was.

'Robin was samen met haar vader toen het ongeluk gebeurde, nietwaar?' vroeg hij.

'Ja, Bob zat aan het stuur.'

'Aan het geluk van je ex zou wel eens gauw een eind kunnen komen. Ik denk niet dat hij Weeks deze keer zal kunnen vrijspreken. Er wordt al gezegd dat hij zal worden veroordeeld en dat hoop ik van harte. Hij is een misdadiger en misschien wel een van de ergste soort.' Hij maakte een afwijzend gebaar. 'Ik ben blij dat het goed gaat met Robin en ik weet dat je je zaakjes in orde hebt. Je gaat de verdachte vandaag een kruisverhoor afnemen, hè?'

'Ja.'

'Jou kennende heb ik bijna medelijden met hem. Succes ermee!'

Maandag, 23 oktober

9

Het was bijna twee weken later en Kerry voelde nog steeds voldoening over de inmiddels afgesloten rechtszaak. De zonen van de vermoorde vrouw hoefden in ieder geval niet op te groeien in de wetenschap dat de moordenaar van hun moeder over een jaar of vijf weer op straat zou lopen. Als de jury de eis van doodslag had geslikt, zou dat gebeurd zijn. Op moord stond een verplichte straf van dertig jaar zonder voorwaardelijke vrijlating.
Nu zat ze weer in de wachtkamer van dokter Smith. Ze opende het attachékoffertje, dat ze altijd bij zich droeg, en haalde er een krant uit. Het was Robins tweede controle en er was niets bijzonders aan de hand, dus kon ze zich ontspannen. Bovendien was ze erg nieuwsgierig naar het laatste nieuws over het proces tegen Jimmy Weeks. Zoals Frank Green had voorspeld, werd al aangenomen dat de verdachte er niet goed vanaf zou komen. Eerdere onderzoeken naar corruptie, handelen met voorkennis en witwassen van geld waren gestaakt wegens gebrek aan steekhoudend bewijs. Maar men zei dat de aanklager deze keer een waterdichte zaak had. Als er tenminste ooit aan werd begonnen. Men was al weken bezig met het benoemen van de juryleden en het eind scheen nog niet in zicht te zijn. De firma Bartlett en Kinellen is vast heel blij met al die uren die ze in rekening kunnen brengen, dacht Kerry.
Bob had haar een keer aan Jimmy Weeks voorgesteld toen ze hen in een restaurant was tegengekomen. Ze bekeek de foto waarop hij samen met haar ex-man in de beklaagdenbank zat. Onder dat maatpak en die arrogante houding ben je niet meer dan een grote schurk, dacht ze.
Op de foto lag Bobs arm beschermend op de rugleuning van Weeks' stoel. Kerry herinnerde zich hoe Bob dat gebaar vroeger oefende.
Ze las snel het artikel door en legde de krant terug in haar koffer-

tje. Hoofdschuddend dacht ze eraan terug hoe ontzet ze was geweest toen Bob haar vertelde dat hij een baan bij de firma Bartlett had aangenomen.

'Al hun cliënten staan met één been in de gevangenis,' had ze geprotesteerd. 'En het andere been zou ernaast moeten staan.'

'Maar ze betalen op tijd hun rekeningen,' had Bob geantwoord. 'Blijf jij maar voor de openbare aanklager werken als je wilt, Kerry, maar ik heb andere plannen.'

Een jaar later had hij aangekondigd dat die plannen een huwelijk met Alice Bartlett inhielden.

Maar dat is nu ouwe koek, zei Kerry tegen zichzelf terwijl ze de wachtkamer rondkeek. Vandaag zaten er ook een atletisch uitziende tiener met een verband over zijn neus en een oudere vrouw, wier diep gerimpelde huid de reden voor haar aanwezigheid deed vermoeden. Kerry wierp een blik op haar horloge. Robin had haar vorige week verteld dat ze een halfuur in de onderzoekkamer had zitten wachten. 'Ik wou dat ik een boek had meegenomen,' had ze gezegd. Deze keer had ze daar wel voor gezorgd.

Ik wou in godsnaam dat dokter Smith zijn afspraken beter regelde, dacht Kerry geërgerd, met een blik op de deur naar de spreekkamer. Meteen daarop verstarde Kerry en sperde ze haar ogen open. De jonge vrouw die naar buiten kwam, had een gezicht omlijst door een wolk donker haar, een rechte neus, pruillippen, ogen die ver uit elkaar stonden en gewelfde wenkbrauwen. Kerry voelde hoe haar keel zich dichtkneep. Het was niet dezelfde vrouw als de vorige keer, maar ze leek er sprekend op. Waren ze soms familie van elkaar? Als het patiënten waren, zou dokter Smith toch niet proberen ze op elkaar te laten lijken? dacht ze.

En waarom deed dat gezicht haar zodanig aan iemand anders denken dat ze er een nachtmerrie van had gekregen? Ze schudde haar hoofd, niet in staat een antwoord te bedenken.

Ze keek nogmaals naar de andere mensen die in de wachtkamer zaten. Die jongen had ongetwijfeld een ongeluk gehad en waarschijnlijk zijn neus gebroken. Maar was die oudere vrouw hier voor zo'n routinebehandeling als een facelift of hoopte ze een totaal ander uiterlijk te krijgen?

Hoe zou het zijn om in de spiegel te kijken en het gezicht van een vreemde te zien terugstaren? vroeg Kerry zich af. Zou je zomaar ieder gezicht dat je wilde hebben kunnen uitkiezen? Was het zo eenvoudig?

'Mevrouw McGrath.'

Kerry draaide zich om en zag dat mevrouw Carpenter, de verpleegster, haar wenkte om mee naar de spreekkamer te gaan.

Kerry liep snel achter haar aan. Bij haar vorige bezoek had ze aan de receptioniste gevraagd wie de vrouw was die ze had gemeend te herkennen en te horen gekregen dat ze Barbara Tompkins heette. Nu kon ze de verpleegster vragen wie deze andere vrouw was. 'Die jonge vrouw die net is weggegaan, kwam me bekend voor,' zei Kerry. 'Hoe heet ze?'

'Pamela Worth,' antwoordde mevrouw Carpenter kortaf. 'Gaat u maar naar binnen.'

Robin zat tegenover de dokter aan zijn bureau met haar handen gevouwen in haar schoot en ongewoon kaarsrecht. Kerry zag de opgeluchte blik in de ogen van haar dochter toen ze zich omdraaide en haar aankeek.

De dokter knikte haar toe en gebaarde dat ze op de stoel naast Robin moest gaan zitten. 'Ik heb het met Robin gehad over de maatregelen die ze moet nemen om te voorkomen dat ook maar iets het genezingsproces in de weg kan staan. Ze wil doorgaan met voetballen, maar ze moet beloven dat ze de rest van het seizoen een masker zal dragen. We kunnen niet het minste risico lopen dat die snijwonden opnieuw worden geopend. Ik verwacht dat er over zes maanden niets meer van te zien zal zijn.'

Zijn gezicht kreeg een gespannen uitdrukking. 'Ik heb Robin al uitgelegd dat een heleboel mensen mij komen opzoeken om de schoonheid te vinden die zij zomaar heeft gekregen. Het is haar plicht die veilig te stellen. In mijn gegevens staat dat u gescheiden bent. Robin heeft me verteld dat haar vader tijdens het ongeluk achter het stuur zat. Ik verzoek u dringend hem erop te wijzen dat hij beter op zijn dochter moet letten. Ze is onvervangbaar.'

Op weg naar huis stopten ze om bij Valentino's in Park Ridge iets te eten. 'Ik vind hun garnalen lekker,' had Robin verklaard. Maar

toen ze aan een tafeltje zaten, keek ze in het rond en zei: 'Ik ben hier een keer met papa geweest. Hij zegt dat het eten hier prima is.' Haar stem klonk vol verlangen.
Dus daarom moesten we naar dit restaurant, dacht Kerry. Bob had Robin sinds het ongeluk nog maar één keer opgebeld en dat was bovendien onder schooltijd geweest. De boodschap op het antwoordapparaat luidde dat hij wel dacht dat ze op school zou zijn, wat betekende dat het goed met haar ging. Hij stelde niet voor dat ze terug zou bellen. Maar je moet eerlijk toegeven, zei Kerry tegen zichzelf, dat hij je op kantoor heeft gebeld en dus weet dat het volgens dokter Smith weer helemaal in orde zal komen. Maar dat was al twee weken geleden en sindsdien hadden ze niets meer gehoord.
De kelner kwam hun bestelling opnemen. Toen ze weer alleen waren, zei Robin: 'Mam, ik wil niet meer naar dokter Smith toe. Ik vind hem een griezel.'
Kerry schrok ervan. Dat was precies wat zij van hem vond. Toen kwam het bij haar op dat hij de enige was die haar had verzekerd dat de felrode strepen op Robins gezicht zouden verdwijnen. Ik moet haar ook door iemand anders laten onderzoeken, dacht ze. Ze deed haar best haar stem luchtig te laten klinken toen ze zei: 'Ach, volgens mij valt dokter Smith best mee, ook al doet-ie me een beetje aan kleffe spaghetti denken.' Ze werd beloond door Robins gegrinnik.
'Bovendien,' ging ze verder, 'wil hij je pas over een maand terugzien en daarna misschien helemaal niet meer. Dus maak je maar geen zorgen, hij kan er ook niets aan doen dat hij zonder charme is geboren.'
Robin lachte. 'Vergeet die charme maar, het is gewoon een engerd.'
Nadat het eten op tafel was gezet, proefden ze elkaars gerechten en praatten gezellig over allerlei zaken. Robin was bezeten van fotografie en volgde een cursus basistechnieken. Haar huidige opdracht was het vastleggen van de veranderende herfstkleuren. 'Die mooie foto's van het begin van de herfst heb ik je al laten zien, mam. En ik weet zeker dat de foto's die ik deze week van de herfst op zijn hoogtepunt heb genomen ook prachtig zullen zijn.'
'Ongezien?' mompelde Kerry.

'Mmm. En nu kan ik nauwelijks wachten tot de bladeren verschrompelen en een flinke storm ze overal naartoe blaast. Denk je niet dat dat een fantastisch gezicht zal zijn?'
'Er gaat niets boven een flinke storm die alles overal naartoe blaast,' stemde Kerry in.
Ze besloten geen toetje te nemen. De kelner had net Kerry's creditcard teruggebracht toen ze Robin een kreetje hoorde slaken. 'Wat is er, Rob?'
'Daar heb je papa! Hij heeft ons gezien!' Robin sprong op.
'Wacht even, Rob. Laat hem maar hierheen komen,' zei Kerry zacht.
Ze draaide zich om. Vergezeld van een andere man volgde Bob de hoofdkelner. Kerry sperde haar ogen open. De andere man was Jimmy Weeks.
Bob zag er zoals gewoonlijk fantastisch uit. Zelfs een lange werkdag op de rechtbank liet op zijn knappe gezicht geen enkel spoor van vermoeidheid achter. Geen rimpeltje of kreukeltje te zien, dacht Kerry. Ze was zich ervan bewust dat ze in Bobs tegenwoordigheid altijd de neiging had om te controleren of haar make-up in orde was, haar kapsel glad te strijken en haar jasje recht te trekken.
Robin daarentegen keek verrukt. Dolgelukkig omhelsde ze haar vader. 'Het spijt me dat ik je telefoontje niet kon aannemen, papa.'
O Robin, dacht Kerry. Toen merkte ze dat Jimmy Weeks op haar neerkeek. 'Ik heb u hier vorig jaar al eens ontmoet,' zei hij. 'Toen zat u te eten met een paar rechters. Prettig u weer te zien, mevrouw Kinellen.'
'Ik gebruik die naam allang niet meer. Ik heet nu weer McGrath. Maar u hebt een goed geheugen, meneer Weeks.' Kerry's stem klonk neutraal. Ze was beslist niet van plan te zeggen dat het haar genoegen deed hem terug te zien.
'En òf ik een goed geheugen heb.' Weeks' glimlach moest aangeven dat het een grapje was. 'En zéker wat aantrekkelijke vrouwen betreft.'
De hemel beware me, dacht Kerry met een moeizame glimlach. Ze keerde zich van hem af toen Bob Robin losliet en zijn hand naar haar uitstak.
'Kerry, wat een aangename verrassing.'

'Het is meestal een verrassing als we je te zien krijgen, Bob.'
'Mam,' smeekte Robin.
Kerry beet op haar lip. Ze vond het vreselijk als ze Bob in het bijzijn van hun dochter een steek onder water gaf. Ze dwong zich tot een glimlach. 'We gaan net weg.'

Toen ze aan een tafeltje zaten en hun bestelling voor een drankje was opgenomen, merkte Jimmy Weeks op: 'Je ex-vrouw is niet bepaald dol op je, Bobby.'
Kinellen haalde zijn schouders op. 'Kerry moet zich niet zo druk maken. Ze neemt alles veel te ernstig op. We zijn te jong getrouwd en weer uit elkaar gegaan. Dat gebeurt regelmatig. Ik wou maar dat ze een ander ontmoette.'
'Wat is er met dat snuitje van je dochter gebeurd?' 'Rondvliegend glas bij een botsing. Komt wel weer goed.'
'Heb je voor een goede plastisch chirurg gezorgd?'
'Jazeker, hij werd zeer aanbevolen. Waar heb je trek in, Jimmy?'
'Hoe heet die dokter? Misschien is het dezelfde bij wie mijn vrouw is geweest.'
Bob Kinellen verbeet zijn woede. Hij vervloekte zijn pech Kerry en Robin te zijn tegengekomen zodat Jimmy naar het ongeluk vroeg.
'Charles Smith,' zei hij ten slotte.
'Charles Smith?' reageerde Weeks verbijsterd. 'Dat meen je niet.'
'Was het maar waar.'
'Nou ja, ik heb gehoord dat hij er binnenkort mee ophoudt. Zijn gezondheid is niet al te best.'
Kinellen keek hem verbaasd aan. 'Hoe weet je dat?'
Jimmy Weeks keek hem kil aan. 'Ik hou hem in de gaten. Je mag raden waarom. Dat moet je niet veel moeite kosten.'

10

Die avond had Kerry weer dezelfde droom. Ze was opnieuw bij de dokter. Een jonge vrouw lag op de grond met een touw om haar nek geknoopt. Ze had donker haar dat een gezicht omlijstte met opengesperde, niets ziende ogen en een mond die openhing alsof ze naar adem hapte, waaruit het puntje van een roze tong stak. In haar droom probeerde Kerry te schreeuwen, maar er kwam slechts een kreunend protest over haar lippen. Even later schudde Robin haar wakker. 'Mama, mama, wakker worden. Wat is er aan de hand?' Kerry opende haar ogen. 'Wat? O mijn god, Rob, wat een vreselijke nachtmerrie. Dank je wel.'

Maar nadat Robin weer was teruggegaan naar haar kamer bleef Kerry wakker liggen om over haar droom na te denken. Wat zou er de oorzaak van zijn? vroeg ze zich af. En waarom was er nu een klein verschil geweest met de vorige keer?

Deze keer waren er bloemen over het lichaam van de vrouw gestrooid. Rozen. Babyrozen!

Ze ging plotseling rechtop zitten. Dat was het! Dat was wat ze zich had geprobeerd te herinneren! Die vrouwen die ze vandaag en vorige week in de wachtkamer van dokter Smith had ontmoet, die zo sprekend op elkaar hadden geleken! Opeens wist ze waarom ze haar zo bekend waren voorgekomen. Ze wist al op wie ze leken.

Op Suzanne Reardon, het slachtoffer van de babyrozenmoord. Ze was bijna elf jaar geleden door haar man vermoord. De zaak had veel publiciteit gekregen: een misdaad uit hartstocht en rozen die over het lichaam van het beeldschone slachtoffer verspreid hadden gelegen.

Op dezelfde dag dat ik bij de openbare aanklager begon, heeft de jury haar man schuldig bevonden, herinnerde Kerry zich. De kranten hebben vol foto's van Suzanne gestaan. Ik weet zeker dat ik gelijk heb, zei ze tegen zichzelf. Ik heb erbij gezeten toen hij werd veroordeeld. Dat heeft toen grote indruk op me gemaakt. Maar waarom lijken twee patiënten van dokter Smith in vredesnaam sprekend op het slachtoffer van een moord?

11

Pamela Worth was een vergissing geweest. Die gedachte hield dokter Charles Smith bijna de hele nacht wakker. Zelfs de schoonheid van haar nieuw gevormde gezicht kon haar onelegante houding en haar scherpe, harde stem niet goedmaken.

Ik had het meteen moeten weten, dacht hij. Hij hád het eigenlijk ook geweten. Maar hij had er niets aan kunnen doen. Haar beendergestel had haar een belachelijk gemakkelijke kandidate voor een dergelijke gedaanteverandering gemaakt. Via het onder zijn vingers tot stand komen van die herschepping had hij opnieuw iets van die opwinding van de eerste keer gevoeld.

Wat moest hij beginnen als hij niet meer kon opereren? vroeg hij zich af. Dat moment kwam steeds dichterbij. De lichte trilling van zijn handen, die nu nog slechts een kleine ergernis was, zou toenemen. Ergernis zou overgaan in onmacht.

Hij knipte het licht aan, niet zijn bedlamp maar het licht dat het schilderij aan de muur tegenover hem bescheen. Iedere avond voordat hij ging slapen, keek hij ernaar. Ze was zo mooi geweest. Maar nu, zonder dat hij zijn bril op had, leek het gezicht scheef en verwrongen, zoals ze er ook uit had gezien toen ze dood was.

'Suzanne,' mompelde hij. Toen werd hij overmand door het verdriet van de herinnering en legde hij zijn arm over zijn ogen alsof hij het beeld wilde wegduwen. Hij kon het niet verdragen haar op die manier voor zich te zien, beroofd van haar schoonheid, met uitpuilende ogen en de punt van haar tong hangend over haar slappe onderlip en afgezakte kaak...

Dinsdag, 24 oktober

12

Het eerste dat Kerry de volgende morgen deed, was Jonathan Hoover bellen.

Zoals altijd had zijn stem een kalmerende invloed op haar. Ze stak meteen van wal. 'Jonathan, Robin is gisteren in New York bij de dokter geweest en alles schijnt in orde te zijn. Maar ik wil toch liever ook van een andere plastisch chirurg horen of hij het met dokter Smith eens is dat ze er geen littekens aan zal overhouden. Ken jij iemand die goed is?'

Jonathan zei met een glimlach in zijn stem: 'Niet door persoonlijke ervaring.'

'Die heb je ook beslist niet nodig gehad.'

'Dank je, Kerry. Ik zal eens navraag doen. Grace en ik waren allebei van mening dat je er nog iemand anders bij zou moeten halen, maar we wilden ons er niet mee bemoeien. Is er gisteren iets gebeurd waardoor je dit hebt besloten?'

'Ja en nee. Maar er komt zo iemand binnen. Ik zal het je vertellen zodra ik je weer zie.'

'Ik zal je vanmiddag een naam doorgeven.'

'Dank je wel, Jonathan.'

'Geen dank, edelachtbare.'

'Jonathan, dat moet je niet zeggen. Dat brengt ongeluk!'

Ze hoorde hem grinniken voordat hij de hoorn neerlegde.

Haar eerste afspraak van die morgen was met Corinne Banks, de assistente die ze in haar functie van eerste assistent opdracht had gegeven een moord door middel van een voertuig te behandelen. De zaak zou aanstaande maandag voorkomen en Corinne wilde een aantal aspecten bespreken van de telastlegging die ze van plan was aan te voeren.

Corinne, een jonge zwarte vrouw van zevenentwintig, had volgens Kerry alle aanleg om een eersteklas advocaat te worden. Er werd

geklopt en Corinne kwam binnen met een dikke map onder haar arm. Ze glimlachte breed. 'Raad eens wat Joe heeft opgedoken?' vroeg ze opgewekt.
Joe Palumbo was een van hun beste rechercheurs.
Kerry grinnikte: 'Ik brand van nieuwsgierigheid.'
'Onze o zo onschuldige verdachte, die zei dat hij nooit eerder een ongeluk had veroorzaakt, heeft een groot probleem. Met een vals rijbewijs heeft hij een groot aantal ernstige verkeersovertredingen op zijn naam staan, nog een ongeval met dodelijke afloop vijftien jaar geleden inbegrepen. Ik sta te popelen om die vent in te rekenen en nu denk ik dat dat wel zal lukken.' Ze legde de map neer en sloeg hem open. 'Maar wat ik met je wilde bespreken...'
Nadat Corinne twintig minuten later weer was vertrokken, pakte Kerry de telefoon. Toen Corinne de naam van de rechercheur had genoemd, had Kerry een idee gekregen.
Joe Palumbo antwoordde met zijn gewoonlijke 'jep' en Kerry vroeg: 'Joe, heb je lunchplannen?'
'Geen enkel, Kerry. Wil je me mee naar Solari's nemen?'
Kerry lachte. 'Dat zou ik best willen, maar ik heb een ander idee. Hoe lang werk je hier al?'
'Twintig jaar.'
'Had jij iets te maken met die Reardon-moord van tien jaar geleden, die in de media de babyrozenmoord werd genoemd?'
'Daar hebben de kranten vol van gestaan. Nee, ik was er niet bij betrokken maar als ik het me goed herinner, was het een vrij simpele zaak. Onze leider heeft er naam mee gemaakt.'
Kerry wist dat Palumbo Frank Green niet bepaald sympathiek vond. 'Is er niet een paar keer in beroep gegaan?' vroeg ze.
'Dat is waar ook. Ze bleven steeds nieuwe theorieën aandragen. Er leek geen eind aan te komen,' antwoordde Palumbo.
'Volgens mij is het laatste beroep pas een paar jaar geleden afgewezen,' zei Kerry. 'Maar er is iets gebeurd waardoor die zaak me nieuwsgierig heeft gemaakt. Dus wilde ik je vragen of je naar het archief van *The Record* wilt gaan om alles bij elkaar te zoeken wat er ooit over die zaak is gepubliceerd.'
Ze zag voor zich hoe Joe goedmoedig met zijn ogen rolde.

'Voor jou doe ik alles, Kerry. Je vraagt maar. Maar waarom eigenlijk? Die zaak ligt in een grijs verleden.'
'Vraag me dat de volgende keer maar.'
Kerry's lunch bestond uit een broodje en koffie achter haar bureau. Om halftwee kwam Palumbo binnen met een dikke envelop. 'Aan uw verzoek is voldaan.'
Kerry keek hem vol genegenheid aan. Joe was klein van stuk met grijzend haar, hij woog twintig pond te veel en lachte graag. Maar zijn ontwapenend sympathieke verschijning verraadde niet zijn talent om instinctief schijnbaar onbelangrijke details op te pikken. Hij had bij een paar van haar belangrijkste zaken met haar samengewerkt. 'De volgende keer is het mijn beurt,' zei ze.
'Laat maar zitten. Maar ik moet toegeven dat ik wel nieuwsgierig ben. Vanwaar die belangstelling voor de zaak-Reardon, Kerry?'
Ze aarzelde. Het leek haar op de een of andere manier nog niet het juiste moment om haar vermoeden over de bezigheden van dokter Smith uit te spreken.
Palumbo zag dat ze liever niet wilde antwoorden. 'Vergeet het maar. Ik hoor het later wel. Tot ziens.'
Kerry was van plan de envelop mee naar huis te nemen en er na het eten in te gaan lezen. Maar ze kon zich niet weerhouden het bovenste krantenknipsel eruit te halen. Ik heb gelijk, dacht ze. Het is nog maar een paar jaar geleden gebeurd.
Het was een kort artikel op bladzijde 32 van *The Record*, waarin stond dat Skip Reardons vijfde verzoek voor een nieuw proces was afgewezen door het hooggerechtshof van New Jersey en dat zijn advocaat, Geoffrey Dorso, had gezworen nieuwe redenen voor een volgend beroep te zullen vinden.
Dorso had gezegd: 'Ik ga net zo lang door totdat Skip Reardon vrijgesproken die gevangenis uit loopt. Hij is onschuldig.'
Natuurlijk, dacht ze. Dat zeggen alle advocaten.

13

Voor de tweede achtereenvolgende avond dineerde Bob Kinellen met zijn cliënt, Jimmy Weeks. Het was wat de rechtszaak betrof geen succesvolle dag geweest. Er was nog steeds geen voltallige jury benoemd en ze hadden al acht keer gebruikgemaakt van hun recht om een jurylid af te wijzen. Maar ondanks de zorgvuldige manier waarop ze de jury samenstelden, was het hun wel duidelijk dat de officier van justitie over degelijk bewijsmateriaal beschikte. Het was zo goed als zeker dat Haskell schuld zou bekennen.
Beide mannen waren tijdens het eten somber gestemd.
'Zelfs als Haskell bekent, kan ik hem waarschijnlijk in de beklaagdenbank wel afmaken,' verzekerde Kinellen Jimmy.
'Je zegt waarschijnlijk, maar dat is niet goed genoeg.'
'We zullen wel zien hoe het loopt.'
Weeks glimlachte wrang. 'Ik begin me zorgen over je te maken, Bob. Het wordt tijd dat je met een alternatief plan op de proppen komt.'
Bob Kinellen besloot daar niet op in te gaan. Hij sloeg het menu open. 'Ik ontmoet Alice straks bij Arnott. Ga jij er ook naartoe?'
'Jezus, nee. Hij hoeft mij aan niemand meer voor te stellen. Dat zou jij toch moeten weten. Dat heeft me al meer dan genoeg gelazer opgeleverd.'

14

Kerry en Robin zaten zonder iets te zeggen gezellig samen in de woonkamer. Omdat het zo'n kille avond was, hadden ze besloten voor het eerst van het seizoen de open haard aan te steken. In hun geval betekende dat het opendraaien van de gaskraan en daarna op een knop drukken om de vlammen door de kunstmatige houtblokken omhoog te laten schieten.
Kerry zei altijd tegen haar bezoekers: 'Ik ben allergisch voor rook. Dit vuur ziet er echt uit en geeft nog warmte ook. Het ziet er in feite zo echt uit dat mijn werkster een keer de namaak-as heeft opgezogen en ik nieuwe moest kopen.'

Robin spreidde haar herfstfoto's uit op de lage tafel. 'Het is prima weer vanavond,' zei ze voldaan. 'Koud en winderig. Nu kan ik de rest van mijn foto's ook gauw maken. Kale bomen en bergen afgevallen bladeren.'

Kerry zat in haar favoriete leunstoel met haar voeten op een bankje. Ze keek op. 'Herinner me alsjeblieft niet aan die bladeren, ik word al moe als ik eraan denk.'

'Waarom koop je geen bladblazer?'

'Ik zal er jou met Kerstmis een geven.'

'Leuk hoor. Wat lees je, mam?'

'Kom eens hier, Rob.' Kerry hield een krantenknipsel met een foto van Suzanne Reardon omhoog. 'Herken je deze vrouw?'

'Die was gisteren ook bij dokter Smith.'

'Dat zie je goed, maar het was toch niet dezelfde persoon.' Kerry was net begonnen met het doorlezen van het verslag van de moord op Suzanne Reardon. Haar lichaam was om middernacht ontdekt door haar man, Skip Reardon, een succesvolle aannemer en selfmade miljonair. Hij had haar gevonden op de vloer van de hal van hun luxueuze huis in Alpine. Ze was gewurgd. Over haar lichaam waren babyrozen gestrooid.

Dat moet ik vroeger al eens hebben gelezen, dacht Kerry. En dat moet zo'n diepe indruk op me hebben gemaakt dat ik er nu nog van droom.

Twintig minuten later las ze een artikel waarvan haar adem stokte. Skip Reardon was aangeklaagd wegens de moord nadat zijn schoonvader, dokter Charles Smith, tegen de politie had gezegd dat zijn dochter doodsbang was geweest voor de waanzinnige vlagen van jaloezie van haar man.

Dokter Smith was de vader van Suzanne Reardon! Mijn god, dacht Kerry. Geeft hij daarom andere vrouwen haar gezicht? Wat bizar. Hoe vaak heeft hij dat al gedaan? Kwam hij daarom bij Robin en mij aan met dat verhaal over het beschermen van schoonheid?

'Wat is er, mam? Je kijkt zo vreemd,' zei Robin.

'Niets, hoor. Deze zaak interesseert me alleen maar.' Kerry keek naar de klok op de schoorsteenmantel. 'Negen uur, Rob. Tijd om ermee op te houden. Ik kom zo boven om je welterusten te wensen.'

Terwijl Robin haar foto's opruimde, liet Kerry de papieren die ze in haar hand had in haar schoot zakken. Ze had wel eens van gevallen gehoord van ouders die de dood van een kind niet te boven konden komen en die de kamer van dat kind dan onveranderd lieten met alle kleren nog net zo in de kast als het kind ze had achtergelaten. Maar haar steeds opnieuw creëren? Dat ging toch beslist verder dan verdriet.

Ze stond langzaam op en liep achter Robin aan naar boven. Nadat ze haar dochtertje welterusten had gekust, ging ze naar haar eigen kamer om haar pyjama en ochtendjas aan te trekken. Toen ging ze weer naar beneden, maakte een kop chocola klaar en las verder.

De zaak tegen Skip Reardon leek zo klaar als een klontje. Hij had toegegeven dat hij en Suzanne die ochtend aan het ontbijt ruzie hadden gemaakt. Hij had in feite toegegeven dat ze al dagenlang bijna voortdurend onenigheid hadden gehad. Hij had ook toegegeven dat hij die avond om zes uur was thuisgekomen en dat ze toen een boeket rozen in een vaas stond te schikken. Toen hij haar had gevraagd waar die vandaan kwamen, had ze geantwoord dat het hem niets aanging wie ze had gestuurd. Toen had hij gezegd dat wie het dan ook geweest was haar mocht hebben en dat hij ermee kapte. Vervolgens had hij beweerd dat hij was teruggegaan naar zijn kantoor, waar hij een paar borrels had gedronken en op de bank in slaap was gevallen. Om middernacht was hij weer thuisgekomen en had hij haar lichaam gevonden.

Niemand had echter zijn verklaring kunnen bevestigen. Het dossier bevatte ook een deel van het procesverslag, inclusief Skips getuigenis. De aanklager had net zolang op hem ingehamerd tot hij in verwarring was geraakt en zichzelf was gaan tegenspreken. Hij was op z'n minst gezegd geen erg indrukwekkende getuige geweest. Zijn advocaat had hem niet bepaald goed op zijn getuigenverklaring voorbereid, dacht Kerry. Gezien de sterke indirecte bewijzen van de aanklager betwijfelde ze niet dat het noodzakelijk was geweest om Reardon in de getuigenbank te laten plaatsnemen om te ontkennen dat hij Suzanne had vermoord. Maar het was duidelijk dat Frank Greens vernietigende verhoor hem totaal van zijn stuk

had gebracht. Voor haar stond het vast dat Reardon had meegeholpen zijn eigen graf te graven.
De uitspraak was gedaan zes weken na afloop van het proces. Kerry was inderdaad aanwezig geweest. Ze dacht terug aan die dag. Ze kon zich Reardon voor de geest halen als een grote, knappe, roodharige man, die er in zijn streepjespak ongemakkelijk had uitgezien. Toen de rechter hem had gevraagd of hij nog iets wilde zeggen voordat het vonnis werd uitgesproken, had hij nogmaals verklaard dat hij onschuldig was.
Geoff Dorso was er die dag bij geweest als assistent-raadsman van Reardons advocaat. Kerry had wel van hem gehoord. In de tien jaar die sindsdien waren verstreken had Geoff een solide reputatie opgebouwd als strafpleiter. Maar ze had hem nooit persoonlijk ontmoet. Ze had in een rechtszaak nooit tegenover hem gestaan.
Ze pakte het krantenknipsel over de uitspraak op. Er werd woordelijk in herhaald dat Skip Reardon had gezegd: 'Ik ben onschuldig aan de dood van mijn vrouw. Ik heb haar nooit kwaad gedaan. Ik heb haar nooit bedreigd. Haar vader, dokter Charles Smith, is een leugenaar. Voor God en deze rechtbank zwéér ik dat hij een leugenaar is.'
Ondanks de warmte van het haardvuur rilde ze.

15

Iedereen wist, of meende te weten, dat Jason Arnott een familiefortuin bezat. Hij had vijftien jaar geleden in Alpine het huis van de Halliday's gekocht, een landgoed met twintig kamers op een heuvel die een schitterend uitzicht bood op Palisades Interstate Park. Jason was begin vijftig, van gemiddelde lengte met dun, bruin haar, diepe rimpels rond zijn ogen en een slank figuur. Hij was veel op reis, had het af en toe vaag over investeringen in het Verre Oosten en was gek op dure dingen. Zijn huis met de prachtige Perzische tapijten, antieke meubels, mooie schilderijen en verfijnde kunstvoorwerpen was een lust voor het oog. Jason was een uitstekende gastheer; hij gaf royale ontvangsten en werd op zijn beurt over-

stelpt met uitnodigingen van de groten, de bijna-groten en de alleen-maar-rijken.
Hij was erudiet en geestig, en hij beweerde dat hij in de verte nog familie was van de Astors in Engeland. De meeste mensen vermoedden echter wel dat deze uiting van snobisme aan zijn verbeelding was ontsproten. Men vond hem kleurrijk, een beetje geheimzinnig en zeer charmant.
Men wist echter niet dat Jason een dief was. Het scheen niemand ooit te zijn opgevallen dat er in zo goed als alle huizen waar hij op bezoek was geweest na verloop van tijd werd ingebroken door iemand die blijkbaar een onfeilbare manier had om de alarmsystemen uit te schakelen. Jasons enige voorwaarde was dat hij de buit van zijn escapades zelf moest kunnen wegdragen. Schilderijen, beeldjes, juwelen en wandkleden waren favoriet. Hij had maar een paar keer in zijn lange loopbaan de hele inhoud van een huis meegenomen. Voor die evenementen had hij een ingewikkeld systeem van vermommingen moeten verzinnen en er een aantal louche verhuizers bij moeten betrekken voor het laden van de vrachtwagen, die nu in de garage stond van zijn geheime domicilie in een afgelegen gebied van de Catskills.
Daar had hij nog een andere identiteit. Zijn wijdverspreide buren kenden hem alleen als een kluizenaar, die niet in sociale contacten was geïnteresseerd. Behalve de werkster en af en toe een klusjesman kwam er nooit iemand verder dan de drempel van zijn buitenhuis, en de werkster noch de klusjesman had ook maar enig idee van de waarde van zijn inrichting.
Zijn huis in Alpine was prachtig ingericht, maar dat in de Catskills was adembenemend, want daar zette Jason dat deel van de buit van zijn strooftochten neer waarvan hij geen afscheid kon nemen. Ieder stuk was een kunstschat. Aan de muur van de eetkamer hing een Frederic Remington boven het Sheraton-dressoir waarop een Peachblow-vaas stond te glinsteren. Alles in Alpine was gekocht met geld dat Jason had verkregen door de verkoop van gestolen goed. Er stond niets dat ooit de aandacht zou kunnen trekken van iemand met een fotografisch geheugen voor gestolen bezit. Jason kon zonder bezwaar vol zelfvertrouwen toegeven: 'Ja, dat is mooi,

hè? Dat heb ik vorig jaar op een veiling van Sotheby's gekocht.' Of: 'Ik ben naar Bucks County gegaan toen het landhuis van de Parkers werd geveild.'

De enige keer dat Jason een fout had gemaakt, was tien jaar geleden geweest. Zijn werkster had op een vrijdag haar tas laten vallen en de hele inhoud was eruit gerold. Toen ze alles bij elkaar had geraapt, ontbrak een velletje papier met de codes van de alarmsystemen van vier andere huizen in Alpine. Jason had ze snel overgenomen en het papiertje teruggelegd voordat de vrouw zelfs maar had gemerkt dat het weg was. Toen had hij de verleiding niet kunnen weerstaan bij die vier huizen in te breken: dat van de Ellots, de Ashtons, de Donnatellis... en de Reardons. Jason huiverde nog steeds als hij eraan dacht hoe hij die verschrikkelijke nacht maar ternauwernood was ontsnapt.

Maar dat was inmiddels jaren geleden en Skip Reardon zat veilig in de gevangenis, zijn kans op hoger beroep geheel verkeken. En het feest van vanavond was in volle gang. Jason nam met een glimlach de complimenten van Alice Bardett Kinellen in ontvangst.

'Ik hoop dat Bob ook nog komt opdagen: zei Jason tegen haar.

'O, die komt heus wel. Hij weet heel goed dat hij me niet moet teleurstellen.'

Alice was een mooie, blonde vrouw van het Grace Kelly-type. Jammer genoeg had ze niets van de charme of warmte van de overleden prinses. Alice Kinellen was een ijskoude vrouw. Bovendien saai en bezitterig, vond Jason. Hoe hield Kinellen het in vredesnaam bij haar uit?

'Hij dineert met Jimmy Weeks,' vertrouwde Alice hem toe terwijl ze slokjes van haar champagne nam. 'Die zaak zit hem tot hier.' Ze maakte een gebaar of ze haar keel doorsneed.

'Nou, dan hoop ik dat Jimmy meekomt: zei Jason oprecht. 'Ik mag hem wel.' Maar hij wist best dat Jimmy niet zou verschijnen. Weeks kwam al jarenlang niet meer op zijn feestjes. Hij had Alpine sinds de moord op Suzanne Reardon in feite steeds gemeden. Jimmy Weeks had Suzanne elf jaar geleden op een feestje bij Jason Arnott ontmoet.

Woensdag, 25 oktober

16

Frank Green was zichtbaar uit zijn humeur. De glimlach, die hij bij de minste aanleiding liet schitteren om met zijn onlangs gewitte gebit te pronken, was nergens te bekennen toen hij naar Kerry aan de andere kant van zijn bureau keek.

Ik had deze reactie ook wel verwacht, dacht ze. Ik had moeten weten dat ik vooral bij Frank niet meer had moeten aankomen met vragen over de rechtszaak waarmee hij naam heeft gemaakt. En helemaal niet nu hij overal wordt genoemd als gouverneurskandidaat.

Nadat Kerry alle krantenartikelen over de babyrozenmoord had doorgelezen, had ze in bed liggen bedenken hoe ze dokter Smith zou aanpakken. Moest ze hem erover aanspreken, hem zonder omhaal naar zijn dochter vragen en ook waarom hij haar in de gezichten van andere vrouwen weer tot leven bracht?

Er bestond grote kans dat hij dan alles zou ontkennen en haar de deur zou wijzen. Skip Reardon had de dokter van leugens beschuldigd toen die in de zaak betreffende zijn dochter moest getuigen. Dus als Smith destijds had gelogen, zou hij dat zoveel jaar later beslist niet tegenover Kerry toegeven. En al had hij gelogen, dan was de grote vraag nog waarom.

Tegen de tijd dat Kerry eindelijk in slaap was gevallen, had ze besloten dat Frank Green de aangewezen persoon was om als eerste te ondervragen omdat hij indertijd de aanklager was geweest. Maar nu ze Frank de reden had uitgelegd waarom ze vragen stelde over de zaak-Reardon, was het duidelijk dat ze op haar vraag: 'Denk je dat er een mogelijkheid bestaat dat dokter Smith in zijn getuigenis tegen Skip Reardon heeft gelogen?' geen nuttig of zelfs maar vriendelijk antwoord zou krijgen.

'Kerry,' zei Green, 'Skip Reardon heeft zijn vrouw vermoord. Hij wist dat ze hem ontrouw was. Op de dag dat hij haar vermoordde, had hij zijn accountant gevraagd uit te zoeken hoeveel het hem zou kosten om van haar te scheiden. Hij werd razend toen hij te horen kreeg dat dat een fortuin zou zijn. Hij was rijk en Suzanne had een goedbetaalde loopbaan als fotomodel opgegeven om huisvrouw te worden. Hij had er heel wat voor moeten dokken. Dus het lijkt me een verspilling van tijd en het geld van de belastingbetaler om nu nog de betrouwbaarheid van dokter Smith in twijfel te gaan trekken.'

'Maar er is iets met dokter Smith aan de hand,' zei Kerry langzaam 'Frank, ik wil geen moeilijkheden veroorzaken en niemand wil liever dan ik een moordenaar achter de tralies hebben, maar ik zweer je dat Smith meer is dan een door verdriet overmande vader. Hij lijkt wel bijna gek. Je had de uitdrukking op zijn gezicht eens moeten zien toen hij Robin en mij de les las over het beschermen van schoonheid en hoe sommige mensen die gratis krijgen en anderen ernaar moeten streven.'

Green keek op zijn horloge. 'Kerry, je hebt net een grote zaak achter de rug. Je staat op het punt aan een andere te beginnen. Er staat een rechtersstoel voor je klaar. Het is jammer dat Robin door de vader van Suzanne Reardon wordt behandeld. Hij was in ieder geval geen ideale getuige. Toen hij het over zijn dochter had, vertoonde hij geen schijntje emotie. Hij Was in feite zo kil en afgemeten dat ik blij was dat de jury zijn getuigenverklaring tenminste geloofde. Bewijs jezelf een dienst en vergeet die zaak.'

Het was duidelijk dat het gesprek was beëindigd. Toen Kerry opstond, zei ze: 'Ik laat in ieder geval dokter Smiths klusje aan Robins gezicht controleren door een andere plastisch chirurg, iemand die Jonathan voor me heeft gevonden.'

Terug in haar kantoor vroeg Kerry haar secretaresse geen telefoontjes door te geven en bleef ze lange tijd voor zich uit zitten staren. Ze kon Frank Greens misnoegen over haar vragen betreffende zijn hoofdgetuige in de babyrozenmoordzaak heel goed begrijpen. De geringste suggestie dat er misschien een rechterlijke dwaling had plaatsgevonden, zou negatieve publiciteit veroorzaken en zonder twijfel een schaduw werpen op Franks reputatie als potentiële gouverneur.

Dokter Smith is waarschijnlijk een geobsedeerd rouwende vader, die zijn grote bekwaamheid gebruikt om zijn dochter weer tot leven te wekken, zei ze tegen zichzelf. En Skip Reardon is waarschijnlijk een van die ontelbare moordenaars die zeggen dat ze het niet hebben gedaan.

Maar ondanks dat wist ze dat ze het er niet bij zou laten. Zaterdag, als ze Robin mee zou nemen naar de plastisch chirurg die Jonathan had aanbevolen, zou ze hem vragen hoeveel chirurgen op zijn terrein zelfs maar zouden overwegen om een aantal vrouwen hetzelfde gezicht te geven.

17

Die avond om halfzeven wierp Geoff Dorso met tegenzin een blik op de stapel boodschappen die was binnengekomen toen hij op de rechtbank was. Toen keerde hij ze de rug toe. Vanuit het raam van zijn kantoor in Newark had hij een schitterend uitzicht op het silhouet van New York, een aanblik die hem na een lange dag in de rechtszaal nog steeds tot rust bracht.

Geoff was een stadsmens. Hij was geboren en tot zijn elfde jaar opgegroeid in Manhattan. Toen was hij met zijn ouders naar New Jersey verhuisd. Nu was het net of hij met één been aan elke kant van de Hudson stond en daar voelde hij zich wel bij.

Geoff was achtendertig. Hij was lang en slank, een bouw die niet verraadde dat hij een zoetekauw was. Zijn pikzwarte haar en olijfkleurige huid gaven blijk van zijn Italiaanse afkomst, maar zijn diepblauwe ogen had hij van zijn Iers-Engelse grootmoeder.

Geoff was nog steeds vrijgezel en daar zag hij ook naar uit. Zijn stropdassen werden op goed geluk uit de kast getrokken en zijn kleren zagen er gewoonlijk wat verkreukeld uit. Maar de stapel boodschappen was een bewijs van zijn uitstekende reputatie als advocaat gespecialiseerd in strafzaken en van het respect dat men in justitiële kringen voor hem had.

Hij las ze door, legde de belangrijke opzij en gooide de rest weg. Plotseling trok hij zijn wenkbrauwen op. Er was een verzoek bij om Kerry McGrath te bellen. Ze had twee telefoonnummers ach-

tergelaten, van kantoor en thuis. Waar zou dat over gaan? vroeg hij zich af. Hij had geen enkele rechtszaak op zijn programma in Bergen County, haar rechterlijke domein.
Hij had Kerry de afgelopen jaren wel eens op diners van de juristenvereniging ontmoet en hij wist dat ze op de nominatie stond om tot rechter te worden benoemd, maar hij kende haar eigenlijk niet. Haar boodschap intrigeerde hem. Het was al te laat om haar nog op kantoor te bellen, dus besloot hij te proberen haar thuis te bereiken.

'Ik neem wel op!' riep Robin toen de telefoon ging.
Het is waarschijnlijk toch voor jou, dacht Kerry terwijl ze de spaghetti proefde. Maar ik dacht dat telefonitis pas in de tienerjaren begon, peinsde ze verder. Toen hoorde ze Robin roepen dat het voor haar was.
Ze liep snel door de keuken naar het toestel aan de muur. Een onbekende stem zei: 'Kerry?'
'Ja.'
'Met Geoff Dorso.'
Ze had die boodschap in een opwelling voor hem achtergelaten. Daarna had ze zich afgevraagd of ze daar wel goed aan had gedaan. Als Frank Green aan de weet kwam dat ze contact had opgenomen met Skip Reardons advocaat, zou hij de volgende keer beslist veel minder vriendelijk reageren. Maar er was nu niets meer aan te doen.
'Geoff, dit slaat waarschijnlijk nergens op maar...' Ze aarzelde. Zeg het nou maar, zei ze tegen zichzelf. 'Geoff, mijn dochtertje heeft onlangs een ongeluk gehad en ze wordt behandeld door dokter Charles Smith.'
'Charles Smith?' onderbrak Dorso haar, 'de vader van Suzanne Reardon?'
'Ja, dat is het 'm nou juist. Er is iets heel bizars met die man aan de hand.' Ze vervolgde meer op haar gemak haar verhaal en vertelde hem alles over de twee vrouwen die zo op Suzanne leken.
'Je bedoelt dat Smith hun werkelijk het gezicht van zijn dochter heeft gegeven?' riep Dorso uit. 'Wat heeft dat in vredesnaam te betekenen?'

'Dat vraag ik me ook af. Ik ga zaterdag naar een andere plastisch chirurg en ik ben van plan hem te vragen waar iemand als hij rekening mee moet houden als hij een gezicht namaakt. Ik wil ook proberen met dokter Smith te praten maar ik dacht dat ik, als ik van tevoren het hele procesverslag zou kunnen doorlezen, een beter uitgangspunt zou hebben. Ik weet wel dat ik er op kantoor een kan krijgen – ze moeten ergens in het archiefgebouw liggen – maar dat kan wel even duren en bovendien wil ik niet laten merken dat ik ernaar op zoek ben.'

'Ik zal morgen een kopie bij je laten bezorgen,' beloofde Dorso. 'Ik zal hem naar je kantoor sturen.'

'Nee, stuur hem maar liever hierheen. Ik zal je mijn adres geven.'

'Dan wil ik hem graag zelf komen brengen en er met je over praten. Komt het uit als ik morgenavond tussen zes en halfzeven even langskom? Ik beloof dat ik niet langer dan een halfuurtje zal blijven.'

'Dat kan wel, denk ik.'

'Tot morgen dan. Bedankt, Kerry.' De telefoon klikte.

Kerry keek naar de hoorn in haar hand. Waar ben ik in hemelsnaam mee bezig? vroeg ze zich af. Ze had de opwinding in Dorso's stem wel gehoord. Ik had het woord bizar niet moeten gebruiken, dacht ze. Nu ben ik aan iets begonnen dat ik misschien niet eens kan afmaken.

Bij een geluid van het fornuis draaide ze zich snel om. Het water in de spaghettipan was aan het overkoken en stroomde langs de buitenkant in de gasvlammen. Zonder te kijken wist ze dat de spaghetti, die al dente had moeten zijn, tot een kleverige massa was samengeklonterd.

18

Dokter Charles Smiths praktijk was 's woensdagsmiddags gesloten. Dan voerde hij operaties uit of bezocht hij zijn patiënten in het ziekenhuis. Maar vandaag had dokter Smith al zijn afspraken afgezegd. Toen hij door East 68th Street reed in de richting van het herenhuis waarin de public-relationsfirma was gevestigd waarvoor Barbara Tompkins werkte, sperde hij zijn ogen open toen hij zag hoe hij bofte. Recht tegenover de ingang van haar gebouw was een vrije parkeerplaats. Daar kon hij blijven wachten tot ze naar buiten kwam.

Toen ze ten slotte in de deuropening verscheen, glimlachte hij ongewild. Ze zag er beeldschoon uit, vond hij. Zoals hij had voorgesteld, droeg ze het haar in losse golven om haar gezicht, volgens hem de beste stijl om haar nieuwe trekken te omlijsten. Ze droeg een nauwsluitend rood jasje, een zwarte rok tot op haar kuiten en rijglaarsjes. Van een afstand zag ze er chic en succesvol uit. Van nabij was ieder detail hem overbekend.

Nadat ze een taxi had aangeroepen, startte hij zijn twaalf jaar oude, zwarte Mercedes om haar te volgen. Hoewel het verkeer op Park Avenue zoals gewoonlijk in het spitsuur in een slakkengang voortkroop, kostte het hem geen moeite de taxi bij te houden.

Na in zuidelijke richting te hebben gereden, stopte de taxi ten slotte voor het Four Seasons in East 52nd. Barbara ontmoette daar waarschijnlijk iemand voor een drankje, dacht hij. De bar zou op dit tijdstip stampvol zijn. Dat zou het voor hem gemakkelijk maken om ongezien naar binnen te glippen. Hij schudde zijn hoofd en besloot toch maar liever naar huis te gaan. Die korte blik op haar was wel genoeg geweest. Eigenlijk al bijna te veel. Hij had werkelijk even geloofd dat het Suzanne was. Nu wilde hij slechts alleen zijn. Er welde een snik op in zijn keel. Terwijl het verkeer voortkroop in de richting van de binnenstad herhaalde hij steeds weer opnieuw: 'Het spijt me, Suzanne. Het spijt me, Suzanne.'

Donderdag, 26 oktober

19

Als Jonathan Hoover toevallig in Hackensack was, probeerde hij Kerry meestal over te halen even met hem te gaan lunchen. 'Hoeveel koppen cafetariasoep kan een mens verwerken?' vroeg hij haar dan plagend.

Vandaag, achter een hamburger in Solari's, het restaurant om de hoek van het gerechtsgebouw, bracht Kerry hem op de hoogte van de vrouwen met hetzelfde gezicht als Suzanne Reardon en haar gesprek met Geoff Dorso. Ze vertelde hem ook over de niet bepaald positieve reactie van haar baas toen ze hem voorstelde die oude moordzaak nog eens te bestuderen.

Jonathan reageerde vol bezorgdheid. 'Kerry, ik herinner me niet veel meer van die zaak, maar wel dat er geen twijfel bestond over de schuld van de echtgenoot. Hoe dan ook vind ik dat je het moet laten rusten, vooral met het oog op het feit dat Frank Green op een zeer spraakmakende manier voor zijn veroordeling heeft gezorgd. Je moet goed beseffen wat er hier op het spel staat. Gouverneur Marshall is nog een jonge man. Hij is twee regeerperiodes aan het bewind geweest en kan zich geen derde achtereenvolgende keer kandidaat stellen, maar hij vindt het een geweldige baan. Hij wil dat Frank Green het van hem overneemt. Onder ons gezegd hebben ze een afspraak gemaakt. Green wordt vier jaar lang gouverneur en daarna mag hij zich met steun van Marshall kandidaat stellen voor de senaat.'

'En dan trekt Marshall weer in Drumthwacket.'

'Precies. Hij vindt het fantastisch om in het huis van de gouverneur te wonen. Het staat dus nu al vast dat Green benoemd zal worden. Hij ziet er goed uit en klinkt veelbelovend. Hij heeft een mooie carrière achter de rug, waarin de zaak-Reardon een belangrijke rol speelde. En hij is toevallig nog intelligent ook. Hij is van plan in Marshalls voetsporen te treden. Maar als er een spaak in het wiel

zou komen, is hij in de eerste ronde te verslaan. Er staan nog een paar andere kandidaten te trappelen om in aanmerking te komen.'
'Jonathan, ik zei alleen maar dat ik wat rond wilde neuzen om erachter te komen of de hoofdgetuige in een moordzaak een zodanig probleem had dat het zijn getuigenverklaring onbetrouwbaar maakte. Ik bedoel dat een vader natuurlijk rouwt als zijn dochter sterft, maar dat dokter Smith wel erg ver gaat.'
'Kerry, Frank Green heeft met het vervolgen van die zaak zijn reputatie gevestigd. Dat heeft hem de benodigde publiciteit verschaft. Toen Dukakis zich voor het presidentschap verkiesbaar stelde, was een belangrijke factor in zijn nederlaag die televisiespot waarin werd gesuggereerd dat hij een moordenaar liet gaan, die daarna een reeks misdaden beging. Besef je wel wat de media zouden doen als gesuggereerd werd dat Green een onschuldig man voor de rest van zijn leven naar de gevangenis heeft gestuurd?'
'Jonathan, je gaat me te ver. Die veronderstelling laat ik helemaal buiten beschouwing. Ik vermoed alleen maar dat Smith een groot probleem heeft dat zijn getuigenverklaring kan hebben beïnvloed. Hij was de belangrijkste getuige van de aanklager en als hij heeft gelogen, ga ik er echt aan twijfelen of Reardon wel schuldig was.'
De kelner stond naast hen met een koffiepot in zijn hand. 'Nog koffie, senator?' vroeg hij.
Jonathan knikte. Kerry bewoog haar hand heen en weer boven haar kopje. 'Niet voor mij.'
Jonathan glimlachte plotseling. 'Kerry, herinner je je nog dat je, toen je die keer op ons huis paste, dacht dat de tuinarchitect niet zoveel struiken had geplant als op het ontwerp stonden?'
Kerry keek enigszins beschaamd. 'Dat herinner ik me nog heel goed.'
'Die laatste dag ben je de tuin doorgelopen om ze allemaal te tellen. Toen besloot je dat je gelijk had en heb je hem in het bijzijn van al zijn tuinlieden ervan langs gegeven, waar of niet?'
Kerry keek naar haar koffie. 'Mmm, mmm.'
'En wat bleek er aan de hand te zijn?'
'Hij was niet tevreden met een aantal struiken, had jou en Grace in Florida opgebeld en had ze er weer uitgehaald met de bedoeling ze door andere te vervangen.'

'En verder?'
'Hij was getrouwd met een nicht van Grace.'
'Dat bedoel ik nou precies.' Zijn ogen twinkelden. Toen keek hij weer ernstig. 'Kerry, als je Frank Green in verlegenheid brengt en zijn nominatie op het spel zet, loop je kans dat je van je rechterschap moet afzien. Dan wordt je naam begraven onder een stapel papieren op het bureau van gouverneur Marshall en wordt mij zonder ophef gevraagd een andere kandidaat voor die vacature op te geven.' Hij zweeg en nam Kerry's hand in de zijne. 'Denk er voordat je verder iets doet nog maar eens goed over na. Ik ben ervan overtuigd dat je dan de juiste beslissing zult nemen.'

20

De bel klingelde 's avonds precies om halfzeven en Robin rende naar de deur om Geoff Dorso binnen te laten. Kerry had haar gezegd dat hij eraan kwam en dat ze ongeveer een halfuurtje een zaak wilden bespreken. Robin had voor die tijd willen eten en had beloofd om, terwijl Kerry bezig was, op haar kamer haar huiswerk af te maken. In ruil daarvoor kreeg ze een extra doordeweeks uur televisiekijken.
Ze bekeek Dorso welwillend en bracht hem naar de woonkamer.
'Mijn moeder komt zo beneden,' kondigde ze aan. 'Ik ben Robin.'
'En ik ben Geoff Dorso. Hoe ziet je vechtgenoot eruit?' vroeg hij. Glimlachend wees hij naar de nog steeds rode littekens op haar gezicht.
Robin grinnikte. 'Ik heb hem platgeslagen. Eerlijk gezegd was het alleen maar een lichte botsing met rondvliegend glas.'
'Het lijkt goed te genezen.'
'Dat zegt dokter Smith, de plastisch chirurg, tenminste ook. Mama zegt dat u hem kent. Ik vind hem een griezel.'
'Robin!' Kerry was beneden gekomen.
'Kinderen en gekken...' zei Dorso glimlachend. 'Kerry, wat leuk je te ontmoeten.'
'Ik vind het ook leuk jou te ontmoeten, Geoff.' Ik hoop dat ik dat

meen, dacht Kerry, terwijl ze haar ogen liet vallen op de uitpuilende documententas onder Dorso's arm. 'Robin!'
'Ja, ja, huiswerk,' zei Robin opgewekt. 'Ik ben niet bepaald de netste mens ter wereld,' legde ze Dorso uit. 'Op mijn laatste rapport stond "voor verbetering vatbaar" naast "huiswerk".'
'Er stond ook een kruisje bij "tijdsindeling",' bracht Kerry haar in herinnering.
'Dat is alleen maar omdat ik op school wel eens vergeet dat ik een taak moet afmaken en met mijn vriendinnen ga praten. Oké.' Met een wuifbeweging van haar hand liep Robin naar de trap.
Geoff Dorso keek haar glimlachend na. 'Leuk kind, Kerry, en wat een schoonheid. Over een jaar of vijf moet je de voordeur barricaderen.'
'Ik moet er niet aan denken. Geoff, wil je koffie, een borrel of een glas wijn?'
'Nee, dank je. Ik had je beloofd niet te veel tijd in beslag te nemen.' Hij legde zijn tas op de lage tafel. 'Wil je dit hier bekijken?'
'Ja hoor.' Ze ging naast hem op de bank zitten terwijl hij twee dikke, gebonden dossiers tevoorschijn haalde. 'Het procesverslag,' zei hij. 'Duizend bladzijden. Als je echt wilt weten hoe het allemaal is verlopen, moet je ze heel zorgvuldig doorlezen. Eerlijk gezegd schaam ik me over onze hele verdediging. Ik weet best dat we Skip moesten laten getuigen maar hij was niet goed voorbereid. De getuigen à charge zijn niet erg hard aangepakt. En we hebben maar twee getuigen opgeroepen om Skips karakter te beschrijven, terwijl dat er twintig hadden moeten zijn.'
'Waarom is het op die manier behandeld?' vroeg Kerry.
'Ik was de jongste advocaat en was net door Farrell en Strauss aangenomen. Farrell was in het verleden best een goede pleitbezorger, daar bestaat geen twijfel over. Maar toen Skip Reardon hem aannam, had hij zijn beste tijd gehad en was hij eigenlijk zo goed als opgebrand. Hij kon geen belangstelling meer voor die moordzaak opbrengen. Ik geloof echt dat Skip beter een minder ervaren advocaat in de arm had kunnen nemen, die nog voor zijn werk warmliep.'
'Had jij het niet kunnen doen?'

'Nee, eigenlijk niet. Ik kwam nog maar net van de universiteit en wist nauwelijks van wanten. Ik had maar heel weinig in te brengen in dat proces. Ik deed voornamelijk dienst als loopjongen voor Farrell. Maar ondanks mijn gebrek aan ervaring wist ik heel goed dat die hele zaak slecht werd aangepakt.'

'En Frank Green heeft hem tijdens zijn kruisverhoor de grond ingeboord?'

'Zoals je kunt lezen, kreeg hij Skip zover dat hij toegaf dat hij en Suzanne die ochtend ruzie hadden gehad, dat hij zijn accountant had gevraagd hoeveel een scheiding hem zou kosten en dat hij, toen hij om zes uur thuiskwam, opnieuw met Suzanne had geruzied. De lijkschouwer was van mening dat de moord tussen zes en acht was gepleegd, zodat Skip volgens zijn eigen verklaring om die tijd op de plaats van de moord aanwezig was geweest.'

'Ik lees hier in het verslag dat Skip Reardon heeft gezegd dat hij naar zijn kantoor is teruggegaan, een paar borrels heeft gedronken en in slaap is gevallen. Dat is wel een heel zwak alibi,' merkte Kerry op.

'Zwak, maar waar. Skip had een heel succesvolle zaak opgebouwd. Hij bouwde voornamelijk mooie, grote huizen, hoewel hij inmiddels ook aan winkelcentra was begonnen. Hij zat meestal op kantoor de zaken te regelen, maar hij trok dolgraag een overall aan om met zijn bouwvakkers mee te werken. Dat had hij voordat hij die avond terugging naar kantoor ook gedaan. De man was doodmoe.'

Hij sloeg de eerste map open. 'Ik heb zowel Smiths getuigenverklaring als die van Skip aangestreept. Maar de kern van de zaak is dat we zeker weten dat er nog iemand anders bij betrokken was. Er zijn redenen om te geloven dat dat een andere man was. Skip was ervan overtuigd dat Suzanne met een ander omging, misschien zelfs met meer dan een. Die tweede ruzie, toen hij om zes uur thuiskwam, werd veroorzaakt doordat hij haar bij zijn thuiskomst aantrof terwijl ze een boeket rode rozen stond te schikken – ik geloof dat de pers ze babyrozen noemde – dat hij haar niet had gestuurd. De aanklager beweerde dat hij haar toen in een aanval van woede heeft gewurgd en die rozen over haar lichaam heeft uitgestrooid. Hij bezwoer natuurlijk dat hij dat niet gedaan heeft en dat Suzanne

toen hij wegging nog steeds onverstoorbaar met die bloemen bezig was.'
'Heeft iemand bij de plaatselijke bloemisterijen nagegaan of er een bestelling voor die rozen was gedaan? Als Skip ze niet zelf mee naar huis had gebracht, moesten ze zijn bezorgd.'
'Dat heeft Farrell tenminste wel gedaan. Hij heeft bij iedere bloemisterij in Bergen County laten navragen. Zonder resultaat.'
'O.'
Geoff stond op. 'Kerry, ik weet dat het veel gevraagd is, maar ik wil graag dat je dit verslag zorgvuldig doorleest. En dat je vooral veel aandacht besteedt aan de verklaring van dokter Smith. En ik zou ook graag willen dat je erover nadenkt mij mee te nemen als je met dokter Smith gaat praten over zijn gewoonte om andere vrouwen het gezicht van zijn dochter te geven.'
Ze liep met hem mee naar de deur. 'Ik bel je binnen een paar dagen,' beloofde ze.
Bij de deur bleef hij staan en keerde zich naar haar toe. 'Ik wil je nog één ding vragen. Ga met me mee naar de staatsgevangenis in Trenton. Praat zelf met Skip. Ik zweer je op het graf van mijn grootmoeder dat je de waarheid hoort als die arme kerel je zijn verhaal vertelt.'

21

In de staatsgevangenis in Trenton lag Skip Reardon op het bed in zijn cel naar het nieuws van halfzeven te kijken. De avondmaaltijd met het saaie menu zat er alweer op. Hij voelde zich rusteloos en prikkelbaar, wat de laatste tijd steeds vaker voorkwam. Na een verblijf van tien jaar in deze inrichting lukte het hem over het algemeen wel om in een min of meer gelijkmatige stemming te blijven. In het begin had hij steeds geschommeld tussen wilde hoop als er een hoger beroep zou voorkomen en diepe wanhoop als het werd afgewezen.
Tegenwoordig was zijn normale geestestoestand die van gelaten afwachting. Hij wist dat Geoff Dorso zijn onderzoek naar redenen

voor een herziening van het vonnis nooit zou stopzetten, maar de algemene opinie in het land was aan het veranderen. In het nieuws werd steeds vaker kritiek geuit op het feit dat verzoeken tot hoger beroep van veroordeelde misdadigers het werk van de rechtbanken ophielden, en de onvermijdelijke conclusie was dat daar een eind aan moest komen. Als Geoff geen reden tot herziening meer kon vinden, zo'n gegronde reden dat hij er zijn vrijheid mee kon terugkrijgen, betekende dat dat hij nog twintig jaar op deze plek moest zien door te komen.

In zijn somberste momenten liet Skip zijn gedachten teruggaan naar de jaren die aan de moord voorafgegaan waren. Dan besefte hij hoezeer hij aan verstandsverbijstering had geleden. Hij was zo goed als verloofd geweest met Beth. Toen was hij op aandringen van Beth alleen naar een feestje gegaan dat werd gegeven door haar zuster en haar man, een chirurg. Beth was op het laatste moment niet lekker geworden maar had niet gewild dat hij de pret zou missen.

En wat een pret, dacht Skip ironisch, terugdenkend aan die avond. Suzanne was er geweest met haar vader. Zelfs nu was hij nog niet vergeten hoe ze er die eerste keer uitgezien had. Hij had meteen geweten dat ze problemen zou veroorzaken, maar hij was toch zo stom geweest voor haar te vallen.

Skip stond ongeduldig op van zijn bed, zette de televisie uit en keek naar het procesverslag op de plank boven de wc. Hij kon het bijna uit zijn hoofd opdreunen. Het staat wel op de juiste plaats daar boven de wc, dacht hij bitter. Ik zou het moeten versnipperen en doorspoelen, ik heb er toch niks aan.

Hij rekte zich uit. Vroeger hield hij zijn lichaam in conditie met een combinatie van hard werken op het bouwterrein en regelmatige bezoeken aan de fitness studio. Nu hield hij zich iedere avond aan een strikt regime van opdrukken en opzitten. In het kleine, plastic spiegeltje aan de muur zag hij dat er grijze strepen door zijn rode haar liepen en dat zijn gezicht, dat eens een gezonde buitenkleur had gehad, nu een bleke gevangenistint had gekregen.

De dagdroom die hij zichzelf toestond, was dat hij door het een of andere wonder weer vrij zou zijn om huizen te bouwen. Het de-

primerende gebrek aan ruimte en het voortdurende lawaai in de inrichting gaven hem visioenen van middenklasse huizen die voldoende geïsoleerd waren om een gevoel van privacy te verschaffen en die genoeg ramen hadden om aan alle kanten naar buiten te kunnen kijken. Hij had al schriften vol ontwerpen gemaakt.
Iedere keer dat Beth hem kwam opzoeken – waarvan hij haar de laatste tijd had geprobeerd te weerhouden – liet hij haar zijn nieuwste tekeningen zien. Dan praatten ze erover alsof hij op een dag werkelijk in staat zou zijn het werk weer op te nemen waarvan hij zoveel hield: het bouwen van huizen.
Hij vroeg zich echter af hoe de wereld eruit zou zien en hoe de mensen zouden wonen als hij eindelijk de deur van dit verschrikkelijke oord achter zich kon dichttrekken.

22

Kerry wist dat het weer laat zou worden die avond. Ze was meteen na Geoffs vertrek met het doorlezen van het verslag begonnen en er zodra Robin in bed lag mee doorgegaan.
Om halftien belde Grace Hoover. 'Jonathan is naar een vergadering. Ik zit in bed en heb zin in een praatje. Komt het je uit?'
'Voor jou komt het altijd uit, Grace.' Dat meende Kerry. In de vijftien jaar dat ze Grace en Jonathan kende, had ze Grace lichamelijk achteruit zien gaan. Ze had eerst een wandelstok gebruikt, toen krukken en ten slotte een rolstoel, en hoewel ze vroeger een heel druk sociaal leven had gehad, was ze nu bijna volledig aan huis gebonden. Ze hield wel contact met haar vrienden en gaf nog vaak dinertjes die ze buitenshuis liet koken, maar ze had tegen Kerry gezegd dat het haar zo langzamerhand te veel moeite kostte om nog de deur uit te gaan.
Kerry had Grace nog nooit horen klagen. 'Je doet wat je moet,' had ze wrang gezegd toen Kerry een keer openhartig haar bewondering uitte voor haar moed.
Maar na een paar minuten over koetjes en kalfjes werd het duidelijk dat Grace die avond een bedoeling had met haar telefoontje.

'Kerry, je hebt vandaag met Jonathan geluncht en ik moetje eerlijk zeggen dat hij zich zorgen maakt.'

Kerry luisterde terwijl Grace Jonathans standpunt herhaalde en eindigde met: 'Kerry, na twintig jaar in de senaat van de staat heeft Jonathan heel wat macht, maar niet genoeg om de gouverneur te dwingen jou een rechtersfunctie te geven als jij zijn zelfgekozen opvolger in verlegenheid brengt. Jonathan heeft er tussen haakjes geen flauw idee van dat ik je bel,' voegde ze eraan toe.

Hij heeft echt zijn hart bij Grace gelucht, dacht Kerry. Ik vraag me af wat ze zou zeggen als ze wist waar ik op dit moment mee bezig ben. Met een schuldig gevoel over haar ontwijkende reactie deed Kerry haar best Grace te verzekeren dat ze geenszins van plan was iemand tegen de haren in te strijken. 'Maar Grace, ik geloof echt dat Frank Green, als de getuigenverklaring van dokter Smith vals zou blijken te zijn, bewonderd en gerespecteerd zou worden als hij het Hof zou adviseren Reardon opnieuw te berechten. Ik denk niet dat het publiek het hem kwalijk zou nemen dat hij het volste vertrouwen in de getuigenverklaring van de dokter heeft gehad. Hij had destijds geen enkele reden om aan hem te twijfelen.' Ze voegde eraan toe: 'Bovendien ben ik er nog helemaal niet van overtuigd dat Reardon niet eerlijk berecht is. Maar ik ben toevallig op dit ene punt gestuit en dat kan ik niet zomaar uit mijn hoofd zetten.'

Na afloop van het gesprek ging Kerry verder met het verslag. Toen ze er eindelijk mee klaar was, had ze vellen vol aantekeningen en vragen.

De babyrozen: had Skip Reardon gelogen toen hij zei dat hij ze niet had meegebracht of gestuurd? Als hij de waarheid had gesproken en ze niet had gestuurd, wie dan wel?

Dolly Bowles, de babysitter die op de avond van de moord in het huis tegenover dat van de Reardons had gezeten. Zij had gezegd dat ze om negen uur 's avonds een auto voor het huis van de Reardons had zien staan. Maar de buren hadden op dat tijdstip een feestje gegeven en een aantal van hun gasten had hun auto op straat geparkeerd. Dolly was niet bepaald een goede getuige geweest. Frank Green had het feit aangevoerd dat ze zes keer eerder dat jaar verdacht uitziende mensen in de buurt had gerapporteerd en dat de verdachte iedere keer een bonafide bezorger was gebleken. Dat had tot resultaat gehad dat Dolly was overgekomen als een volkomen onbetrouwbare getuige. Kerry wist zeker dat de jury haar verklaring terzijde had gelegd.

Skip Reardon was nooit eerder met justitie in aanraking geweest en werd als een eerzaam burger beschouwd, maar er waren slechts twee getuigen opgeroepen om voor zijn goede karakter te pleiten. Waarom?

Omstreeks de tijd van Suzanne Reardons dood had er in Alpine een hele reeks inbraken plaatsgevonden. Skip Reardon had beweerd dat een aantal juwelen werd vermist die hij Suzanne had zien dragen en dat de slaapkamer overhoop was gehaald. Maar op de ladekast had een schaal vol waardevolle sieraden gestaan en de aanklager had de parttime huishoudster van de Reardons opgeroepen, die zonder omhaal had gezegd dat Suzanne van de slaapkamer altijd een grote bende maakte. 'Ze kon nooit beslissen wat ze wilde dragen en liet dan alles op de grond liggen wat ze niet aantrok. Er was altijd poeder op de toilettafel gemorst en de natte handdoeken lagen op de vloer. Ik had er vaak schoon genoeg van.'

Terwijl Kerry zich die avond uitkleedde, liet ze alles wat ze had gelezen nog eens de revue passeren. Ze besloot twee dingen te gaan doen: een afspraak maken met dokter Smith en Skip Reardon opzoeken in de staatsgevangenis in Trenton.

Vrijdag, 27 oktober

23

In de negen jaar sinds haar scheiding was Kerry wel af en toe met mannen uit geweest, maar had ze nooit een speciale vriend gehad. Haar beste vriendin was Margaret Mann, haar kamergenote van Boston College. Marg was blond en klein, en op de universiteit hadden zij en Kerry de bijnaam 'wat en halfwat' gekregen. Margaret was nu bankier met een appartement op West 86th, en nog steeds Kerry's vertrouwelinge en kameraad. Soms nam Kerry op vrijdagavond een oppas voor Robin en reed ze naar Manhattan. Dan ging ze samen met Margaret ergens eten en daarna naar een Broadway-voorstelling of een film, of bleven ze urenlang bij het dessert zitten kletsen.

De vrijdagavond nadat Geoff Dorso het dossier bij Kerry had achtergelaten, kwam ze Margarets appartement binnen en liet ze zich dankbaar voor een schaal met kaas en druiven op de bank vallen.

Margaret overhandigde haar een glas wijn. 'Proost. Je ziet er goed uit.'

Kerry droeg een nieuw, jagersgroen pakje met een lang jasje en een halflange rok. Ze keek er nog eens goed naar en haalde haar schouders op. 'Dank je. Ik had eindelijk eens tijd om wat nieuwe kleren te kopen en ik heb ze de hele week al aan.'

Margaret lachte. 'Weet je nog hoe je moeder als ze lippenstift opdeed altijd zei: "De romantiek zit in een klein hoekje"? Ze had nog gelijk ook, hè?'

'Eigenlijk wel. Ze is nu al vijftien jaar met Sam getrouwd en als ze hiernaartoe komen of als Robin en ik in Colorado zijn, zitten ze nog steeds hand in hand.'

Margaret grinnikte. 'Misschien boffen wij ook nog eens.' Toen keek ze weer ernstig. 'Hoe is het met Robin? Ik hoop dat haar gezicht goed geneest.'

'Het ziet er prima uit. Ik neem haar morgen mee naar een andere plastisch chirurg. Voor nog een opinie.'

Margaret aarzelde even en zei toen: 'Ik wist niet hoe ik je dat moest voorstellen. Ik had het op kantoor over dat ongeluk en liet de naam dokter Smith vallen. Een van de *traders*, Stuart Grant, ging er meteen op in. Hij zei dat zijn vrouw ook bij Smith was geweest. Ze wilde iets aan de wallen onder haar ogen laten doen, maar was na het eerste bezoek nooit teruggegaan. Volgens haar was er iets mis met die man.'

Kerry ging rechtop zitten. 'Wat bedoelde ze daarmee?'

'Ze heet Susan, maar de dokter noemde haar per vergissing steeds Suzanne. Ook zei hij dat hij haar ogen wel kon behandelen maar dat hij liever haar hele gezicht wilde doen. Hij zei dat ze het in zich had een schoonheid te zijn en dat ze haar leven verspilde als ze daar niet haar voordeel mee deed.'

'Hoe lang was dat geleden?'

'Een jaar of drie, denk ik. O, en nog iets. Smith bleef maar beweren dat schoonheid verantwoordelijkheid met zich meebrengt, maar dat sommige mensen er misbruik van maken en jaloezie en geweld uitlokken.' Ze zweeg en vroeg: 'Wat is er, Kerry? Je hebt zo'n vreemde blik in je ogen.'

'Marg, dit is heel belangrijk. Weet je zeker dat Smith het had over vrouwen die jaloezie en geweld uitlokten?'

'Ik weet zeker dat Stuart dat zei.'

'Heb je Stuarts telefoonnummer voor me? Ik wil met zijn vrouw praten.'

'Op kantoor wel. Ze wonen in Greenwich maar ik weet dat ze een geheim nummer hebben. Je kunt het maandag van me krijgen. Waar gaat het eigenlijk allemaal over?'

'Dat vertel ik je onder het eten wel,' antwoordde Kerry verstrooid. Ze had het gevoel of het procesverslag als een soort Rolodex-kaartsysteem door haar hoofd rolde. Dokter Smith had gezworen dat zijn dochter voor haar leven vreesde vanwege Skip Reardons ongegronde jaloezie. Had hij dat gelogen? Had Suzanne Skip een reden gegeven om jaloers te zijn? En zo ja, op wie dan?

Zaterdag, 28 oktober

24

Zaterdagmorgen om acht uur kreeg Kerry een telefoontje van Geoff Dorso. 'Ik heb naar kantoor gebeld en je boodschap ontvangen,' zei hij. 'Ik ga vanmiddag naar Trenton om Skip op te zoeken. Komt je dat uit?' Hij legde haar uit dat ze zich voor het bezoekuur van drie uur om kwart voor twee moesten melden.
Kerry hoorde zichzelf bijna zonder nadenken antwoorden: 'Dat denk ik wel. Dan moet ik eerst iets voor Robin regelen, maar ik ontmoet je daar wel.'
Twee uur later zaten Kerry en een ongeduldige Robin in Livingston, New Jersey, in de wachtkamer van dokter Ben Roth, een bekend plastisch chirurg.
'Ik haal die voetbalwedstrijd vast niet,' zei Robin ongerust.
'Je komt alleen maar een beetje laat, meer niet,' stelde Kerry haar gerust. 'Maak je nou maar geen zorgen.'
'Veel te laat,' sprak Robin haar tegen. 'Waarom kon ik vanmiddag na de wedstrijd niet naar hem toe?'
'Misschien had de dokter rekening met je dagindeling gehouden als je hem die had doorgegeven,' plaagde Kerry. 'O, mam.'
'U kunt nu wel met Robin naar binnen, mevrouw McGrath,' zei de receptioniste.
Dokter Roth, een warme, vriendelijke man van midden dertig, was na dokter Smith een welkome afwisseling. Hij bekeek Robins gezicht zorgvuldig. 'Deze snijwonden zagen er vlak na het ongeluk waarschijnlijk vreselijk uit maar ze zijn alleen maar wat wij oppervlakkig noemen. Ze zijn niet diep in de dermis gedrongen. Er zullen zich geen problemen voordoen.'
Robin keek opgelucht. 'Fantastisch. Dank u wel, dokter. Laten we gauw gaan, mam.'
'Ga maar even in de wachtkamer zitten, Robin. Ik kom zo bij je. Ik wil nog even met de dokter praten.' Kerry's stem had wat Robin

'die toon' noemde, die betekende 'en ik wil er geen woord over horen'.
'Oké,' zei Robin met een overdreven diepe zucht toen ze de deur uit liep.
'Ik weet dat er nog meer patiënten zitten te wachten, dus zal ik het kort houden, dokter. Maar ik moet u iets vragen,' zei Kerry.
'Ik heb tijd genoeg. Wat wilt u weten, mevrouw McGrath?'
Kerry gaf in een paar zinnen een beschrijving van wat ze in de wachtkamer van dokter Smith had gezien. 'Dus ik heb twee vragen,' zei ze ten slotte. 'Is het mogelijk om ieder gezicht op een ander te laten lijken of moet er een basisvoorwaarde zijn, zoals bijvoorbeeld dezelfde botstructuur? En maken plastisch chirurgen, in de wetenschap dat het mogelijk is dezelfde gezichten te creëren, die ook werkelijk? Ik bedoel dat ze dus met opzet iemand op een ander laten lijken?'
Twintig minuten later kwam Kerry weer naar buiten en bracht ze Robin snel naar het voetbalveld. In tegenstelling tot Kerry was Robin van nature geen atlete. Kerry had urenlang met haar geoefend omdat Robin per se een goede speelster wilde zijn. Terwijl Kerry toekeek hoe Robin zelfverzekerd de bal langs de keepster schopte, dacht ze nog steeds na over de stellige verklaring van dokter Roth: 'Het is waar dat sommige chirurgen iedereen dezelfde neus, kin of ogen geven. Maar ik vind het heel vreemd dat een chirurg een aantal van zijn patiënten hetzelfde gezicht geeft.'
Om halftwaalf ving ze Robins blik op en wuifde haar gedag. Robin zou na de wedstrijd met haar beste vriendin Cassie mee naar huis gaan en de middag bij haar doorbrengen.
Even later was Kerry op weg naar Trenton.
Ze was al een paar keer in de staatsgevangenis geweest en vond die grimmige aanblik van prikkeldraad en wachttorens steeds weer een akelig gezicht. Het was niet bepaald een plek waar ze graag naartoe ging.

25

Geoff stond op Kerry te wachten in het vertrek waar de bezoekers werden ingeschreven. 'Ik ben blij dat je kon komen,' zei hij. Ze praatten niet veel terwijl ze op het aanbreken van het bezoekuur Zaten te wachten. Geoff scheen door te hebben dat ze op dat moment geen behoefte had aan commentaar.

Precies om drie uur kwam een bewaker naar hen toe en zei dat ze hem moesten volgen. Kerry kon zich niet voorstellen hoe Skip Reardon er nu zou uitzien. Het was al tien jaar geleden dat ze naar zijn vonnis was gaan luisteren. Het beeld dat haar nu nog van hem voor ogen stond, was dat van een lange, knappe, breedgeschouderde jongeman met vuurrood haar. Maar meer dan zijn uiterlijk was haar zijn nadrukkelijke verklaring bijgebleven: 'Dokter Charles Smith is een leugenaar. Voor God en deze rechtbank zweer ik dat hij een leugenaar is.'

'Wat heb je Skip Reardon over mij verteld?' vroeg ze Geoff, terwijl ze wachtten tot de gevangene naar de bezoekruimte werd geleid.

'Alleen maar dat je onofficieel in deze zaak geïnteresseerd bent geraakt en hem wilt ontmoeten. Ik heb echt onofficieel gezegd, Kerry.'

'Dat is goed. Ik vertrouw je wel, hoor.'

'Daar heb je hem.'

Skip Reardon kwam aanlopen in een denim gevangenisbroek en een openstaand gevangenishemd. Er liepen grijze strepen door zijn rode haar maar behalve de rimpels om zijn ogen zag hij er nog net zo uit als Kerry zich herinnerde. Een glimlach lichtte zijn gezicht op toen Geoff hen aan elkaar voorstelde.

Een hoopvolle glimlach, zag Kerry. Ze vroeg zich beklemd af of ze niet wat voorzichtiger had moeten zijn. Misschien had ze moeten wachten tot ze meer van de zaak af wist voordat ze zo spontaan met dit bezoek had ingestemd.

Geoff kwam meteen ter zake. 'Skip, ik heb je al verteld dat mevrouw McGrath je een paar vragen wil stellen.'

'Ik begrijp het best. Ik zal er in ieder geval antwoord op geven.' Hij

klonk ernstig en een beetje gereserveerd. 'Het is een cliché, maar ik heb echt niets te verbergen.'
Kerry glimlachte en vuurde meteen de vraag af die voor haar het kernpunt van dit bezoek was. 'In zijn getuigenverklaring heeft dokter Smith gezworen dat zijn dochter, uw vrouw, bang voor u was en dat u haar had bedreigd. U hebt steeds beweerd dat hij loog maar wat had het voor hem voor zin om daarover te liegen?'
Reardons handen lagen gevouwen voor hem op tafel. 'Mevrouw McGrath, als ik zelf iets had begrepen van het gedrag van dokter Smith zat ik hier misschien niet. Suzanne en ik waren vier jaar getrouwd en in die tijd heb ik dokter Smith nauwelijks ontmoet. Suzanne ging af en toe naar New York om ergens met hem te gaan eten. Soms kwam hij ook wel bij ons thuis, maar dan was ik meestal op zakenreis. Mijn bouwonderneming liep in die tijd fantastisch. Ik was in de hele staat met bouwprojecten bezig en investeerde in land in Pennsylvania om in de toekomst uit te breiden. Ik was vrij regelmatig een paar dagen weg. Als ik dokter Smith af en toe eens ontmoette, had hij niet zoveel te vertellen. Maar hij heeft me nooit de indruk gegeven dat hij me niet mocht. En hij maakte al helemaal niet de indruk dat hij dacht dat het leven van zijn dochter in gevaar verkeerde.'
'Als u in het gezelschap van hen beiden was, hoe was dan zijn gedrag tegenover haar?'
Reardon keek Dorso aan. 'Jij bent degene die het allemaal zo mooi kan zeggen, Geoff. Hoe moet ik dat nou omschrijven? Wacht even, ik weet het al. Toen ik nog op de rooms-katholieke lagere school zat, werden de nonnen kwaad op ons als we in de kerk zaten te kletsen. Ze zeiden dat we eerbied voor heilige plaatsen en heilige voorwerpen moesten hebben. Nou, zo behandelde hij haar. Smith had eerbied voor Suzanne.'
Wat een vreemd woord om de houding van een vader ten opzichte van een dochter aan te duiden, dacht Kerry.
'Hij probeerde haar ook te beschermen,' voegde Reardon eraan toe. 'Op een avond reden we met z'n drieën naar het een of andere restaurant en toen zag hij dat Suzanne haar gordel niet had vastgemaakt. Toen stak hij een heel verhaal tegen haar af over haar ver-

antwoordelijkheid om voor zichzelf te zorgen. Hij wond zich er eigenlijk behoorlijk over op en werd zelfs een beetje kwaad.'
Waarschijnlijk hetzelfde verhaal als hij tegen Robin en mij afstak, dacht Kerry. Ze moest bijna met tegenzin toegeven dat Skip Reardon inderdaad een openhartige, eerlijke indruk maakte.
'Hoe gedroeg zij zich ten opzichte van hem?'
'Meestal beleefd. Hoewel het de laatste paar keer dat ik erbij was voordat ze werd vermoord erop leek dat hij haar op de een of andere manier irriteerde.'
Vervolgens ging Kerry over op andere kanten van de zaak. Ze vroeg hem waarom hij onder ede had verklaard dat hij Suzanne vlak voor de moord dure juwelen had zien dragen die ze niet van hem had gekregen.
'Mevrouw McGrath, ik wou dat u eens met mijn moeder ging praten. Zij zou hetzelfde zeggen. Ze heeft een foto van Suzanne uit een van de lokale kranten, die op een liefdadigheidsavond genomen is. Daarop draagt ze een ouderwetse diamanten broche op de revers van haar pakje. Die foto is genomen een paar weken voordat ze werd vermoord. Ik doe er een eed op dat die broche en een paar andere dure sieraden die ze niet van mij had gekregen die morgen in haar juwelenkistje lagen. Dat weet ik nog heel goed omdat het een van de dingen was waarover we ruzie hadden. Die sieraden lagen er die morgen nog maar waren de volgende dag verdwenen.'
'Bedoelt u dat iemand ze heeft weggenomen?'
Reardon leek niet op zijn gemak. 'Ik weet niet of iemand ze heeft weggenomen of dat ze ze aan iemand heeft teruggegeven, maar ik weet wel dat er de volgende morgen een paar sieraden weg waren. Dat heb ik toen ook tegen de politieagenten geprobeerd te zeggen zodat ze het konden onderzoeken, maar het was duidelijk dat ze me niet geloofden. Ze dachten dat ik het wilde doen voorkomen of Suzanne door een inbreker was beroofd en vermoord.'
'En dan nog iets,' ging hij verder. 'Mijn vader heeft actief deelgenomen aan de Tweede Wereldoorlog en is nog twee jaar na afloop in Duitsland gebleven. Daarvandaan heeft hij een miniatuurfotolijstje meegebracht, dat hij bij hun verloving aan mijn moeder heeft gegeven. Mijn moeder heeft dat lijstje bij ons huwelijk aan Suzanne

en mij gegeven. Suzanne had er mijn lievelingsfoto van haar ingedaan en het op het nachtkastje in onze slaapkamer gezet. Toen mijn moeder en ik voor mijn arrestatie Suzannes spullen opruimden, viel het haar op dat het er niet meer stond. Maar ik weet heel zeker dat het er die laatste morgen nog wel stond.'

'Wilt u zeggen dat er op de avond van de moord op Suzanne iemand in huis is geweest die een aantal sieraden en een fotolijstje heeft gestolen?' vroeg Kerry.

'Ik wil zeggen dat ik zeker weet dat die dingen zijn verdwenen. Ik weet niet waar ze gebleven zijn en natuurlijk weet ik ook niet zeker of het iets met de moord te maken heeft gehad. Ik weet alleen maar dat die dingen er opeens niet meer waren en dat de politie weigerde een onderzoek in te stellen.'

Kerry richtte zich niet langer op haar aantekeningen en keek de man tegenover haar recht in zijn ogen.

'Skip, hoe was de verhouding tussen jou en je vrouw?'

Reardon zuchtte. 'Toen ik haar ontmoette, werd ik meteen stapelverliefd op haar. Ze was een schoonheid. Ze was intelligent en grappig, het soort vrouw bij wie een man zich groot en sterk voelt. Na ons huwelijk ...' Hij aarzelde. 'Toen werd het een vuur zonder warmte, mevrouw McGrath. Ik ben grootgebracht met het idee dat je moest proberen iets van een huwelijk te maken, dat je alleen in het uiterste geval ging scheiden. We hebben natuurlijk ook goede tijden gekend. Maar of ik ooit gelukkig en tevreden ben geweest? Nee, dat niet. Maar ik had het toen zo druk met het opbouwen van mijn bedrijf dat ik gewoon steeds langer met mijn werk bezig bleef. Op die manier hoefde ik er ook niets aan te doen. Suzanne leek alles te hebben wat haar hartje begeerde. Het geld stroomde binnen. Ik heb het huis voor haar gebouwd waarvan ze zei altijd te hebben gedroomd. Ze ging iedere dag tennissen of golfen op de country club. Ze heeft twee jaar lang een binnenhuisarchitect in dienst gehad om het huis precies zo in te richten als ze het wilde hebben. In Alpine woont een vent, Jason Arnott, die alles van antiek af weet. Hij heeft haar mee naar veilingen genomen en haar gezegd wat ze moest kopen. Ze was dol op haute couture. Ze was net een kind dat wilde dat het iedere dag Sinterklaas was. Ik werkte zo hard dat

ze de hele dag kon doen en laten wat ze wilde. Ze ging graag uit naar gelegenheden waarbij de pers aanwezig was, zodat haar foto in de krant kwam te staan. Ik heb heel lang gedacht dat ze gelukkig was maar terugkijkend, denk ik dat ze bij me is gebleven omdat ze niets beters kon vinden.
'Totdat...' hielp Geoff hem verder.
'Totdat ze iemand ontmoette die belangrijker voor haar werd,' ging Reardon verder. 'Vanaf dat moment zag ik dat ze sieraden droeg die ik nooit eerder had gezien. Sommige dingen waren antiek, andere heel modern. Ze zei dat ze ze van haar vader had gekregen maar ik wist dat ze loog. Haar vader heeft nu al haar juwelen, ook de dingen die ik haar heb gegeven.'
Toen de bewaker een teken gaf dat de tijd om was, stond Reardon op en keek Kerry recht in de ogen. 'Mevrouw McGrath, ik hoor hier niet te zitten. De vent die Suzanne heeft vermoord, loopt nog steeds vrij rond. Er moet een manier zijn om dat te bewijzen.'

Geoff en Kerry liepen samen naar de parkeerplaats. 'Ik wed dat je geen tijd hebt gehad om te lunchen,' zei hij. 'Heb je zin om ergens vlug even iets te gaan eten?'
'Daar heb ik geen tijd voor, ik moet weer naar huis. Ik wil je wel zeggen, Geoff, dat ik na wat ik vandaag heb gehoord geen enkele reden zie waarom dokter Smith over Skip Reardon zou liegen. Volgens Reardon hadden hij en Smith een vrij vriendschappelijke verhouding. Je hebt hem horen zeggen dat hij Suzanne niet geloofde toen ze zei dat haar vader haar die juwelen had gegeven. Als die juwelen hem jaloers hebben gemaakt, dan...' Ze maakte haar zin niet af.

Zondag, 29 oktober

26

Zondagmorgen was Robin misdienaar bij de mis van tien uur. Toen Kerry naar de processie keek die vanuit de sacristie naar voren liep, moest ze er zoals altijd weer aan denken dat ze als kind ook misdienaar had willen zijn. Maar toen mochten alleen jongens dat doen.

De tijden veranderen, peinsde ze. Ik had nooit gedacht dat ik mijn dochter nog eens naast het altaar zou zien, of een gescheiden vrouw zou zijn of op een goede dag rechter. Misschien rechter, verbeterde ze zichzelf. Ze wist dat Jonathan gelijk had. Als ze nu Frank Green beledigde, was dat zo goed als de gouverneur beledigen en kon dat wel eens de genadeslag voor haar benoeming zijn. Dat bezoek aan Skip Reardon gisteren was misschien een grote vergissing geweest. Ze moest niet opnieuw roet in haar eigen eten gooien, één keer was genoeg geweest.

Ze had alle emotionele stadia van haar relatie met Bob Kinellen doorstaan. Eerst had ze van hem gehouden en was ze diepbedroefd geweest toen hij haar verliet. Toen was ze kwaad op hem geworden en had ze zichzelf veracht omdat ze niet had gezien wat een opportunist hij was. Nu interesseerde hij haar niet meer, behalve als het om Robin ging. Toch kreeg ze altijd een verdrietig gevoel als ze naar de echtparen in de kerk keek, of ze nu van haar eigen leeftijd waren, jonger of ouder. Was Bob maar de soort man geweest die ik dácht dat hij was, mijmerde ze. Was hij maar de soort man die hij zélf denkt te zijn. Dan waren ze nu elf jaar getrouwd geweest. Dan had ze vast en zeker nog meer kinderen gehad. Ze had er altijd drie willen hebben.

Terwijl haar ogen Robin volgden die de kan met water en de waskom naar het altaar droeg voor de zegening, hief haar dochter het hoofd op en keek Kerry aan. Haar glimlachje vertederde Kerry. Wat heb ik nou te klagen, zei ze tegen zichzelf. Ik heb haar toch altijd. Het mag dan niet bepaald een perfecte echtverbinding zijn geweest, maar er is wel iets goeds uit voortgekomen. Ik had met niemand anders zo'n fantastisch kind kunnen voortbrengen.

Terwijl ze bleef kijken, vlogen haar gedachten naar een andere ouder en zijn kind: dokter Smith en Suzanne. Zij was het unieke resultaat van de genen van hem en zijn ex-vrouw geweest. Dokter Smith had in zijn getuigenverklaring gezegd dat zijn vrouw na hun scheiding naar Californië was verhuisd en opnieuw was getrouwd. Hij had goedgevonden dat haar tweede man Suzanne adopteerde, in de overtuiging dat dat het beste voor haar was.

'Maar na de dood van haar moeder is ze weer bij mij komen wonen,' had hij gezegd. 'Toen had ze me nodig.'

Skip Reardon had beweerd dat de houding van dokter Smith tegenover zijn dochter bijna eerbiedig was geweest. Toen ze dat hoorde, was er een gedachte door haar hoofd geflitst die haar de adem benam. Dokter Smith had andere vrouwen het uiterlijk van zijn dochter gegeven. Niemand had hem echter ooit gevraagd of hij Suzanne wel eens geopereerd had.

Kerry en Robin hadden net hun lunch gegeten toen Bob belde en voorstelde dat hij Robin die avond mee uit eten zou nemen. Hij legde uit dat Alice en de kinderen een week naar Florida waren en dat hij naar de Catskills ging om naar een chalet te kijken dat ze misschien wilden kopen. Hij vroeg of Robin met hem mee wilde. 'Ik ben haar nog steeds een etentje verschuldigd en ik beloof dat ik haar om negen uur weer thuisbreng.'

Robin vond het een heel leuk idee, dus Bob kwam haar een uur later ophalen.

De onverwacht vrije middag gaf Kerry de gelegenheid om het procesverslag van Reardon nog eens zorgvuldig te bestuderen. Het bracht haar wel van de gebeurtenissen op de hoogte maar ze was zich heel goed bewust van het verschil tussen het lezen van een zakelijk verslag en het observeren van de mensen in de getuigenbank. Ze had hun gezichten niet gezien, hun stemmen niet gehoord en ook hun lichaamstaal bij de gestelde vragen niet waargenomen. Ze wist dat de juryleden het gedrag van een getuige wel degelijk lieten meespelen bij het nemen van hun uiteindelijke beslissing. De juryleden hadden dokter Smith gezien en hem beoordeeld. Het was duidelijk dat ze hem hadden geloofd.

27

Geoff Dorso was gek op Amerikaans voetbal en een enthousiaste fan van de Giants. Dat was niet de reden waarom hij een flat in Meadowlands had gekocht, maar hij gaf wel toe dat het goed uitkwam. Toch waren zijn gedachten zondagmiddag in het stadion van de Giants minder bij de spannende wedstrijd tegen de Dallas Cowboys dan bij het bezoek van de vorige dag aan Skip Reardon en bij Kerry McGraths reactie zowel op Skip als op het proces verslag.
Hij had haar het verslag donderdag gegeven. Zou ze het al hebben gelezen, vroeg hij zich af. Hij had gehoopt dat ze erover zou beginnen toen ze op het bezoek aan Skip zaten te wachten maar ze had niets gezegd. Hij hield zich voor dat ze in haar beroep wantrouwig moest zijn en dat haar negatief lijkende houding na het bezoek aan Skip nog niet hoefde te betekenen dat ze niets meer met de zaak te maken wilde hebben. Toen de Giants op het nippertje wonnen met een veld goal in de laatste paar seconden van het vierde kwart van de wedstrijd, zat Geoff geestdriftig mee te klappen. Maar hij sloeg het voorstel van zijn vrienden om een paar biertjes te gaan drinken af. In plaats daarvan ging hij naar huis en belde hij Kerry.
Het deed hem plezier te horen dat ze het verslag had gelezen en dat ze een paar vragen had. 'Ik wil er nog wel een keer met je over praten,' zei hij. Toen kreeg hij een idee. Ze kan hooguit nee zeggen, dacht hij en vroeg: 'Heb je misschien vanavond tijd om met me te gaan eten?'

28

Dolly Bowles was op haar zestigste bij haar dochter in Alpine komen wonen. Dat was twaalf jaar geleden, toen ze weduwe werd. Ze had zich niet willen opdringen maar eerlijk gezegd was ze altijd al een beetje bang geweest om alleen te zijn. Bovendien vond ze het geen plezierig idee om alleen achter te blijven in het grote huis waar ze samen met haar man had gewoond.

Ze had wel degelijk reden om bang te zijn. Lang geleden, toen ze nog een kind was, had ze een keer de deur opengedaan voor een bezorger die een dief bleek te zijn. Ze had nog steeds nachtmerries over de manier waarop hij haar en haar moeder had vastgebonden en het huis overhoop had gehaald. Het gevolg was dat ze iedere onbekende wantrouwde. Ze had haar schoonzoon al diverse keren geërgerd door op de noodknop van het alarmsysteem te drukken als ze alleen thuis was en vreemde geluiden hoorde, of iemand op straat zag die ze niet kende.

Haar dochter Dorothy en haar man Lou waren veel op reis. Toen Dolly bij hen introk, waren hun kinderen nog klein en had ze meegeholpen hen te verzorgen. Maar een paar jaar geleden waren ze het huis uit gegaan en had Dolly bijna niets meer te doen. Ze had geprobeerd een aantal huishoudelijke taken op zich te nemen, maar de inwonende huishoudster wilde daar niets van weten.

Doordat Dolly zoveel vrije tijd had, was ze de babysitter van de buurt geworden. Dat was een groot succes: ze was dol op kleine kinderen en genoot ervan ze voor te lezen of urenlang spelletjes met ze te doen. Bijna iedereen hield van haar. De mensen ergerden zich alleen als ze voor de zoveelste keer de politie had gebeld om melding te maken van verdachte personen. Maar dat had ze al tien jaar lang niet meer gedaan, sinds ze had moeten getuigen in de rechtszaak tegen Reardon. Als ze eraan terugdacht, begon ze nog steeds te rillen. De aanklager had haar verschrikkelijk voor schut gezet. Dorothy en Lou hadden zich doodgeschaamd. 'Moeder, ik heb je nog gesmeekt niet met de politie te praten,' had Dorothy destijds gesnauwd. Maar Dolly had het als haar plicht beschouwd. Ze kende Skip Reardon, ze mocht hem graag en was van mening geweest dat ze moest proberen hem te helpen. Bovendien had ze die auto echt gezien, net zo goed als Michael, het vijfjarige jongetje met leerproblemen op wie ze die avond paste. Hij had die auto ook gezien, maar Skips advocaat had tegen haar gezegd dat ze dat voor zich moest houden.

'Dat zou onze zaak niet ten goede komen,' had meneer Farrell gezegd. 'We willen alleen maar dat u zegt wat u gezien hebt: dat er om negen uur een donkere personenauto voor het huis van de Reardons stond, die een paar minuten later wegreed.'
Ze wist zeker dat ze een cijfer en een letter van de nummerplaat had onthouden: een 3 en een L. Maar toen had de aanklager achter in de rechtszaal een nummerplaat omhooggehouden en die had ze niet kunnen lezen. Bovendien had hij haar zover gekregen dat ze toegaf Skip Reardon graag te mogen omdat hij op een avond haar auto had uitgegraven toen ze in een berg sneeuw was blijven steken.
Dolly wist best dat het feit dat Skip aardig voor haar was geweest niet betekende dat hij geen moordenaar kon zijn. Maar ze voelde gewoon dat hij onschuldig was en ze bad iedere avond voor hem. Zelfs nu nog keek ze, als ze tegenover het huis van de Reardons zat op te passen, soms naar buiten en dacht terug aan de avond dat Suzanne was vermoord. Dan dacht ze ook weer aan die kleine Michael – hij was een paar jaar geleden verhuisd – die nu vijftien moest zijn. Hij had naar de onbekende zwarte auto gewezen en gezegd: 'Papa's auto.'
Dolly had er geen weet van dat die zondagavond, op hetzelfde moment dat zij voor het raam naar het huis dat van de Reardons was geweest zat te kijken, Geoff Dorso en Kerry McGrath een stuk of zes kilometer verder bij Villa Cesare in Hillsdale over haar zaten te praten.

29

Alsof ze het hadden afgesproken, roerden Kerry noch Geoff de zaak-Reardon aan voordat ze aan de koffie zaten. Geoff had over zijn jeugdjaren in New York verteld. 'Ik vond dat mijn neefjes en nichtjes uit New Jersey op het platteland woonden,' zei hij. 'Maar nadat we zelf hierheen waren verhuisd en ik hier was opgegroeid, besloot ik te blijven.'
Hij vertelde Kerry dat hij vier jongere zusters had.

'Ik benijd je wel,' zei ze. 'Ik ben enig kind en ik vond het altijd heerlijk om bij vriendinnetjes te spelen die uit een groot gezin kwamen. Ik heb altijd gedacht dat het leuk zou zijn een paar broertjes of zusjes te hebben. Mijn vader is gestorven toen ik negentien was, en mijn moeder is op mijn eenentwintigste hertrouwd en naar Colorado verhuisd. We zien elkaar twee keer per jaar.'
Geoff keek meelevend. 'Niet bepaald een grote familie om op terug te vallen,' zei hij.
'Nee, dat niet. Maar Jonathan en Grace Hoover hebben geholpen het gat te vullen. Zij zijn fantastisch voor me geweest, bijna mijn tweede ouders.'
Ze hadden het over hun rechtenstudie en waren het erover eens dat het eerste jaar zo afschuwelijk was geweest dat ze er niet aan moesten denken het nog eens over te moeten doen. 'Waarom ben je eigenlijk advocaat geworden?' vroeg Kerry.
'Ik denk dat dat uit mijn jeugd voortkomt. Er woonde een vrouw die Anna Owens heette in onze flat en ze was een van de aardigste mensen die ik ooit tegengekomen ben. Ik weet nog dat ik een keer, toen ik een jaar of acht was, door de hal rende om de lift te halen. Ik botste zo hard tegen haar op dat ze viel. Ieder ander zou me hebben uitgekafferd, maar zij kwam rustig overeind en zei: "Geoff, die lift komt heus wel weer beneden, hoor." Toen lachte ze. Ze zag wel hoe ik geschrokken was.'
'Maar daardoor ben je nog geen advocaat geworden,' glimlachte Kerry.
'Nee. Maar toen haar man haar drie maanden later in de steek liet, is ze hem naar het appartement van zijn nieuwe vriendin gevolgd en heeft ze hem doodgeschoten. Ik ben er oprecht van overtuigd dat het verminderde toerekeningsvatbaarheid was, wat haar advocaat ook aanvoerde. Maar ze werd toch voor twintig jaar naar de gevangenis gestuurd. Ik denk dat het bij mij om de verzachtende omstandigheden gaat. Als ik geloof dat die er zijn of als ik denk dat de verdachte onschuldig is, zoals Skip Reardon, accepteer ik die zaak.'
Hij zweeg even. 'Waarom ben jij openbaar aanklager geworden?'
'Om het slachtoffer en zijn familie,' zei ze eenvoudig. 'Jouw principe in aanmerking genomen, had ik Bob Kinellen kunnen dood-

schieten en verzachtende omstandigheden kunnen aanvóeren.'
Er flitste iets van ergernis in Dorso's ogen. Toen zei hij geamuseerd: 'Op de een of andere manier kan ik me niet voorstellen dat jij iemand zou doodschieten, Kerry.'
'Ik ook niet, behalve...' Kerry aarzelde en vervolgde toen, '...behalve als Robin in gevaar zou verkeren. Dan zou ik alles doen om haar te redden. Dat weet ik zeker.'
Tijdens het eten praatte Kerry over de dood van haar vader. 'Ik was tweedejaars student op het Boston College. Hij was piloot bij Pan Am, is toen de bestuurlijke kant opgegaan en uiteindelijk in de directie opgenomen. Vanaf mijn derde jaar reisden mijn moeder en ik overal mee naartoe. Ik vond hem de meest fantastische man ter wereld.' Haar stem stokte. 'Toen zei hij in een weekend dat ik thuis was van de universiteit dat hij zich niet lekker voelde. Maar hij nam niet de moeite om naar de dokter te gaan want hij had net zijn jaarlijkse onderzoek achter de rug. Hij zei dat hij zich de volgende morgen wel beter zou voelen. Maar toen werd hij niet meer wakker.'
'En je moeder is twee jaar later hertrouwd?' vroeg Geoff zacht.
'Ja, vlak voordat ik mijn studie afsloot. Sam was weduwnaar en een vriend van mijn vader. Hij was net met pensioen toen mijn vader stierf en hij stond op het punt naar Vail te verhuizen. Daar heeft hij een schitterend huis. Ze zijn heel gelukkig met elkaar.'
'Wat zou je vader van Bob Kinellen hebben gevonden?'
Kerry lachte. 'Je bent heel scherpzinnig, Geoff Dorso. Ik denk dat hij niet onder de indruk zou zijn geweest.'
Bij de koffie bespraken ze eindelijk de zaak-Reardon. Kerry begon door eerlijk te zeggen: 'Ik was erbij toen tien jaar geleden het vonnis werd uitgesproken. De uitdrukking op zijn gezicht en de woorden die hij toen sprak, staan nog steeds in mijn geheugen gegrift. Ik heb heel wat schuldigen horen zweren dat ze onschuldig waren, want je kunt nooit weten. Maar zijn woorden hebben toen indruk op me gemaakt.'
'Omdat hij de waarheid sprak.'
Kerry keek hem openhartig aan. 'Ik wil je wel waarschuwen, Geoff, dat ik advocaat van de duivel ga spelen. Dat verslag heeft heel wat vragen bij me opgeroepen, maar het overtuigt me beslist niet van

Reardons onschuld. Dat bezoek van gisteren ook niet. Óf hij óf dokter Smith is een leugenaar. Skip Reardon heeft een heel goede reden om te liegen. Smith niet. Ik vind het nog steeds heel kwalijk dat Reardon het op de dag van Suzannes moord over een scheiding heeft gehad en zich blijkbaar doodschrok toen hij hoorde wat dat hem zou gaan kosten.'

'Kerry, Skip Reardon was met niets begonnen. Hij was straatarm en had het helemaal gemaakt. Suzanne had hem al handenvol geld gekost. Dat zei hij toch. Ze was gek op dure winkels en kocht maar raak.' Hij hield even op. 'Nee. Kwaad zijn en stoom afblazen is heel wat anders dan iemand om zeep helpen. Ik denk dat hij, ondanks dat het een dure grap zou worden, opgelucht was dat dat waardeloze huwelijk voorbij zou zijn. Dan kon hij een nieuwe weg inslaan.'

Ze hadden het ook over de babyrozen. 'Ik ben ervan overtuigd dat Skip die niet gekocht of gestuurd heeft,' zei Geoff, terwijl hij zijn espresso dronk. 'Als we daarvan uitgaan, is er dus iemand anders in het spel.'

Terwijl Geoff de rekening betaalde, waren ze het erover eens dat de getuigenverklaring van dokter Smith de beslissende factor in de veroordeling van Skip Reardon was. 'Ga maar eens na,' benadrukte Geoff. 'Dokter Smith zei dat Suzanne bang was voor Skip en zijn aanvallen van jaloezie. Maar als ze werkelijk zo bang was, hoe kon ze dan zo kalmpjes bloemen staan te schikken die iemand anders haar had gestuurd? En dan nog wel op zo'n uitdagende manier, volgens Skip tenminste. Lijkt je dat waarschijnlijk?'

'Als Skip inderdaad de waarheid sprak, maar dat weten we niet echt zeker,' zei Kerry.

'Ik geloof hem in ieder geval wel,' zei Geoff heftig. 'Bovendien heeft niemand de verklaring van dokter Smith beaamd. De Reardons waren populair. Als hij haar slecht behandelde, zou iemand daar toch zeker wel mee voor de dag zijn gekomen.'

'Misschien wel,' gaf Kerry toe. 'Maar waarom waren er dan geen getuigen à decharge die zeiden dat hij niet waanzinnig jaloers was? Waarom werden er maar twee getuigen opgeroepen om Reardons goede naam te bevestigen en dokter Smiths verklaring tegen te spreken? Nee Geoff, de informatie die de juryleden ontvingen in aan-

merking genomen, hadden ze geen enkele reden om dokter Smith niet te vertrouwen en te geloven. Zijn we bovendien niet altijd geneigd een arts te vertrouwen?'
Ze reden zwijgend naar huis. Toen ze voor Kerry's voordeur stonden, nam Geoff de sleutel van haar over. 'Mijn moeder heeft me geleerd altijd de deur voor een dame te openen. Ik hoop dat je dat niet al te seksistisch vindt.'
'Nee hoor, ik niet. Maar ik ben misschien ouderwets.' De hemel was blauwzwart en schitterde van de sterren. Er stond een gure wind en Kerry rilde van de kou.
Geoff zag het, hij draaide snel de sleutel om en duwde de deur open. 'Je bent voor 's avonds niet warm genoeg gekleed. Ga maar gauw naar binnen.'
Ze liep naar binnen, maar hij maakte geen aanstalten haar te volgen en scheen ook geen uitnodiging te verwachten. In plaats daarvan vroeg hij: 'Voordat ik wegga, wil ik wel graag weten wat de volgende stap is.'
'Ik maak zo gauw mogelijk een afspraak met dokter Smith. Maar het is beter dat ik alleen met hem praat.'
'Dan spreken we elkaar over een paar dagen wel weer,' zei Geoff. Hij glimlachte even en liep het trapje voor de voordeur af. Kerry deed de deur dicht en liep naar de woonkamer, maar knipte niet meteen het licht aan. Ze dacht nog steeds met een warm gevoel aan het moment dat hij de sleutel van haar had afgepakt en de deur had geopend. Ze liep naar het raam en keek toe hoe hij achteruit de oprit afreed en op straat uit het gezicht verdween.

Papa en ik doen altijd zulke leuke dingen, dacht Robin toen ze tevreden naast hem in de Jaguar zat. Ze hadden het chalet bekeken dat Bob Kinellen misschien wilde kopen. Zij had het prachtig gevonden, maar hij was teleurgesteld. 'Ik wil een huis waar ik tot aan de voordeur kan skiën,' had hij lachend gezegd. 'We blijven gewoon doorzoeken.'
Robin had haar camera meegenomen en haar vader wachtte terwijl ze twee rolletjes vol schoot. Hoewel er alleen maar een beetje sneeuw op de bergtoppen lag, vond ze het licht fantastisch. Ze fo-

tografeerde de laatste stralen van de ondergaande zon en daarna begonnen ze aan de terugrit. Haar vader zei dat hij een heel leuk tentje wist waar ze heerlijke garnalen hadden.
Robin wist dat haar moeder kwaad was op haar vader omdat hij haar na het ongeluk niet had gesproken, hoewel hij wél een boodschap had achtergelaten. Het was waar dat ze hem niet vaak zag maar áls ze samen iets deden, was hij altijd heel aardig voor haar.
Om halfzeven stopten ze bij het restaurant. Ze aten garnalen en kammosselen en praatten gezellig. Hij beloofde dat ze dit jaar samen zouden gaan skiën, alleen zij tweeën. 'Als mama een afspraakje heeft,' zei hij met een knipoog.
'Mama maakt niet veel afspraakjes,' zei ze. 'Ik vond iemand met wie ze de afgelopen zomer een paar keer is uit geweest wel aardig, maar zij vond hem saai.'
'Wat was hij van beroep?'
'Ingenieur, geloof ik.'
'Nou ja, als mama eenmaal rechter is, krijgt ze waarschijnlijk wel een vriend die ook rechter is. Dan ontmoet ze niet anders.'
'Een paar dagen geleden kwam er een advocaat op bezoek,' zei Robin. 'Een aardige man. Maar ik geloof dat het over het werk ging.'
Bob Kinellen had maar een deel van zijn aandacht bij het gesprek gehad. Maar nu spitste hij zijn oren. 'Hoe heette hij?'
'Geoff Dorso. Hij had een dikke map bij zich, die mama moest doorlezen.'
Toen haar vader opeens stil werd, kreeg Robin het gevoel dat ze misschien te veel had gezegd en dat hij nu misschien boos op haar was.
Toen ze weer in de auto zaten, sliep ze gedurende de hele terugweg. Haar vader zette haar om halftien voor de deur af. Ze was blij dat ze thuis was.

Maandag, 30 oktober

30

Het was een druk najaar voor de senaat en het parlement van de staat New Jersey. Op de bijeenkomsten tweemaal per week ontbrak bijna niemand. Daar was een goede reden voor. Hoewel de aanstaande gouverneurs verkiezing pas over een jaar zou plaatsvinden, heerste er achter de schermen al een spanning die in beide kamers te snijden was.
Het plan van gouverneur Marshall om openbaar aanklager Frank Green als zijn opvolger te steunen, was bij de overige, gretige kandidaten van zijn partij niet in goede aarde gevallen. Jonathan Hoover wist heel goed dat de minste smet op het blazoen van Green hun zeer welkom zou zijn. Ze zouden er onmiddellijk alle aandacht op vestigen en een zo groot mogelijke rel proberen te veroorzaken. Hoe beter dat lukte, hoe losser Greens greep op de nominatie zou worden. Op dit moment was die nog lang niet onwrikbaar.
Als president van de senaat had Hoover een enorme macht binnen de partijen. Een van de redenen dat hij al vijf keer voor een termijn van vier jaar was gekozen, was zijn vermogen om bij beslissingen of bij het uitbrengen van zijn stem de lange termijn in het oog te houden. Daar hadden zijn kiezers waardering voor.
Soms bleef hij op vergaderdagen in Trenton overnachten en dineerde dan met vrienden. Vanavond was dat met de gouverneur.
Na de middagzitting ging Jonathan terug naar zijn privékantoor, verzocht zijn secretaresse alle boodschappen aan te nemen en sloot de deur. Vervolgens bleef hij een uur lang met de handen onder de kin gevouwen achter zijn bureau zitten. Grace noemde die houding 'Jonathan in gebed'.
Toen hij ten slotte opstond, liep hij naar het raam en keek naar de donker wordende lucht. Hij had een belangrijk besluit genomen. Het gesnuffel van Kerry McGrath in de zaak Reardon was een groot probleem geworden. Het was precies een verhaal waar de media

zich in zouden vastbijten om het uit te spinnen tot een sensatie. Zelfs als het als een nachtkaars zou uitgaan, wat Jonathan ook verwachtte, zou het zo'n grote schaduw op Frank Green hebben geworpen dat hij zijn kandidatuur wel kon vergeten.
Er was natuurlijk ook een kans dat Kerry de zaak liet vallen voordat het zover kwam. Dat hoopte hij vurig, voor alle betrokkenen. Jonathan vond echter wel dat het zijn plicht was de gouverneur voor haar onderzoek tot nu toe te waarschuwen en voor te stellen haar naam op dit ogenblik niet in de senaat ter discussie te stellen voor het rechterschap. Het zou heel gênant zijn voor de gouverneur als een van zijn uitverkorenen zich bezighield met een zaak die hem kon schaden.

31

Maandagmorgen lag er een pakje voor Kerry op haar kantoor. Er zat een porseleinen beeldje van Royal Doulton in dat 'Herfstbries' heette. Er was een briefje bij:

> Beste mevrouw McGrath,
> Het huis van moeder is verkocht en we hebben alles opgeruimd. We gaan in Pennsylvania bij een oom en tante wonen. Mama had dit altijd op haar toilettafel staan. Het is van haar moeder geweest. Ze zei altijd dat ze er graag naar keek.
> We zijn zo blij dat u ervoor gezorgd hebt dat de man die mama vermoord heeft, zijn verdiende loon krijgt, dat we het aan u willen geven. Om u te bedanken.

Het was ondertekend door Chris en Ken, de tienerzonen van de cheffin die door haar assistent was vermoord.
Kerry probeerde haar tranen weg te knipperen terwijl ze het mooie beeldje in haar handen hield. Ze riep haar secretaresse en dicteerde een kort antwoord:

> Ik mag volgens de wet geen geschenken aannemen. Maar ik verzeker jullie wel, Chris en Ken, dat ik, als dat niet zo was, dit

geschenk zou koesteren. Bewaar het dus alsjeblieft zelf in mijn naam en die van je moeder.

Terwijl ze haar naam eronder zette, dacht ze na over de duidelijke band tussen deze twee broers en tussen hen en hun moeder. Wat zou er van Robin terechtkomen als er iets met mij gebeurde? vroeg ze zich af. Toen schudde ze haar hoofd. Zwartgalligheid leverde niets op, dacht ze. Bovendien had ze een andere, meer dringende ouder-kindrelatie te onderzoeken.

Het werd tijd dat ze eens met dokter Charles Smith ging praten. Toen ze zijn praktijk belde, kreeg ze de antwoorddienst. 'Ze beginnen vandaag pas om elf uur. Kan ik een boodschap aannemen?'

Tegen het middaguur werd Kerry door mevrouw Carpenter teruggebeld.

'Ik wil graag zo gauw mogelijk een afspraak met de dokter maken,' zei Kerry. 'Het is belangrijk.'

'Waar gaat het om, mevrouw McGrath?'

Kerry besloot het erop te wagen. 'Zegt u maar dat het over Suzanne gaat.'

Ze moest bijna vijf minuten wachten voordat ze de kille, afgemeten stem van dokter Smith hoorde vragen: 'Wat wilt u, mevrouw McGrath?'

'Ik wil graag met u praten over uw getuigenverklaring in het proces tegen Skip Reardon, dokter, en wel zo gauw mogelijk.'

Toen ze ophing, had hij erin toegestemd haar de volgende morgen om halfacht in zijn praktijk te ontmoeten. Dan moest ze om halfzeven van huis, dacht ze. Dat betekende dat ze een van de buren moest vragen Robin op te bellen om ervoor te zorgen dat ze niet weer in slaap viel zodra Kerry de deur uit was.

Verder kon Robin zich wel redden. Ze liep altijd met twee vriendinnen naar school en Kerry vond dat ze oud genoeg was om zelf een schaaltje cornflakes klaar te maken.

Daarna belde ze haar vriendin Margaret op kantoor, die haar Stuart Grants privénummer gaf. 'Ik heb het met Stuart over jou en je vragen over die plastisch chirurg gehad en hij zei dat zijn vrouw de hele morgen thuis is,' zei Margaret.

Susan Grant nam meteen op. Ze herhaalde bijna woordelijk wat Margaret had gezegd. 'Heus, Kerry, het was doodeng. Ik wilde alleen maar een kleine oogcorrectie laten doen. Maar dokter Smith bleef maar doordrammen. Hij noemde me steeds Suzanne en ik weet zeker dat ik, als ik hem zijn gang had laten gaan, helemaal niet meer op mezelf zou hebben geleken.'

Vlak voor lunchtijd verzocht Kerry Joe Palumbo even langs te komen. 'Ik heb een karweitje buiten het werk waarbij ik je hulp nodig heb,' zei ze, toen hij zich op een stoel voor haar bureau liet vallen.

'De zaak-Reardon.'

Joe's vragende blik vereiste een verklaring. Ze vertelde hem over de Suzanne Reardon-imitaties en dokter Charles Smith. Ze bekende aarzelend dat ze Reardon in de gevangenis had opgezocht en dat ze eraan begon te twijfelen of die zaak wel juist was behandeld. Haar onderzoek was echter volkomen onofficieel.

Palumbo floot.

'Joe, ik zou het op prijs stellen als we dit onder ons hielden. Frank Green is helemaal niet blij met mijn belangstelling voor deze zaak.'

'Ik vraag me af waarom niet,' mompelde Palumbo.

'Het is wel frappant dat Green degene is die me onlangs heeft verteld dat dokter Smith een onemotionele getuige was. Vind je dat niet vreemd voor de vader van een moordslachtoffer? Dokter Smith heeft verklaard dat zijn vrouwen en hij uit elkaar gingen toen Suzanne nog een baby was. Een paar jaar later heeft hij goedgevonden dat Suzanne werd geadopteerd door haar stiefvader, ene Wayne Stevens. Ze is opgegroeid in Oakland, Californië. Ik zou graag willen dat je Stevens voor me opspoorde. Ik wil van hem horen wat voor soort meisje Suzanne was en ik wil vooral graag een foto van haar als tiener zien.'

Ze had een paar bladzijden van het procesverslag van Reardon uit de map getrokken. Nu schoof ze die over het bureau naar Palumbo. 'Dit is de getuigenverklaring van een babysitter, die op de avond van de moord in een huis aan de overkant was. Ze zegt dat ze om negen uur 's avonds een onbekende auto voor het huis van de Reardons heeft zien staan. Ze woont, of woonde toen, bij haar dochter

en schoonzoon in Alpine. Ga ook eens met haar praten, oké?'
Palumbo keek zeer geïnteresseerd. 'Met plezier, Kerry. Eigenlijk bewijs je mij een dienst. Ik zou voor de verandering onze leider wel eens op het strafbankje willen zien.'
'Hoor eens, Joe, Frank Green is een prima vent,' protesteerde Kerry. 'Het is niet mijn bedoeling zijn plannen te dwarsbomen. Ik heb alleen maar het gevoel dat er in die zaak een aantal vragen onbeantwoord is gebleven en om eerlijk te zijn, kreeg ik de rillingen van dokter Smith en zijn identieke patiënten. Als er een kans bestaat dat de verkeerde man in de gevangenis zit, vind ik dat ik verplicht ben dat uit te zoeken. Maar dat doe ik alleen als ik er zelf van overtuigd ben.'
'Dat snap ik best,' zei Palumbo. 'Je moet me niet verkeerd begrijpen. Over het algemeen ben ik het met je eens dat Green zo slecht niet is. Ik zou alleen liever iemand op zijn stoel zien zitten die niet onzichtbaar wordt zodra een van zijn ondergeschikten in het nauw wordt gedreven.'

32

Toen dokter Charles Smith de hoorn neerlegde nadat hij met Kerry McGrath had gesproken, merkte hij dat zijn rechterhand weer was begonnen te trillen. Hij legde zijn linkerhand er stevig overheen, maar voelde toch nog steeds de trillingen in zijn vingertoppen.
Het was hem opgevallen dat mevrouw Carpenter nieuwsgierig naar hem had gekeken toen ze doorgaf dat dat mens van McGrath aan de lijn was. De naam Suzanne had Carpenter niets gezegd, daarom had ze zich ongetwijfeld afgevraagd waar dat geheimzinnige telefoontje over ging.
Hij sloeg het medische dossier van Robin Kinellen open en las het door. Hij meende te weten dat haar ouders gescheiden waren, maar hij had de persoonlijke informatie niet gelezen die Kerry McGrath samen met Robins medische geschiedenis had opgegeven. Er stond dat ze assistent-aanklager in Bergen County was. Hij dacht even na. Hij kon zich niet herinneren dat hij haar ooit in de rechtszaal had gezien.

Er werd geklopt. Mevrouw Carpenter stak haar hoofd om de deur en herinnerde hem eraan dat er in onderzoekkamer 1 een patiënt op hem zat te wachten.
'Dat weet ik,' zei hij kortaf terwijl hij haar wegwuifde. Hij las verder in Robins dossier. Ze was op de elfde en op de drieëntwintigste voor controle geweest. Barbara Tompkins was er op de elfde ook geweest en Pamela Worth op de drieëntwintigste. Ongelukkig afgesproken, dacht hij. Kerry McGrath had hen waarschijnlijk allebei gezien en dat had haar op de een of andere manier aan Suzanne doen denken.
Hij bleef nog een hele tijd achter zijn bureau zitten. Waarom had ze hem werkelijk gebeld? Wat betekende haar belangstelling voor die zaak? Er kon niets veranderd zijn. Skip Reardon zat nog steeds in de gevangenis en daar zou hij blijven ook. Smith wist dat zijn getuigenverklaring hem daar had doen belanden. Toch zal ik er geen woord aan veranderen, dacht hij bitter. Geen woord.

33

Jimmy Weeks zat tussen zijn twee advocaten, Robert Kinellen en Anthony Bartlett, in de arrondissementsrechtbank terwijl de eindeloze procedure van het benoemen van een jury voor zijn belastingontduikingzaak zich voortsleepte.
Na drie weken waren er nog maar zes juryleden aangesteld die voor zowel aanklager als verdediger aanvaardbaar waren. De vrouw die nu werd ondervraagd, was van het soort waaraan hij de grootste hekel had. Zo'n truttig, zelfingenomen, spil-van-de-gemeenschaptype. Voorzitter van de Westdale Vrouwenvereniging, had ze verklaard, met een man die directeur van een technische firma was en twee zonen op Yale. Jimmy bekeek haar nauwkeurig terwijl het vraaggesprek zich voortzette en ze zich steeds neerbuigender ging gedragen. De aanklager vond haar natuurlijk acceptabel, daarover bestond geen twijfel. Maar Jimmy zag aan de minachtende blik die ze zijn kant op wierp dat ze hem schorem vond.
De president was klaar met zijn ondervraging van de vrouw. Jimmy Weeks leunde naar Kinellen toe en zei: 'Accepteer haar.'

'Ben je niet goed snik?' snauwde Bob ongelovig.
'Vertrouw me nou maar, Bobby.' Hij vervolgde fluisterend: 'Met dat mens kunnen we lezen en schrijven.' Toen keek Jimmy kwaad naar het andere eind van de tafel, waar een uitdrukkingsloze Barney Haskell met zijn advocaat de gebeurtenissen volgde. Als Haskell het met de aanklager op een akkoordje gooide en voor hem ging getuigen, kon Kinellen volgens zijn 'zeggen Barney in de getuigenbank vermorzelen.
Misschien wel, maar misschien ook niet. Jimmy Weeks was er niet zo zeker van en hij was iemand die van zekerheid hield. Van één jurylid was hij in ieder geval zeker.
Maar nu had hij er waarschijnlijk twee.
Tot nu toe ging er alleen nog maar het gerucht dat Kinellens vrouw belangstelling voor de zaak-Reardon had, peinsde Weeks. Maar als die zaak werkelijk opgegraven werd, zou dat wel eens heel vervelend voor hem kunnen uitpakken. Vooral als het Haskell ter ore zou komen. Dan zou het wel eens bij hem op kunnen komen dat hij een nog veel gunstiger afspraak met de aanklager kon maken.

34

In de namiddag kondigde Geoff Dorso's secretaresse over de intercom juffrouw Taylor aan. 'Ik heb tegen haar gezegd dat ze je zonder afspraak niet kan spreken. Maar ze zegt dat ze maar een paar minuten nodig heeft en dat het belangrijk is.'
Als Beth Taylor onaangekondigd langskwam, moest het inderdaad belangrijk zijn. 'Het is wel goed,' zei Geoff. 'Laat haar maar binnenkomen.'
Hij wachtte vol spanning af. Hij hoopte dat ze niet was gekomen om hem te vertellen dat er iets met Skip Reardons moeder was gebeurd. Mevrouw Reardon had kort na Skips veroordeling een hartaanval gehad en vijf jaar geleden weer een. Ze was er beide keren bovenop gekomen en zei dat ze niet van plan was dood te gaan terwijl haar zoon nog in de gevangenis zat voor een misdaad die hij niet had begaan.

Ze schreef Skip iedere dag, gezellige, opgewekte brieven vol plannen voor zijn toekomst. Skip had hem bij een van zijn recente bezoeken een stukje voorgelezen uit een brief die hij die dag had ontvangen: 'Vanmorgen tijdens de mis heb ik God eraan herinnerd dat, hoewel geduld altijd wordt beloond, wij nu lang genoeg geduld hebben gehad. Toen kreeg ik opeens een heerlijk gevoel, Skip. Het leek bijna of ik in mijn hoofd een stem hoorde zeggen dat het niet lang meer zou duren.'

Skip had wrang gelachen. 'Ik moet je zeggen, Geoff, dat ik het bijna geloofde toen ik het las.'

Toen zijn secretaresse Beth binnenliet, liep Geoff om zijn bureau heen en kuste haar vol genegenheid. Iedere keer dat hij haar zag, flitste de gedachte door hem heen: wat zou Skip een ander leven hebben gehad als hij met haar was getrouwd en Suzanne nooit had ontmoet.

Beth was net zo oud als Skip, bijna veertig. Ze was ongeveer een meter zestig lang, voelde zich lekker in maat 40, had kort, golvend bruin haar en levendige bruine ogen in een gezicht dat intelligentie en warmte uitstraalde. Toen ze vijftien jaar geleden met Skip omging, was ze onderwijzeres geweest. Sindsdien had ze een universitaire studie doorlopen en nu werkte ze als psychologisch adviseuse op een school in de buurt.

Vandaag had ze een diepbezorgde uitdrukking op haar gezicht. Geoff gebaarde naar de zithoek aan een kant van de kamer en zei: 'Ik weet dat ze een halfuur geleden verse koffie hebben gezet. Wil je een kop?'

Ze glimlachte kort. 'Graag.'

Hij keek naar haar gezicht terwijl ze over koetjes en kalfjes praatten en hij twee koppen koffie inschonk. Ze keek eerder bezorgd dan bedroefd. Hij was er nu wel zeker van dat er met mevrouw Reardon niets aan de hand was. Toen kwam er iets anders bij hem op. Goeie god, zou Beth soms iemand anders hebben ontmoet en weet ze niet hoe ze dat tegen Skip moet zeggen? Hij wist dat zoiets best kon gebeuren, misschien was het zelfs goed als het gebeurde. Maar voor Skip zou dat vreselijk zijn.

Toen ze hun koffie op hadden, vertelde Beth wat haar op het hart lag. 'Geoff, ik heb Skip gisteravond aan de telefoon gehad. Hij klinkt ontzettend gedeprimeerd. Ik maak me echt zorgen. Je weet dat er druk wordt gepraat over het stoppen van meerdere beroepen van veroordeelde moordenaars. Skip heeft het tot nu toe weten te redden in de hoop dat een van zijn beroepen ten slotte toch effect zal hebben. Als hij die hoop laat varen, weet ik zeker dat hij het niet zal overleven. Hij zei dat er een assistent-aanklager bij hem op bezoek was geweest. Hij is ervan overtuigd dat ze hem niet gelooft.'

'Denk je dat hij zelfmoordneigingen heeft?' vroeg Geoff snel. 'Als dat zo is, moeten we er iets aan doen. Vanwege zijn goede gedrag krijgt hij meer vrijheid. Dan moet ik de directeur waarschuwen.'

'Nee, nee! Dat mag je niet doen!' riep Beth. 'Ik bedoel niet dat hij zichzelf op dit ogenblik iets wil aandoen. Hij weet best dat zijn moeder dat ook niet zou overleven. Ik wil alleen maar zeggen...' Ze maakte een hulpeloos gebaar met haar handen. 'Geoff,' vroeg ze hem op de man af, 'kan ik hem ook maar een heel klein beetje hoop geven? Ik wil graag eerlijk weten of je oprecht gelooft dat je nog een reden kunt vinden om nog een keer in beroep te gaan.'

Een week geleden had ik moeten antwoorden dat ik ieder aspect van dit proces had uitgeplozen en niet het geringste argument voor een nieuw beroep heb kunnen vinden, dacht Geoff. Het telefoontje van Kerry McGrath had echter nieuw licht op de zaak geworpen.

Hij deed zijn best om niet al te bemoedigend te klinken toen hij Beth vertelde over de twee vrouwen die Kerry McGrath in de wachtkamer van dokter Smith had gezien en over Kerry's groeiende belangstelling voor deze zaak. Hij zag een stralende hoop op Beths gezicht opbloeien en hoopte vurig dat hij haar en Skip niet op een weg zette die uiteindelijk een dood spoor zou blijken te zijn.

Beths ogen vulden zich met tranen. 'Dus Kerry McGrath is de zaak nog steeds aan het onderzoeken?'

'Beslist. Het is een geweldige vrouw, Beth.' Toen Geoff dat zei, zag hij Kerry voor zich: de manier waarop ze een lok blond haar achter haar oor stopte als ze zich ergens op concentreerde en de melancholieke blik in haar ogen als ze het over haar vader had. Haar slanke, goed verzorgde figuur, haar spijtige glimlach vol zelfspot

bij het noemen van Bob Kinellens naam en de gelukkige trots die ze uitstraalde als ze over haar dochter sprak.
Hij hoorde nog haar enigszins hese stem en zag de bijna verlegen glimlach die ze hem schonk toen hij de sleutel van haar overnam en de deur voor haar opendeed. Het was duidelijk dat niemand na de dood van haar vader ooit meer voor Kerry had gezorgd.
'Geoff, als er reden tot beroep is, denk je dan dat we de vorige keer een fout hebben gemaakt door niets over mij te zeggen?'
Beths vraag bracht hem abrupt tot de werkelijkheid terug. Ze doelde op een aspect van de zaak dat in de rechtszaal nooit ter sprake was gekomen. Vlak voor de dood van Suzanne Reardon hadden Skip en Beth elkaar weer regelmatig ontmoet. Ze waren elkaar een paar weken eerder tegen het lijf gelopen en toen had Skip erop aangedrongen dat ze met hem ging lunchen. Ze hadden urenlang gepraat en Skip had haar opgebiecht hoe ongelukkig hij was en hoezeer hij hun breuk betreurde. 'Ik heb een stomme vergissing begaan,' had hij tegen haar gezegd, 'Maar ik kan je wel vertellen dat het niet lang meer zal duren. Ik ben nu vier jaar met Suzanne getrouwd, waarvan ik me de laatste drie heb afgevraagd hoe ik jou in vredesnaam heb kunnen laten schieten.'
Op de avond dat Suzanne overleed, hadden Beth en Skip een afspraak om samen te gaan eten. Beth had echter op het laatste moment moeten afzeggen. Toen was Skip naar huis gegaan en had hij Suzanne met die rozen bezig gezien.
Tijdens het proces was Geoff het met Skips eerste advocaat eens geweest dat het te riskant zou zijn om Beth in de getuigenbank te laten plaatsnemen. Ongetwijfeld zou de aanklager het dan zo weten te draaien dat Skip naast het vermijden van een dure scheiding nog een tweede grondige reden had om zijn vrouw te vermoorden. Aan de andere kant had Beths getuigenverklaring dokter Smiths bewering dat Skip waar het Suzanne betrof waanzinnig jaloers was teniet kunnen doen.
Tot op het moment dat Kerry hem over dokter Smith en de dubbelgangsters had verteld, was Geoff ervan overtuigd geweest dat ze het juiste besluit hadden genomen. Nu was hij daar minder zeker van. Hij keek Beth recht aan. 'Ik heb Kerry nog niets over jou ver-

teld. Maar nu wil ik graag dat ze je ontmoet en je verhaal aanhoort. Als we ook maar enigszins kans willen maken op een nieuw beroep, moeten we alle kaarten op tafel leggen.’

Dinsdag, 31 oktober

35

Toen ze op het punt stond het huis te verlaten voor haar vroege afspraak met dokter Smith, schudde Kerry een tegenstribbelende Robin wakker. 'Kom op, Rob,' drong ze aan, 'je zegt anders altijd dat ik je als een klein kind behandel.'
'Dat doe je ook,' mompelde Robin.
'Goed, dan geef ik je nu de kans om je onafhankelijkheid te tonen. Ik wil dat je opstaat en je aankleedt. Anders val je weer in slaap. Mevrouw Weiser belt je om zeven uur op om te controleren dat je niet weer in slaap bent gevallen. Ik heb cornflakes en sinaasappelsap voor je klaargezet. Vergeet niet de deur op slot te doen als je naar school gaat.'
Robin geeuwde en sloot haar ogen weer.
'Alsjeblieft, Rob.'
'Oké.' Zuchtend zwaaide Robin haar benen over de rand van het bed. Haar haar viel over haar gezicht toen ze haar ogen uitwreef. Kerry streek het weer naar achteren. 'Kan ik op je rekenen?'
Robin keek met een langzame, slaperige glimlach naar haar op. 'Uh-huh.'
'Mooi zo.' Kerry kuste haar boven op het hoofd. 'Denk eraan, dezelfde regels als altijd. Doe voor niemand de deur open. Ik zal het alarmsysteem aanzetten. Je schakelt het pas uit als je de deur opendoet en daarna zet je het weer aan. Rij met niemand mee, tenzij je samen met Cassie en Courtney bent en het een van hun ouders is.'
'Weet ik, weet ik.' Robin zuchtte dramatisch.
Kerry grinnikte. 'Ik weet heus wel dat het steeds hetzelfde liedje is. Tot vanavond. Alison komt om drie uur.'
Alison was de middelbare scholiere die bij Robin was totdat Kerry thuiskwam. Kerry had erover gedacht haar te vragen vanmorgen te komen om Robin naar school te helpen. Maar haar dochter had zo heftig geprotesteerd dat ze geen klein kind meer was en er

zelf wel voor kon zorgen dat ze op school kwam, dat Kerry had moeten toegeven.
'Dag mam.'
Robin luisterde naar Kerry's voetstappen terwijl ze de trap afliep. Toen ging ze naar het raam en keek toe hoe de auto de oprit afreed. Het was koud in de kamer. Als ze op haar normale tijd van zeven uur opstond, was het huis altijd heerlijk warm. Nog heel even, dacht Robin en gleed weer tussen de dekens. Eén minuutje maar.
Om zeven uur, nadat de telefoon zes keer had gerinkeld, ging ze rechtop zitten en nam hem op. 'Dank u wel, mevrouw Weiser. Ja hoor, ik ben echt op.'
Nu wel, dacht ze. Ze stapte snel uit bed.

36

Ondanks het vroege uur was het verkeer in Manhattan al heel druk. Maar het bewoog zich in ieder geval redelijk snel vooruit, dacht Kerry. Toch deed ze er een uur over om vanuit New Jersey via het restant van de West Side Highway dwars door de stad naar de praktijk van dokter Smith op Fifth Avenue te rijden. Ze was drie minuten te laat.
De dokter liet haar zelf binnen. Het ontbrak hem vanmorgen zelfs aan de minimale beleefdheid die hij bij Robins twee bezoeken nog had getoond. Zonder enige vorm van begroeting zei hij: 'Ik geef u twintig minuten, mevrouw McGrath, en geen seconde meer.' Hij bracht haar naar zijn privékantoor.
Als we het op die manier gaan doen, dacht Kerry, dan moet dat maar. Toen ze tegenover hem aan zijn bureau zat, zei ze: 'Dokter Smith, ik heb onlangs twee vrouwen uit uw spreekkamer zien komen die sprekend op uw vermoorde dochter Suzanne leken. Dat heeft me zo nieuwsgierig gemaakt naar de omstandigheden van haar dood, dat ik vorige week de moeite heb genomen om het verslag van het proces tegen Skip Reardon door te lezen.'
De haat op het gezicht van dokter Smith bij het noemen van de naam Skip Reardon ontging haar niet. Zijn ogen knepen zich sa-

men, zijn mond verstrakte, er verschenen diepe rimpels in zijn voorhoofd en in zijn wangen.
Ze keek hem recht aan. 'Dokter Smith, ik verzeker u dat het me ontzettend spijt dat u uw dochter hebt verloren. U was een alleenstaande ouder. Dat ben ik ook. Net als u heb ik maar één kind, een dochter. Als ik denk aan de doodschrik die door me heen ging toen ik hoorde dat Robin een ongeluk had gehad, kan ik me voorstellen hoe u zich voelde toen u het nieuws over Suzanne te horen kreeg.'
Smith keek haar onbewogen aan, zijn handen gevouwen. Kerry had het gevoel dat er een ondoordringbare barrière tussen hen in stond. Als dat waar was, kon ze wel raden naar de rest van hun gesprek. Hij zou aanhoren wat ze te zeggen had, de een of andere opmerking maken over het verlies van een dierbare en haar vervolgens de deur wijzen. Hoe kon ze die barrière doorbreken?
Ze leunde naar voren. 'Dokter Smith, dank zij uw getuigenverklaring zit Skip Reardon in de gevangenis. U hebt gezegd dat hij waanzinnig jaloers was en dat uw dochter bang voor hem was. Hij zweert echter dat hij Suzanne nooit heeft bedreigd.'
'Hij liegt.' Zijn stem klonk zonder nadruk, koud. 'Hij was wel degelijk waanzinnig jaloers. Zoals u al zei, was ze mijn enige kind. Ik aanbad haar. Ik was inmiddels zo succesvol geworden dat ik me alles kon veroorloven wat ik haar als kind niet kon bieden. Het deed me plezier om af en toe mooie juwelen voor haar te kopen. Maar zelfs toen ik dat tegen Reardon zei, weigerde hij nog te geloven dat het geschenken van mij waren geweest. Hij bleef volhouden dat ze met andere mannen omging.'
Is dat waar? vroeg Kerry zich af. 'Maar als Suzanne zich bedreigd voelde, waarom bleef ze dan bij Skip Reardon?' vroeg Kerry.
De morgenzon scheen zodanig de kamer in dat Smiths brillenglazen schitterden en Kerry zijn ogen niet meer kon zien. Zouden die net zo uitdrukkingsloos zijn als zijn stem, dacht Kerry. 'Omdat Suzanne, in tegenstelling tot haar moeder en mijn ex-vrouw, haar huwelijk zeer toegewijd was,' antwoordde hij na een kleine stilte. 'Het was de fout van haar leven dat ze verliefd op Reardon is geworden. En een nog grotere fout dat ze zijn dreigementen niet serieus heeft genomen.'

Kerry realiseerde zich dat ze geen stap verder kwam. Het werd tijd voor de vraag die haar zo-even te binnen was geschoten, maar die gevolgen kon hebben die ze misschien nog niet onder ogen wilde zien. 'Dokter Smith, hebt u uw dochter ooit op de een of andere manier geopereerd?'
Ze zag onmiddellijk dat die vraag hem woedend had gemaakt. 'Mevrouw McGrath, ik behoor toevallig tot de groep artsen die, behalve in uiterste noodzaak, nooit een gezinslid zal behandelen. Bovendien is die vraag een belediging. Suzanne was een natuurlijke schoonheid.'
'U hebt minstens twee vrouwen verbazingwekkend veel op haar laten lijken. Waarom?'
Dokter Smith keek op zijn horloge. 'Ik zal uw laatste vraag nog beantwoorden maar daarna moet u mij verontschuldigen, mevrouw McGrath. Ik weet niet hoeveel u van plastische chirurgie af weet. Vijftig jaar geleden stond die, vergeleken met de huidige stand van zaken, nog in de kinderschoenen. Als mensen een neusoperatie hadden ondergaan, moesten ze het daarna met wijd openstaande neusgaten doen. Reconstructies aan slachtoffers van afwijkingen, zoals bijvoorbeeld een hazenlip, werden vaak zeer onbehouwen uitgevoerd. Tegenwoordig zijn die technieken heel verfijnd en de resultaten zeer bevredigend. We hebben heel wat geleerd. Plastische chirurgie is niet langer uitsluitend weggelegd voor de rijken. Het is er voor iedereen, of het nu noodzaak is of slechts een wens.'
Hij zette zijn bril af en wreef over zijn voorhoofd alsof hij hoofdpijn had. 'Ouders brengen hun tieners hier, zowel jongens als meisjes, die dermate lijden onder een verondersteld gebrek dat ze niet kunnen functioneren. Gisteren heb ik een vijf tienjarige jongen geopereerd, die zulke grote flaporen had dat je er je ogen niet van kon afhouden. Als het verband is verwijderd, zal men eindelijk zijn aantrekkelijke gezicht zien, dat door dat in het oog springende gebrek nooit was opgevallen.
Ik opereer vrouwen die nu in de spiegel een afgezakte huid of wallen onder hun ogen zien, terwijl ze in hun jeugd knappe meisjes waren. Dan trek ik het voorhoofd op naar de haargrens, span de huid en trek hem achter de oren omhoog. Ik geef ze een twintig

jaar jonger uiterlijk maar wat belangrijker is, ik verander hun minderwaardigheidsgevoel in zelfvertrouwen.'
Hij ging harder spreken. 'Ik kan u van slachtoffers van ongelukken foto's laten zien van voor en na de operatie. U wilt weten waarom een paar van mijn patiënten op mijn dochter lijken. Dat zal ik u vertellen. Omdat er in de afgelopen tien jaar een aantal onopvallende, ongelukkige vrouwen in mijn spreekkamer verscheen, die ik haar soort schoonheid kon geven.'
Kerry wist dat hij op het punt stond haar naar de deur te begeleiden. Gehaast vroeg ze: 'Waarom hebt u dan een paar jaar geleden tegen een toekomstige patiënte, Susan Grant, gezegd dat schoonheid soms wordt misbruikt en dat er jaloezie en geweld uit voortkomt? Sloeg dat soms op Suzanne? Is het niet zo dat Skip Reardon misschien wel een reden had om jaloers te zijn? Misschien hebt u inderdaad al die juwelen voor haar gekocht die Skip niet kon plaatsen, maar hij doet er een eed op dat hij die rozen, die Suzanne op de dag dat ze stierf had ontvangen, niet heeft gestuurd.'
Dokter Smith stond op. 'Mevrouw McGrath, ik denk dat juist u heel goed weet dat moordenaars bijna altijd beweren dat ze onschuldig zijn. Wat mij betreft is dit gesprek nu beëindigd.'
Kerry kon niets anders doen dan achter hem aan de kamer uit lopen. Toen ze hem volgde, viel het haar op dat hij zijn rechterhand stijf tegen zijn zij gedrukt hield. Trilde zijn hand soms? Ja, dat was zo.
Bij de deur zei hij: 'Mevrouw McGrath, u moet begrijpen dat de naam Skip Reardon me misselijk maakt. Wilt u zo goed zijn mevrouw Carpenter de naam van een andere arts door te geven naar wie ze Robins gegevens kan doorsturen? Ik wil niets meer van u horen, noch wil ik u of uw dochter ooit terugzien.'
Hij stond zo vlak voor haar dat Kerry onwillekeurig een stap achteruit deed. De man had werkelijk iets angstaanjagends. Zijn ogen vlamden van woede en haat en leken dwars door haar heen te branden. Als hij op dit moment een pistool in zijn hand had, zou hij niet aarzelen het te gebruiken, dacht ze.

37

Toen ze de deur op slot had gedraaid en het trapje afliep, zag Robin de kleine, donkere auto die aan de overkant van de straat stond. Er kwamen niet veel onbekende auto's in de straat en zeker niet op dit tijdstip. Ze wist niet waarom deze haar zo'n raar gevoel gaf.
Het was koud. Ze nam haar boeken in haar linkerarm en trok de rits van haar jasje omhoog tot aan haar hals. Toen ging ze vlugger lopen. Ze ontmoette Cassie en Courtney altijd op de hoek van het volgende blok en ze wist dat ze daar waarschijnlijk al stonden te wachten. Ze was een paar minuten te laat.
Het was stil op straat. Nu de bladeren bijna allemaal waren gevallen, zagen de bomen er kaal en onvriendelijk uit. Robin wenste dat ze haar handschoenen had aangetrokken.
Toen ze het trottoir bereikte, wierp ze een blik op de overkant van de straat. Het raampje aan de bestuurderskant van de onbekende auto ging langzaam omlaag en kwam na een centimeter of tien tot stilstand. Ze tuurde ernaar in de hoop een bekend gezicht te zien, maar de felle morgenzon reflecteerde zodanig op het glas dat ze niets kon onderscheiden. Toen zag ze een hand tevoorschijn komen, die met iets in haar richting wees. Robin schrok vreselijk en begon te rennen. De auto kwam plotseling brullend op gang en reed recht op haar af. Op het moment dat ze verwachtte dat hij de stoep op zou komen en haar omver zou rijden, maakte hij een bocht en raasde de straat uit. Snikkend rende Robin het grasveld van de buren over en drukte in paniek op de bel.

38

Toen Joe Palumbo klaar was met zijn onderzoek naar een inbraak in Cresskill zag hij dat het pas halftien was. Het was maar een paar minuten rijden naar Alpine, dus het leek hem een perfecte gelegenheid om Dolly Bowles op te zoeken, de babysitter die getuige was geweest in de moordzaak-Reardon. Gelukkig had hij toevallig haar telefoonnummer bij zich.

Dolly klonk aanvankelijk een beetje gereserveerd toen Palumbo haar uitlegde dat hij een rechercheur was van het hof van justitie van Bergen County. Hij zei dat een van de assistent-aanklagers, Kerry McGrath, graag iets meer wilde weten over de auto die Dolly op de avond van de moord voor het huis van de Reardons had zien staan. Toen vertelde ze Palumbo dat ze het recente proces van Kerry McGrath had gevolgd en dat ze blij was dat de man die zijn cheffin had doodgeschoten was veroordeeld. Ze vertelde hem ook van de keer dat zij en haar moeder door een inbreker in hun eigen huis waren vastgebonden. 'Dus,' zei ze ten slotte, 'als u en Kerry McGrath met me willen praten, vind ik dat best.'

'Eerlijk gezegd,' zei Joe enigszins verontschuldigend, 'zou ik nu graag langs willen komen om met u te praten. Misschien wil Kerry u in een later stadium nog eens spreken.'

Het bleef stil. Palumbo wist niet dat Dolly voor haar geestesoog opnieuw de minachtende uitdrukking op het gezicht van aanklager Green zag, toen hij haar tijdens dat proces ondervroeg.

Uiteindelijk zei ze op waardige toon: 'Ik denk dat ik liever met Kerry McGrath over die avond praat. Ik vind dat we maar beter kunnen wachten totdat zij beschikbaar is.'

39

Kerry kwam pas om kwart voor tien op het kantoor van justitie, veel later dan gewoonlijk. Om te voorkomen dat er een aanmerking op zou worden gemaakt, had ze opgebeld om te zeggen dat ze een boodschap moest doen en wat later zou komen. Frank Green zat altijd precies om zeven uur achter zijn bureau. Ze maakten er weliswaar grapjes over, maar hij was eigenlijk van mening dat zijn hele staf tegelijk met hem aanwezig moest zijn. Kerry wist dat hij hoogst ontdaan zou zijn als hij wist dat haar boodschap een bezoek aan dokter Smith inhield.

Toen ze de code indrukte die haar toegang tot het gebouw van de officier van justitie verschafte, keek de telefoniste op en zei: 'Ker-

ry, loop maar meteen door naar het kantoor van meester Green. Hij zit op je te wachten.'
Daar zul je het hebben, dacht Kerry.
Toen ze Greens kantoor binnenliep, zag ze meteen dat hij niet boos was. Ze kende hem goed genoeg om te kunnen zien hoe zijn stemming was. Zoals gewoonlijk viel hij meteen met de deur in huis: 'Kerry, er is niets met Robin aan de hand. Ze is bij je buurvrouw, mevrouw Weiser. Ik verzeker je dat haar niets mankeert.'
De schrik sloeg Kerry om het hart. 'Wat is er dan aan de hand?'
'Dat weten we niet, misschien helemaal niets. Volgens Robin ben je om halfzeven van huis gegaan.' Er verscheen een nieuwsgierige blik in Greens ogen.
'Dat is zo.'
'Toen Robin later van huis ging, viel het haar op dat er aan de overkant een vreemde auto geparkeerd stond. Toen ze het trottoir bereikte, ging het raam aan de kant van de bestuurder een stukje open en zag ze een hand, die het een of andere voorwerp vasthield. Ze kon niet zien wat het was en ze kon ook het gezicht van de bestuurder niet onderscheiden. Opeens werd de motor gestart en kwam de auto met zo'n vaart op haar af dat ze bang was dat hij haar op de stoep zou aanrijden. Maar hij veranderde razendsnel van richting en ging ervandoor. Robin is toen naar het huis van de buren gerend.'
Kerry liet zich op een stoel vallen. 'En is ze daar nog steeds?'

'Ja. Je kunt haar daar opbellen of naar huis gaan, als dat je zou geruststellen. Wat ik me afvraag is of Robin een te grote fantasie heeft of dat iemand haar schrik wilde aanjagen en jou dus ook.'
'Waarom zou iemand Robin of mij nou bang willen maken?'
'Dat is op dit kantoor na een spraakmakende zaak wel eens eerder gebeurd. Je hebt net een zaak achter de rug die veel in de publiciteit is geweest. Die vent die jij wegens moord hebt laten veroordelen is een grote schurk, die vast wel een paar familieleden of vrienden heeft.'
'Ja, maar degenen die ik heb ontmoet leken heel fatsoenlijke mensen,' zei Kerry. 'En om op je eerste vraag terug te komen, Robin is een verstandig meisje. Zoiets als dit zou ze zich niet verbeelden.' Ze aarzelde. 'Het was de eerste keer dat ik haar alleen naar school

liet gaan. Ik heb haar overspoeld met waarschuwingen over wat ze wel en niet mocht doen.'
'Bel haar dan van hier even op,' adviseerde Green.
Robin nam mevrouw Weisers telefoon meteen aan. 'Ik wist wel dat je zou bellen, mam. Het gaat wel weer goed met me. Ik wil graag naar school. Mevrouw Weiser heeft gezegd dat ze me zal brengen. Ik moet vanmiddag ook weer weg, mam, want het is Halloween.'
Kerry dacht snel na. Het was beter dat Robin naar school ging dan dat ze de hele dag thuis over het gebeurde ging zitten nadenken. 'Goed dan. Maar ik kom je om kwart voor drie van school halen. Ik wil niet dat je naar huis loopt.' En ik ga samen met jou en je lampion langs de deuren, dacht ze. 'Mag ik nu mevrouw Weiser even, Rob?' vroeg ze.
Nadat ze had opgehangen, zei ze: 'Frank, is het goed als ik vandaag iets eerder wegga?'
Hij glimlachte oprecht. 'Natuurlijk is dat goed, Kerry. Ik hoef je niet te vertellen dat je Robin grondig moet ondervragen. We moeten weten of er werkelijk iemand op haar stond te wachten.'
Toen Kerry op weg was naar de deur voegde hij eraan toe: 'Is Robin niet een beetje te jong om alleen naar school te gaan?'
Kerry wist dat hij probeerde erachter te komen wat zo belangrijk was geweest dat ze Robin om halfzeven 's ochtends alleen thuis had gelaten.
'Ja, dat is ze ook,' gaf ze hem gelijk. 'Het zal niet weer gebeuren.'

Later in de ochtend kwam Joe Palumbo Kerry's kantoor binnen om haar van zijn gesprek met Dolly Bowles op de hoogte te brengen.
'Met mij wil ze niet praten, Kerry, maar ik wil toch graag met je mee als jij bij haar langsgaat.'
'Ik zal haar meteen even bellen.'
Haar begroeting 'dag mevrouw Bowles, ik ben Kerry McGrath' bracht een woordenstroom op gang die tien minuten duurde.
Palumbo sloeg zijn ene been over het andere en leunde achterover op zijn stoel. Hij luisterde geamuseerd hoe Kerry probeerde haar af en toe met een woord of een vraag te onderbreken. Toen Kerry eindelijk de kans kreeg te zeggen dat ze haar rechercheur graag wil-

de meebrengen, kon hij tot zijn ergernis uit het gesprek opmaken dat dat niet op prijs werd gesteld.
Eindelijk legde Kerry de telefoon neer. 'Dolly Bowles is niet bepaald gelukkig met de manier waarop ze tien jaar geleden door ons kantoor is behandeld. Daar ging het in feite om. Verder zei ze dat haar dochter en schoonzoon niet willen dat ze nog een woord zegt over die moord en wat ze toen heeft gezien. Ze zijn op reis en komen morgen terug. Als ik haar wil spreken, moet dat vanmiddag om vijf uur gebeuren. Daar moet ik dan eerst van alles voor regelen. Ik heb gezegd dat ik haar terug zou bellen.'
'Kun je hier op tijd weg?' vroeg Joe.
'Ik heb een paar afspraken, die ik in ieder geval al wilde afzeggen.' Ze vertelde Palumbo over het voorval met Robin die morgen.
De rechercheur kwam overeind en knoopte met moeite het jasje dicht dat om zijn gezette middel spande. 'Ik sta om vijf uur bij jou voor de deur,' stelde hij voor. 'Dan neem ik Robin mee om een hamburger te gaan eten, terwijl jij naar mevrouw Bowles gaat. Dan kan ik meteen met haar over vanmorgen praten.' Hij zag de uitdrukking van protest op Kerry's gezicht en vervolgde voordat ze iets kon tegenwerpen: 'Kerry, je bent een intelligent mens, maar in dit geval zul je niet objectief kunnen zijn. Je moet niet proberen mijn werk van me over te nemen.'
Kerry bekeek Joe peinzend. Hij zag er altijd wat verfomfaaid uit en zijn administratie was rommelig, maar hij was zo ongeveer de beste op zijn gebied. Kerry had hem kinderen zo handig horen ondervragen dat ze totaal niet beseften dat ieder woord op een weegschaaltje werd gewogen. Joe zou haar hier heel goed mee kunnen helpen. 'Oké,' gaf ze toe.

40

Dinsdagmiddag reed Jason Arnott van Alpine naar het afgelegen gebied bij Ellenville in de Catskills. Daar, in zijn riante landhuis dat aan het oog onttrokken werd door een bergketen, had hij zijn onbetaalbare, gestolen schatten verborgen.

Hij wist dat het huis een soort verslaving was, het resultaat van de soms niet te onderdrukken aandrang om prachtige voorwerpen te stelen uit de huizen van zijn kennissen. Zijn gevoel voor schoonheid zette hem tot die daden aan. Hij was dol op mooie spullen, hij kreeg er nooit genoeg van ze te bekijken en te betasten. Af en toe was de drang om iets in zijn handen te nemen en te strelen zo sterk dat het hem bijna de adem benam. Het was een gave, maar zowel een vloek als een zegen. Als hij niet voorzichtig was, kwam hij nog eens in moeilijkheden. Soms ging het al bijna mis. Dan werd hij ongeduldig als zijn gasten kleden, meubels, schilderijen of kunstvoorwerpen in zijn huis in Alpine bewonderden. En dan amuseerde hij zichzelf met de gedachte hoe geschokt ze zouden zijn als hij terloops de opmerking zou laten vallen dat hij het zelf maar een eenvoudig ingericht optrekje vond.

Maar dat zei hij natuurlijk nooit hardop want hij had niet de minste lust de aanblik van zijn privéverzameling met iemand te delen. Die was van hem alleen. En dat moest zo blijven.

Het is vandaag Halloween, dacht hij, terwijl hij snel over Route 17 in noordelijke richting reed. Hij was blij dat hij er even uit was. Hij had er geen behoefte aan te worden lastiggevallen door een eindeloze rij kinderen aan zijn deur. Hij was moe.

Hij had het afgelopen weekend in een hotel in Bethesda, Maryland, gelogeerd en ingebroken in een huis in Chevy Chase, waar hij een paar maanden geleden op een feestje was geweest. De gastvrouw, Myra Hamilton, had toen eindeloos doorgezeurd over het aanstaande huwelijk van haar zoon, dat op 28 oktober in Chicago zou plaatsvinden. Zo had ze luid en duidelijk laten weten dat er op die dag niemand thuis zou zijn.

Het huis van de Hamiltons was niet groot, maar schitterend ingericht. Het stond vol met kostbare stukken die de Hamiltons in de loop der jaren hadden verzameld. Jason had staan watertanden bij een saffierblauwe bureaustempel van Fabergé met een gouden, eivormig handvat. Dat kleinood, plus een Aubusson-kleedje van zestig bij honderd centimeter met een rozet in het midden dat ze als wandkleed gebruikten, waren de twee voorwerpen die hij hen het liefst had willen ontfutselen.

Nu lagen die beide dingen in de kofferbak van zijn auto, op weg naar zijn toevluchtsoord. Jason fronste onbewust zijn voorhoofd. Hij had niet dat normale gevoel van triomf nadat hij zijn slag had geslagen. Hij voelde een vage, ondefinieerbare bezorgdheid aan zich knagen. In gedachten liep hij nog eens iedere stap na van de procedure om het huis van de Hamiltons binnen te komen.

Het alarm had aangestaan maar was makkelijk af te zetten. Het huis was leeg geweest, zoals hij ook had voorzien. Hij was even in de verleiding gekomen om snel door het hele huis te lopen om na te gaan of hij op het feestje nog een aantal waardevolle spullen over het hoofd had gezien. In plaats daarvan had hij zich toch maar aan zijn oorspronkelijke plan gehouden en alleen de voorwerpen meegenomen waarop hij eerder zijn oog had laten vallen.

Hij had zich nog maar net in het verkeer van Route 240 gevoegd toen twee politieauto's met loeiende sirenes en flitsende lichten langs hem heen raceten en linksaf de straat insloegen waar hij net uit was gekomen. Hij wist meteen dat ze op weg waren naar het huis van de Hamiltons. Dat betekende natuurlijk dat hij op de een of andere manier een stil alarm had laten afgaan, dat onafhankelijk van het hoofdsysteem werkte.

Wat hadden de Hamiltons nog meer aan beveiliging? vroeg hij zich af. Het was tegenwoordig heel gemakkelijk om verborgen camera's te laten installeren. Zoals altijd als hij een uitverkoren huis binnenging had hij een kous over zijn hoofd getrokken, maar hij had hem even omhooggeschoven om een bronzen beeldje beter te kunnen bekijken. Dat was dom geweest want het had nauwelijks waarde.

Eén kans op de miljoen dat er een camera op mijn gezicht gericht stond, stelde Jason zichzelf gerust. Hij moest zijn zorgen gewoon van zich afzetten en normaal doorleven, hoewel voorlopig iets voorzichtiger.

De namiddagzon was bijna achter de bergen verdwenen toen hij zijn oprit opreed. Hij voelde eindelijk iets van zijn oude geestdrift terugkomen. De dichtstbijzijnde buren woonden een paar mijl verderop. Maddie, de werkster die eenmaal per week kwam – een forse, onverstoorbare vrouw zonder enige fantasie of nieuwsgierigheid – was gisteren geweest. Alles zou er glanzend gepoetst uitzien.

Hij wist dat Maddie geen verschil zag tussen een Aubusson en een restant vloerbedekking van tien dollar per meter, maar ze was een van die zeldzame schepsels die eer behaalde aan haar werk. Ze was pas tevreden als alles er perfect uitzag en had in al die tien jaar nog geen scherf van een kopje gestoten.

Jason glimlachte en dacht aan Maddies reactie als ze de Aubusson in de hal zou zien hangen en de Fabergé-stempel in zijn slaapkamer zien staan. Heeft hij nog niet genoeg rommel om af te stoffen, zou ze zich afvragen, om vervolgens door te gaan met haar werk.

Hij parkeerde de auto voor de zijdeur en liep met het gevoel van blijde verwachting dat hier altijd over hem heen kwam het huis binnen. Hij stak zijn hand uit naar de lichtschakelaar. Zoals elke keer werden zijn lippen en handen klam van genoegen bij het zien van zoveel prachtige dingen. Een paar minuten later, nadat hij zijn koffertje, een zak levensmiddelen en zijn nieuwe schatten veilig het huis had binnengedragen, sloot hij de deur en schoof de grendel ervoor. Zijn avond was begonnen.

Zijn eerste handeling was het naar boven brengen van de Fabergé-stempel om hem op zijn antieke toilettafel te zetten. Toen hij op zijn plaats stond, deed Jason een paar stappen achteruit om hem te bewonderen. Daarna leunde hij naar voren om hem met het miniatuurlijstje te vergelijken dat al tien jaar op zijn nachtkastje stond. Het lijstje was het bewijs van een van de weinige keren dat hij zich had laten beetnemen. Het was een mooie Fabergé-imitatie, maar beslist niet echt. Dat zag hij nu duidelijk. Het blauwe email zag er modderig uit vergeleken met de diepblauwe kleur van de stempel. De met parels ingezette gouden rand was maar prutswerk vergeleken bij echt Fabergé. Maar vanuit dat lijstje glimlachte Suzannes gezicht hem toe.

Hij dacht liever niet terug aan die avond van bijna elf jaar geleden. Hij was naar binnen gegaan door het open raam van de zitkamer van de slaapkamersuite. Hij wist dat er niemand thuis zou zijn. Suzanne had hem diezelfde dag nog verteld dat ze 's avonds uit eten ging en dat Skip ook niet thuis zou zijn. Hij had de alarmcode maar toen hij aankwam, zag hij dat het raam wijd openstond. Toen hij boven kwam, was het daar donker. In de slaapkamer zag hij op het nachtkastje het miniatuurlijstje dat hij al eerder had opgemerkt. Vanaf de andere kant van de kamer leek het echt. Hij stond het net nauwkeurig te bekijken toen hij een luide stem hoorde. Suzanne! In paniek had hij het lijstje in zijn zak laten glijden en zich in een kast verstopt.

Nu keek Jason op het lijstje neer. In de loop der tijden had hij zich soms afgevraagd welke perverse reden hem belette haar foto eruit te halen of het hele ding weg te gooien. Het was tenslotte maar een imitatie.

Maar terwijl hij er vanavond naar stond te staren, drong het voor het eerst tot hem door waarom hij dat lijstje met die foto had laten staan. Dat was omdat het hem hielp de herinnering uit te wissen aan Suzannes gruwelijk verminkte gezicht toen hij het huis uit vluchtte.

41

'Zo, de jury is compleet en best naar mijn zin,' zei Bob Kinellen tegen zijn cliënt met een opgewektheid die hij niet voelde.

Jimmy Weeks keek hem zuur aan. 'Bobby, op een paar uitzonderingen na deugt er volgens mij geen snars van.'

'Geloof me nou maar.'

Anthony Bartlett viel zijn schoonzoon bij. 'Bob heeft gelijk, Jimmy. Geloof hem nou maar.' Toen dwaalde Bartletts blik naar het andere eind van de tafel, waar Barney Haskell zat. Hij keek somber en steunde zijn hoofd in zijn handen. Hij zag dat Bob ook naar Haskell keek en hij wist wat Bob dacht: Haskell heeft suikerziekte. Hij wil niet het risico lopen jarenlang in de gevangenis te moeten zitten. Hij kent data, feiten en cijfers die we nauwelijks zullen kunnen weerleggen. Hij weet alles van Suzanne.

De openingspleidooien zouden de volgende morgen beginnen. Jimmy Weeks liep het gerechtsgebouw uit en ging rechtstreeks naar zijn auto. Toen de chauffeur de deur voor hem openhield, gleed hij zonder zijn gewoonlijke, grommende groet op de achterbank.

Kinellen en Bartlett bleven staan kijken tot de auto wegreed. 'Ik ga

terug naar kantoor,' zei Kinellen tegen zijn schoonvader. 'Ik moet nog aan het werk.'
Bartlett knikte. 'Dat denk ik ook.' Hij klonk neutraal. 'Tot morgen, Bob.'
Vast wel, dacht Kinellen terwijl hij naar de parkeergarage liep. Je doet je best afstand tussen ons te scheppen zodat, als ik vuile handen krijg, jij daar niets mee te maken hebt.
Hij wist dat Bartlett ergens miljoenen op een bank had staan. Zelfs als Weeks werd veroordeeld en dat het einde van de firma zou betekenen, zou hem niets gebeuren. Dan zou hij hooguit meer tijd krijgen om samen met zijn vrouw, de oude Alice, in Palm Beach door te brengen.
Ik draag alle risico's, dacht Bob Kinellen terwijl hij zijn kaartje aan de caissière gaf. Ik ben degene met wie het afgelopen kan zijn. Er moest een reden zijn waarom Jimmy erop had aangedrongen dat dat mens van Wagner jurylid moest worden. Wat zou die kunnen zijn?

42

Geoff Dorso belde Kerry juist toen ze op het punt stond het kantoor te verlaten. 'Ik ben vanmorgen bij dokter Smith geweest,' vertelde ze hem haastig, 'en ik ga om een uur of vijf naar Dolly Bowles. Ik heb nu geen tijd om te praten. Ik moet Robin van school halen.'
'Kerry, ik wil graag weten wat dokter Smith gezegd heeft en ook wat je van Dolly Bowles te weten komt. Kunnen we vanavond samen gaan eten?'
'Ik wil vanavond thuisblijven maar als je geen bezwaar hebt tegen sla en pasta...'
'Je weet toch dat ik een Italiaan ben?'
'Ongeveer halfacht?'
'Dan sta ik op de stoep.'

Toen ze Robin van school haalde, merkte Kerry dat haar dochter met haar gedachten meer bij de Halloween-viering was dan bij het

voorval van die morgen. Het leek eigenlijk wel of Robin zich er een beetje voor geneerde. Kerry wilde niet aandringen en liet het onderwerp voorlopig rusten.
Toen ze thuiskwamen, gaf ze Robins oppas de middag vrij. Dus zo brengen andere moeders hun tijd door, dacht ze, toen ze samen met een paar andere vrouwen met een groepje kinderen van deur tot deur ging. Ze waren precies op tijd weer thuis om Joe Palumbo binnen te laten.
Hij had een uitpuilende aktetas bij zich, waar hij met een voldane glimlach op klopte. 'Het verslag van het officiële onderzoek in de zaak-Reardon,' zei hij. 'De oorspronkelijke verklaring van Dolly Bowles is er ook bij. Dan kunnen we die vergelijken met wat ze straks tegen je zegt.'
Hij keek naar Robin, die als heks was verkleed. 'Je ziet er fraai uit, Rob.'
'Ik moest kiezen tussen een heks en een lijk,' zei Robin.
Kerry besefte pas dat haar gezicht vertrokken was toen ze de begrijpende blik in Palumbo's ogen zag.
'Ik kan maar beter opschieten,' zei ze gehaast.
Gedurende de twintig minuten die ze nodig had om naar Alpine te rijden, realiseerde Kerry zich hoe gespannen ze was. Het was haar ten slotte toch gelukt met Robin over het voorval van die morgen te praten. Maar inmiddels deed Robin haar best er zo weinig mogelijk ophef over te maken. Kerry wenste eigenlijk dat ze kon geloven dat Robin het hele incident had overdreven. Dat iemand zijn auto daar even had neergezet om een adres te controleren en zich toen gerealiseerd had dat hij in de verkeerde straat stond. Maar ze wist heel goed dat haar dochter het voorval niet verzonnen of overdreven had.

Kerry merkte dat Dolly Bowles haar had staan opwachten. Zodra ze haar auto op de oprit van het enorme Tudor-huis had geparkeerd, werd de deur opengetrokken.
Dolly was een klein vrouwtje met dun grijs haar en een smal, nieuwsgierig gezicht. Ze was al begonnen te praten voordat Kerry haar had bereikt: '...precies op uw foto in de *Record*. Ik vond het

heel jammer dat ik moest babysitten en niet naar het proces kon gaan van die afschuwelijke man die zijn cheffin heeft vermoord.'
Ze liet Kerry binnen in een spelonkachtige hal en gebaarde naar een kleine zitkamer aan de linkerkant. 'Laten we daar maar gaan zitten. De woonkamer is me veel te groot. Ik zeg steeds tegen mijn dochter dat mijn stem erin nagalmt, maar zij vindt hem geweldig omdat hij zo geschikt is voor feestjes. Dorothy is dol op feestjes geven. Als ze er zijn tenminste. Nu Lou niet meer werkt, zijn ze bijna nooit meer thuis, maar trekken ze voortdurend van hot naar haar. Waarom ze er een fulltimehuishoudster op na houden, gaat mijn verstand te boven. Waarom nemen ze niet iemand die een keer per week komt schoonmaken? Dat spaart een hoop geld uit. Ik vind het natuurlijk niet leuk om 's nachts alleen te zijn en dat heeft er waarschijnlijk ook mee te maken. Maar aan de andere kant...'
O mijn god, dacht Kerry. Het is een lief mens, maar hier kan ik nu niet tegen. Ze ging op een rechte stoel zitten en mevrouw Bowles liet zich op een gebloemde bank zakken. 'Mevrouw Bowles, ik wil niet te veel van uw tijd in beslag nemen en ik heb een oppas voor mijn dochter, dus ik kan niet zo lang blijven...'
'Dus u hebt een dochter. Wat leuk. Hoe oud is ze?'
'Tien. Mevrouw Bowles, wat ik graag wil weten...'
'U ziet er niet oud genoeg uit om een tienjarige dochter te hebben.'
'Dank u wel. Maar ik kan u verzekeren dat ik me wel oud genoeg voel.' Kerry had het gevoel of ze in een sloot was gereden waar ze misschien nooit meer uitkwam. 'Mevrouw Bowles, laten we het eens hebben over de avond dat Suzanne Reardon is gestorven.'
Een kwartier later, nadat ze het hele verhaal had aangehoord over de avond dat Dolly tegenover de Reardons had opgepast en over Michael, het jongetje waar ze die avond voor had gezorgd en zijn ernstige ontwikkelingsproblemen, was het haar gelukt Dolly één simpele verklaring te ontfutselen.
'U zegt dat u zeker weet dat de auto die voor het huis van de Reardons geparkeerd stond niet van een van de gasten van de buren was. Waarom bent u daarvan overtuigd?'
'Omdat ik zelf met die mensen heb gesproken. Ze hadden drie echtparen uitgenodigd en hun namen genoemd. Ze wonen allemaal in

Alpine en nadat meneer Green me zo in de getuigenbank voor schut had gezet, heb ik ze allemaal opgebeld. En zal ik u eens wat vertellen? Geen van die gasten was met opa's auto gekomen.'
'Opa's auto?' riep Kerry ongelovig uit.
'Zo noemde Michael hem. Hij kon heel moeilijk kleuren onderscheiden. Als je een auto aanwees en hem vroeg welke kleur die had, dan had hij er geen flauw idee van. Maar zelfs als er een groot aantal auto's stond, kon hij een bekende auto eruit halen of een die erop leek. Toen hij die avond "opa's auto" zei, wees hij op de zwarte vierdeurs Mercedes. Hij noemde zijn grootvader opa en vond het geweldig als hij met hem mee in de auto mocht, die zwarte vierdeurs Mercedes. Het was donker maar de tuinlamp aan het begin van de oprit van de Reardons was aan, zodat hij hem duidelijk kon zien.'
'Mevrouw Bowles, u hebt verklaard dat ú die auto hebt gezien.'
'Dat is ook zo, hoewel hij er om halfacht toen ik bij Michaels huis aankwam nog niet stond. Toen Michael ernaar wees, reed hij net weg zodat ik hem niet goed heb kunnen bekijken. Maar ik zag nog net een 3 en een L op de nummerplaat.' Dolly Bowles leunde vol overtuiging naar voren en met grote ogen achter de ronde brillenglazen zei ze: 'Mevrouw McGrath, ik heb dit ook tegen de advocaat van Skip Reardon geprobeerd te zeggen. Hij heette Farrer, nee, Farrell. Maar hij zei toen dat iets wat je hebt horen zeggen gewoonlijk niet als bewijs werd geaccepteerd en dat, als dat wél zo was, de woorden van een kind met ontwikkelingsproblemen afbreuk zouden doen aan mijn eigen bewering over die auto. Maar hij had het mis. Ik snap werkelijk niet waarom ik niet tegen de jury mocht zeggen dat Michael helemaal opgewonden werd toen hij dacht dat hij de auto van zijn grootvader zag staan. Ik denk dat het zou hebben geholpen.'
De lichte trilling verdween uit haar stem. 'Mevrouw McGrath, die avond om een paar minuten over negen reed een zwarte vierdeurs Mercedes weg van het huis van de Reardons. Dat weet ik absoluut zeker.'

43

De martini voor het avondeten smaakte Jonathan Hoover deze keer helemaal niet. Gewoonlijk genoot hij van dit moment van de dag, van de slokjes zachte gin vermengd met precies drie druppels vermout met daarin twee olijven, terwijl hij in zijn grote leunstoel naast de haard met Grace zat te praten over de gebeurtenissen van de dag. Vanavond merkte hij dat hij niet de enige was die zorgen had. Hij wist dat Grace nooit zou laten blijken als de pijn erger was dan normaal. Ze praatten nooit over haar gezondheid. Hij had allang geleden geleerd niet meer te vragen dan een terloops: 'Hoe voel je je vandaag, schat?'

Dan antwoordde ze steevast: 'Het gaat best, hoor.'

De toenemende mate waarin de reumatiek bezit nam van Graces lichaam belette haar niet zich nog steeds met haar aangeboren elegantie te kleden. Ze droeg tegenwoordig lange, wijde mouwen om haar gezwollen polsen te bedekken en voor 's avonds koos ze, zelfs als ze alleen waren, ruimvallende kaftans, die de steeds grotere misvorming van haar benen en voeten aan het oog onttrokken.

In haar door kussens ondersteunde, half zittende houding op de bank was de kromming van haar ruggengraat niet te zien. Haar stralend grijze ogen stonden prachtig afgetekend in haar marmerwitte gezicht. Alleen haar kromme, vervormde handen gaven blijk van haar verwoestende ziekte.

Omdat Grace tot halverwege de morgen in bed bleef en Jonathan vroeg opstond, was de avond hun speciale praatuurtje. Nu schonk Grace hem een wrange glimlach. 'Het lijkt wel of ik in de spiegel kijk, Jon. Jij maakt je ook ergens zorgen over. Ik wed dat het nog steeds over hetzelfde onderwerp gaat, dus laat mij eerst even iets zeggen. Ik heb met Kerry gesproken.'

Jonathan trok zijn wenkbrauwen op. 'En?'

'Ze is niet van plan haar onderzoek in de zaak-Reardon stop te zetten.'

'Wat heeft ze gezegd?'

'Het gaat erom wat ze niet beeft gezegd. Ze ontweek mijn vragen. Ze luisterde naar me en zei toen dat ze redenen had om te geloven dat de getuigenverklaring van dokter Smith onwaar was geweest. Ze gaf toe dat ze geen gegronde reden had om aan te nemen dat Reardon niet de moordenaar was, maar ze vond dat het haar plicht was uit te vinden of er sprake kon zijn geweest van een gerechtelijke dwaling.'

Jonathans gezicht werd donkerrood van woede. 'Grace, Kerry's rechtvaardigheidsgevoel grenst wat dit betreft aan het absurde. Ik heb gisteravond de gouverneur kunnen overhalen om de lijst kandidaten voor het rechterschap nog niet aan de senaat voor te leggen.'

'Jonathan!'

'Het was de enige manier om hem niet te hoeven vragen Kerry's naam voorlopig te schrappen. Ik had geen keus. Grace, Prescott Marshall is een uitstekend gouverneur geweest. Dat weet jij ook. Met zijn hulp heb ik de senaat ervan kunnen overtuigen de nodige wetswijzigingen door te voeren en het belastingstelsel te herzien. Ook hebben we meer bedrijven naar deze staat weten te lokken en sociale wetten kunnen veranderen zodat we de illegale bijstandtrekkers konden pakken zonder de echte armen te benadelen. Ik wil dat Marshall over vier jaar terugkomt. Ik ben geen groot voorstander van Frank Green, maar als gouverneur zal hij op een redelijke manier die stoel warm houden zonder Marshalls en mijn werk teniet te doen. Maar als Green het niet haalt en de tegenpartij aan het bewind komt, zal al ons werk voor niets zijn geweest.'

Plotseling trok de woede uit zijn gezicht weg en was hij in de ogen van Grace alleen nog maar een heel vermoeide, tweeënzestig jaar oude man.

'Ik zal Kerry en Robin zondag te eten vragen,' zei Grace. 'Dan heb je nog een keer de gelegenheid met haar te praten. Ik vind niet dat iemand zijn toekomst op het spel hoeft te zetten voor die Reardon.'

'Dan bel ik haar vanavond,' zei Jonathan.

44

Geoff Dorso drukte precies om halfacht op de bel en Robin deed opnieuw open. Ze was nog steeds als heks verkleed en opgemaakt.

Haar wenkbrauwen waren dik aangezet met houtskool. Haar huid was bedekt met een wit smeersel, behalve op de plekken waar de littekens over haar kin en wang liepen. Een warrige zwarte pruik hing tot op haar schouders.

Geoff sprong achteruit. 'Je laat me schrikken!'

'Mooi zo,' zei Robin enthousiast. 'Dank u wel dat u op tijd bent. Ik moet naar een feestje. Het begint nu en de griezeligste vermomming krijgt een prijs. Ik moet weg.'

'Die win je beslist,' zei Geoff, terwijl hij de hal binnenliep. Hij snoof. 'Het ruikt hier heerlijk.'

'Mama maakt knoflookbrood,' verklaarde Robin. Toen riep ze: 'Mam, meneer Dorso is er.'

De keuken was aan de achterkant van het huis. Geoff glimlachte toen de deur openzwaaide en Kerry tevoorschijn kwam, haar handen drogend aan een doek. Ze droeg een groene broek en een groene trui met een wijde col. Het viel Geoff op dat de plafondlamp de goudkleurige strepen in haar haar en het wolkje sproeten op haar neus deed oplichten.

Ze lijkt geen dag ouder dan drieëntwintig, dacht hij. Toen zag hij dat haar warme glimlach de bezorgde blik in haar ogen niet wegnam.

'Fijn dat je er bent, Geoff. Ga gezellig binnen zitten. Ik moet Robin eerst even naar een feestje verderop in de straat brengen.'

'Laat mij dat maar doen,' stelde Geoff voor. 'Ik heb mijn jas nog aan.'

'Dat kan waarschijnlijk geen kwaad,' zei Kerry nadenkend. 'Maar je moet haar wel naar binnen brengen, hoor. Ik bedoel dat je haar niet bij de oprit mag achterlaten.'

'Mam,' protesteerde Robin, 'ik ben echt niet bang meer.'

'Maar ik wel.'

Waar slaat dat op, vroeg Geoff zich af. Hij zei: 'Kerry, mijn zusjes zijn allemaal jonger dan ik. Tot ik naar de universiteit ging, moest ik ze altijd overal afzetten en weer ophalen en wee mijn gebeente als ik ze niet overal veilig naar binnen bracht. Ga je bezemsteel halen, Robin, die heb je vast wel.'

Toen ze door de stille straat liepen, vertelde Robin hem over de au-

to die haar zo had laten schrikken. 'Mama gedraagt zich wel heel kalm, maar ik zie heus wel dat ze het op haar zenuwen heeft,' vertrouwde ze hem toe. 'Ze maakt zich veel te veel zorgen over mij. Ik heb er bijna spijt van dat ik het haar verteld heb.'
Geoff bleef staan en keek op haar neer. 'Hoor eens, Robin. Het is nog veel erger als je zoiets niet aan je moeder vertelt. Beloof me dat je nooit zo dom zult zijn.'
'Dat zal ik ook niet, dat heb ik mama ook al beloofd.' De dik roodgeverfde lippen glimlachten ondeugend. 'Ik houd altijd mijn beloften, behalve als het over opstaan gaat. Ik heb een hekel aan opstaan.'
'Ik ook,' was Geoff het nadrukkelijk met haar eens.

Vijf minuten later, toen hij op een barkruk in de keuken zat toe te kijken terwijl Kerry een salade klaarmaakte, besloot Geoff maar meteen met de deur in huis te vallen. 'Robin heeft me verteld wat er vanmorgen is gebeurd,' zei hij. 'Is het iets om je zorgen over te maken?'
Kerry scheurde de pasgewassen sla boven de slakom in stukjes. 'Een van onze rechercheurs, Joe Palumbo, heeft vanmiddag met Robin gepraat. Hij maakt zich wel zorgen. Hij zegt dat een auto die vlak voor je voeten pas van richting verandert iedereen de stuipen op het lijf zou jagen. Maar Robin was zo duidelijk over dat raampje dat naar beneden ging en die hand die iets op haar richtte... Joe denkt dat iemand misschien een foto van haar heeft genomen.'
Geoff hoorde Kerry's stem trillen.
'Maar waarom dan?'
'Dat weet ik niet. Frank Green vermoedt dat het misschien iets te maken heeft met die zaak die ik onlangs aangeklaagd heb. Dat ben ik niet met hem eens. Maar ik word gek bij de gedachte dat de een of andere psychopaat Robin misschien heeft gezien en door haar wordt geobsedeerd. Dat zou ook best kunnen.' Ze rukte steeds harder aan de sla. 'Ik weet alleen niet wat ik eraan moet doen. Hoe moet ik haar beschermen?'
'Het valt niet mee om alleen voor zoiets te staan,' zei Geoff zacht.
'Bedoel je omdat ik gescheiden ben? Omdat er geen man is die voor

haar kan zorgen? Je hebt haar gezicht toch gezien. Dat is gebeurd toen ze bij haar vader was. Haar gordel zat niet vast en hij is het soort man dat met plankgas rijdt en dan plotseling remt. Het doet er niet toe of Bob Kinellen dat mannelijk gedrag vindt of dat hij gewoon te veel risico's neemt. Robin en ik kunnen het beter zonder hem af.'

Ze scheurde het laatste stukje sla doormidden en zei toen verontschuldigend: 'Het spijt me. Het is waarschijnlijk niet de beste avond voor een pastamaal, Geoff. Ik ben geen goed gezelschap. Maar daar kom je ook eigenlijk niet voor. Het gaat om mijn gesprekken met dokter Smith en Dolly Bowles.'

Bij de sla en het knoflookbrood vertelde ze hem over haar ontmoeting met dokter Smith. 'Hij haat Skip Reardon,' zei ze. 'Met een heel speciale haat.'

Ze zag de verwarring op Geoffs gezicht en voegde eraan toe: 'Ik bedoel dat de meeste familieleden van slachtoffers de moordenaar verachten en willen dat hij gestraft wordt. Hun woede is zo verstrengeld met hun verdriet, dat ze er van alles uitgooien. Ouders laten je vaak babyfoto's en eindexamenfoto's van hun vermoorde dochter zien en vertellen je wat voor soort meisje ze was en hoe ze in de tweede klas van de middelbare school een spel wedstrijd won. Daarna beginnen ze te huilen, overmand door verdriet. Een van beiden, gewoonlijk de vader, zegt dan dat hij graag vijf minuten met de moordenaar alleen zou willen zijn, of dat hij de hendel graag zelf zou willen overhalen. Maar Smith gedroeg zich heel anders. Hij toonde alleen haat.'

'Wat betekent dat volgens jou?' vroeg Geoff.

'Het betekent dat óf Skip Reardon een leugenachtige moordenaar is óf dat we moeten uitzoeken of Smith al voor Suzannes dood zo'n grote hekel aan hem had. In het laatste geval moeten we ook weten wat Smiths relatie met Suzanne eigenlijk inhield. Vergeet niet dat hij zelf heeft gezegd dat hij haar vanaf haar kleutertijd totdat ze bijna twintig jaar oud was niet heeft gezien. Toen stond ze opeens in zijn spreekkamer voor zijn neus en stelde zichzelf voor. Je kunt op de foto's zien dat ze een heel knappe vrouw was.'

Ze stond op. 'Denk er maar eens over na terwijl ik de pasta klaar-

maak. En dan zal ik je over Dolly Bowles en "opa's auto" vertellen.'
Geoff proefde bijna niets van de heerlijke *linguine* met mosselsaus toen hij naar Kerry's verslag van haar bezoek aan Dolly Bowles luisterde. 'Waar het om gaat,' zei ze ten slotte, 'is dat Dolly zegt dat zowel ons kantoor als jouw mensen er niets van wilden weten dat die kleine Michael misschien wel een heel goede getuige was.'
'Tim Farrell heeft Dolly Bowles zelf ondervraagd,' wist Geoff nog. 'Ik herinner me vaag dat hij het even over een kind van vijf met leerproblemen heeft gehad dat een auto had zien staan, maar ik heb er toen geen aandacht aan besteed.'
'Ik wil nog iets proberen,' zei Kerry. 'Joe Palumbo, de rechercheur die met Robin heeft gepraat, heeft vanmiddag de documentatie over de zaak-Reardon meegebracht. Die wil ik doorlezen om te zien of er nog namen in staan, misschien van mannen waar Suzanne meer dan gewoon gezellig mee omging. Het moet mogelijk zijn om via het Centraal Bureau Motorrijtuigenbelasting uit te vinden of een van die mensen elf jaar geleden een zwarte Mercedes bezat. Het is natuurlijk ook mogelijk dat die auto op naam van een ander stond of gehuurd was. In dat geval is het een dood spoor.'
Ze keek op de klok boven het fornuis. 'Tijd genoeg,' zei ze.
Geoff wist dat ze het over het afhalen van Robin had. 'Hoe laat is het feestje afgelopen?'
'Om negen uur. Gewoonlijk zijn er door de week geen feestjes, maar Halloween is speciaal voor kinderen, hè? Wil je espresso of gewone koffie? Ik ben steeds van plan een capuccinoapparaat te kopen, maar ik kom er gewoon niet toe.'
'Espresso graag. Dan vertel ik je meteen over Skip Reardon en Beth Taylor.'
Toen hij haar de hele achtergrond van de relatie tussen Beth en Skip had verteld, zei Kerry langzaam: 'Ik begrijp best waarom Farrell bang was om Taylor als getuige te gebruiken. Maar als Skip Reardon ten tijde van de moord verliefd op haar was, maakt het de verklaring van dokter Smith wel een stuk ongeloofwaardiger.'
'Precies. Skips hele houding bij het zien van Suzanne die bloemen van een andere vent stond te schikken, kan in drie woorden worden uitgedrukt: opgeruimd staat netjes.'

De telefoon aan de muur begon te rinkelen en Geoff keek op zijn horloge. 'Je zei toch dat Robin om negen uur moest worden gehaald? Dat doe ik wel even terwijl jij telefoneert.'
'Dank je.' Kerry nam de hoorn op. 'Hallo?'
Ze luisterde en zei toen warm: 'O Jonathan, ik was juist van plan jou te bellen.'
Geoff stond op en met een tot straks-gebaar van zijn hand liep hij naar de hal, waar hij zijn jas uit de kast haalde.
Terwijl ze naar huis liepen, zei Robin dat het een leuk feestje was geweest ondanks het feit dat ze niet de eerste prijs voor haar vermomming had gewonnen. 'Cassies nichtje was er ook,' legde ze uit. 'Ze had gewoon maar wat lappen aan om een lijk voor te stellen maar haar moeder had er een heleboel soepbotten opgenaaid. Dat maakte het natuurlijk wel bijzonder. Maar bedankt dat u me komt ophalen, meneer Dorso.'
'Iedereen heeft wel eens pech, Robin. Je mag me best Geoff noemen, hoor.'
Toen Kerry de deur voor hen opende, zag Geoff dat er iets ergs aan de hand was. Het kostte haar duidelijk moeite om met een belangstellende glimlach naar Robins enthousiaste verslag van het feestje te luisteren.
Ten slotte zei Kerry: 'Oké, Robin. Het is al over negenen en je hebt beloofd...'
'Dat weet ik wel. Meteen naar bed en geen geteut.' Robin gaf Kerry vlug een zoen. 'Ik hou van je, mam. Welterusten, Geoff.' Ze liep met sprongen de trap op.
Geoff zag dat Kerry's lippen begonnen te trillen. Hij pakte haar bij de arm, nam haar mee naar de keuken en deed de deur dicht. 'Wat is er gebeurd?'
Ze probeerde haar stem in bedwang te houden. 'De gouverneur zou morgen de senaat drie namen voorleggen ter goedkeuring voor functies in de rechterlijke macht. Daar zou de mijne ook bij zijn. Jonathan heeft de gouverneur gevraagd dat voorlopig uit te stellen vanwege mij.'
'Dat doet senator Hoover jou aan?' riep Geoff. 'Ik dacht dat hij een vriend van je was!' Toen keek hij haar aandachtig aan. 'Wacht

eens even. Heeft het iets te maken met de zaak-Reardon en Frank Green?'

Hij wist al zonder haar bevestigende hoofdknik dat hij gelijk had. 'Kerry, dat is afschuwelijk. Maar je zei uitstellen, niet terugtrekken.'

'Jonathan zou mijn kandidatuur nooit terugtrekken, dat weet ik zeker.' Kerry's stem klonk alweer wat vaster. 'Maar ik weet ook dat ik niet van hem kan verwachten dat hij zijn eigen nek uitsteekt. Ik heb hem verteld dat ik vandaag bij dokter Smith en Dolly Bowles ben geweest.'

'En wat zei hij daarop?'

'Hij was er niet van onder de indruk. Hij is van mening dat ik door deze zaak te heropenen zowel de bekwaamheid als de geloofwaardigheid van Frank Green in twijfel trek. Bovendien zal ik dan kritiek uitlokken omdat ik geld van de belastingbetaler verspil aan een zaak waarover tien jaar geleden is beslist. Hij benadrukte dat het afwijzen van vijf beroepen Reardons schuld toch wel heeft bewezen.'

Ze schudde haar hoofd alsof ze haar gedachten wilde ordenen. Toen keerde ze zich van Geoff af. 'Het spijt me dat ik zoveel van je tijd in beslag heb genomen, Geoff, maar ik heb besloten dat Jonathan gelijk heeft. De moordenaar zit in de gevangenis omdat een jury bestaande uit zijn medeburgers heeft beslist dat hij daar thuishoort. Het Hof heeft volgehouden dat zijn veroordeling juist was. Waarom zou ik beter weten dan zij?'

Kerry draaide zich weer naar hem toe. 'De moordenaar zit in de gevangenis en ik moet deze zaak laten vallen,' zei ze zo overtuigd mogelijk.

Geoffs gezicht verstrakte van ingehouden woede en frustratie, 'Dat moet je dan maar doen. Goedenavond, edelachtbare,' zei hij. 'Bedankt voor de pasta.'

Woensdag, 1 november

45

In het laboratorium van het hoofdkwartier van de FBI in Quantico keken vier agenten naar het computerscherm, dat was blijven stilstaan bij het profiel van de dief die het afgelopen weekend had ingebroken in het huis van de Hamiltons in Chevy Chase.
Hij had de kous omhooggetrokken, zodat hij een beeldje beter kon bekijken. Eerst was het beeld dat de verborgen camera had opgenomen te wazig maar nadat het apparaat een beetje was bijgesteld, werden een paar details zichtbaar. Waarschijnlijk niet genoeg om iets aan te hebben, dacht Si Morgan, de oudste in rang. Je kon nog steeds nauwelijks iets meer onderscheiden dan zijn neus en de omtrekken van zijn mond. Maar het was alles wat ze hadden en misschien was het net genoeg om iemand op een idee te brengen.
'Laat maar een paar honderd afdrukken maken en ze verspreiden bij alle huizen waar op dezelfde manier is ingebroken als bij de Hamiltons. Het is wel niet veel, maar het is misschien een kans om die kerel te pakken te krijgen.'
Morgan voegde er grimmig aan toe: 'En dan hoop ik dat zijn duimafdruk overeenkomt met die van die avond dat de moeder van congreslid Peale stierf omdat ze van gedachten veranderde en dat weekend niet wegging.'

46

Het was nog vroeg in de morgen toen Wayne Stevens de krant zat te lezen in de woonkamer van zijn comfortabele, in Spaanse stijl opgetrokken huis in Oakland, Californië. Hij had zich twee jaar geleden teruggetrokken uit zijn redelijk succesvolle verzekeringsmaatschappij en hij had het best naar zijn zin. Zelfs als hij alleen was, had zijn gezicht een vriendelijke uitdrukking. Dank zij regelmatige oefeningen was zijn figuur slank gebleven. Zijn twee getrouwde dochters woonden met hun gezin binnen een halfuur rijden bij hem vandaan. Hij was inmiddels alweer acht jaar getrouwd met zijn derde vrouw, Catherine. In die tijd was hij tot de conclusie gekomen dat zijn eerste twee huwelijken niet veel hadden voorgesteld.

Toen de telefoon rinkelde, had hij geen enkel voorgevoel dat de beller onplezierige herinneringen zou gaan ophalen.

De stem had het uitgesproken accent van de Oostkust. 'Meneer Stevens, mijn naam is Joe Palumbo. Ik ben rechercheur van het kantoor van de openbare aanklager van Bergen County, New Jersey. U had een stiefdochter die Suzanne Reardon heette, nietwaar?'

'Suzanne Reardon? Die ken ik niet. Of wacht eens even,' zei hij, 'u bedoelt Susie toch niet?'

'Noemde u Suzanne zo?'

'Ik heb een stiefdochter die we Susie noemen, maar ze heet Sue Ellen, niet Suzanne.' Toen realiseerde hij zich dat de inspecteur de verleden tijd had gebruikt. 'Is er iets met haar gebeurd?'

Bijna vijfduizend kilometer van hem vandaan omklemde Joe Palumbo de hoorn. 'Weet u dan niet dat Suzanne, of Susie zoals u haar noemde, tien jaar geleden is vermoord?' Hij drukte op de knop om het gesprek op te nemen.

'Lieve hemel.' De stem van Wayne Stevens was weggezakt tot een fluistering. 'Nee, natuurlijk wist ik dat niet. Ik heb haar ieder jaar met Kerstmis een briefje gestuurd naar het adres van haar vader, dokter Charles Smith. Maar ik heb al jarenlang niets meer van haar gehoord.'

'Wanneer hebt u haar voor het laatst ontmoet?'

'Achttien jaar geleden, vlak nadat mijn tweede vrouw Jean, haar moeder, was gestorven. Susie was altijd een ongelukkig en eerlijk gezegd een moeilijk meisje. Ik was weduwnaar toen ik met haar moeder trouwde. Ik had twee dochtertjes en adopteerde Susie. Jean en ik hebben ze samen grootgebracht. Nadat Jean was overleden, kreeg Susie een uitkering van een verzekering en kondigde aan dat ze naar New York ging. Ze was toen negentien. Een paar maanden later stuurde ze me een nogal gemeen briefje, waarin stond dat ze hier altijd ongelukkig was geweest en niets meer met ons te maken wilde hebben. Ze zei dat ze bij haar echte vader ging wonen. Toen heb ik onmiddellijk dokter Smith gebeld, maar hij was buitengewoon onbeleefd. Hij zei dat hij een grote fout had gemaakt toen hij me had toegestaan zijn dochter te adopteren.'

'Dus daarna hebt u Suzanne, ik bedoel Susie, nooit meer gesproken?' vroeg Joe snel.

'Nooit meer. Er zat niets anders op dan het maar zo te laten. Ik hoopte dat ze na verloop van tijd wel weer contact zou opnemen. Wat is er met haar gebeurd?'

'Tien jaar geleden is haar man veroordeeld omdat hij haar in een aanval van jaloerse woede heeft vermoord.'

Allerlei beelden kwamen Wayne Stevens opeens weer voor ogen. Susie als lastige kleuter; als mollige, nors kijkende tiener die golf en tennis speelde maar er geen enkel plezier aan beleefde. Susie die altijd als eerste de telefoon hoorde rinkelen, maar die nooit zelf een telefoontje kreeg. Ze keek woedend naar haar stiefzusjes als ze door een jongen werden afgehaald en smeet met deuren als ze daarna de trap op stampte. 'Jaloers omdat ze iets met een ander had?' vroeg hij langzaam.

'Ja.' Joe Palumbo hoorde de verwarring in de stem van de man en wist dat Kerry's intuïtie juist was geweest toen ze hem had gevraagd Suzannes achtergrond te onderzoeken. 'Meneer Stevens, zou u me kunnen beschrijven hoe uw stiefdochter eruitzag?'

'Sue was...'Stevens aarzelde. 'Ze was geen leuk meisje om te zien,' zei hij toen.

'Kunt u misschien een paar foto's van haar opsturen?' vroeg Palumbo. 'Ik bedoel van vlak voordat ze naar de Oostkust vertrok?'

'Natuurlijk. Maar als het al tien jaar geleden is gebeurd, waarom komt u er dan nu pas mee?'

'Omdat een van onze assistent-aanklagers denkt dat er meer achter die zaak steekt dan bij het proces naar voren is gekomen.'

En òf ze gelijk had, dacht Joe toen hij de hoorn neerlegde. Wayne Stevens had beloofd Susies foto's diezelfde dag nog naar hem toe te sturen.

47

Kerry zat woensdagmorgen nog maar net achter haar bureau, toen haar secretaresse kwam zeggen dat Frank Green haar wilde spreken.

Hij wond er geen doekjes om. 'Wat is er aan de hand, Kerry? Ik heb gehoord dat de gouverneur de nominatie van kandidaten voor een rechterschap heeft uitgesteld. Hij schijnt met jou in zijn maag te zitten. Wat is er gebeurd? Kan ik misschien helpen?'

Ja, eigenlijk wel, Frank, dacht Kerry. Je zou tegen de gouverneur kunnen zeggen dat je graag meewerkt aan ieder onderzoek dat een enorme rechterlijke dwaling zou kunnen aantonen, zelfs als jij voor paal komt te staan. Je zou eens een keertje flink kunnen zijn, Frank. In plaats daarvan zei ze: 'O, ik weet zeker dat hij het binnenkort zal doen.'

'Je hebt toch geen hommeles met senator Hoover, hè?'

'Hij is een van mijn beste vrienden.'

Toen ze zich omdraaide om weg te lopen zei de aanklager: 'Kerry, het is afschuwelijk als je niet weet waar je aan toe bent met dit soort benoemingen. Ik zit in hetzelfde schuitje als jij. Ik krijg nachtmerries als ik eraan denk dat het ergens zou kunnen stranden.'

Ze knikte en liep de deur uit.

In haar eigen kantoor probeerde ze zich wanhopig te concentreren op haar processchema. De *grand* jury had zojuist een verdachte van een mislukte overval op een benzinestation laten insluiten. De aanklacht was poging tot gewapende overval en poging tot moord. De pompbediende was beschoten en lag nog steeds op intensive care. Als hij het niet haalde, zou de aanklacht worden omgezet in moord.

Gisteren had het hof van beroep het vonnis nietig verklaard van een vrouw die schuldig was bevonden aan doodslag. Dat was ook een zaak die veel publiciteit had getrokken, maar de uitspraak van het Hof dat de verdediging onbekwaam was geweest, had tenminste geen blaam op de aanklager geworpen.

Ze hadden afgesproken dat Robin tijdens de beëdiging de Bijbel zou vasthouden. Jonathan en Grace stonden erop de toga's voor haar te kopen, een paar voor dagelijks gebruik en een voor plechtige gelegenheden. Margaret had verscheidene malen gezegd dat zij, als haar beste vriendin, die dag de toga mocht dragen en Kerry zou helpen hem aan te trekken. 'Ik, Kerry McGrath, zweer plechtig dat ik...'

De tranen prikten in haar ogen terwijl ze nogmaals Jonathans ongeduldige stem hoorde zeggen dat vijf hoven van beroep Reardon schuldig hadden bevonden en ze hem hoorde vragen wat haar mankeerde. Nou, hij had gelijk. Ze zou hem straks bellen en laten weten dat ze de zaak liet rusten.

Ze merkte opeens dat iemand al een paar keer op haar deur had geklopt. Ze wreef ongeduldig met de bovenkant van haar hand over haar ogen en riep: 'Binnen!'

Het was Joe Palumbo. 'Je bent een slimme vrouw, Kerry.'

'Dat weet ik nog zo net niet. Wat is er aan de hand?'

'Je zei dat je je had afgevraagd of dokter Smith ooit zijn dochter had geopereerd.'

'Dat heeft hij ontkend, Joe. Dat heb ik je toch verteld?'

'Dat weet ik wel. Bovendien moest ik Suzannes achtergrond onderzoeken. Moet je hier eens naar luisteren.'

Met een triomfantelijk gebaar legde Joe een taperecorder op het bureau. 'Dit is het grootste deel van mijn gesprek met meneer Wayne Stevens, de stiefvader van Suzanne Reardon.' Hij drukte op de knop.

Kerry luisterde en voelde een nieuwe golf van verwarring en tegenstrijdige emoties door zich heen gaan. Smith is een leugenaar, dacht ze. Ze herinnerde zich zijn woede bij haar voorzichtige vraag of hij ooit bij zijn dochter een chirurgische ingreep had gedaan. Een leugenaar en een uitstekend acteur.

Toen het opgenomen gesprek was afgelopen, glimlachte Palumbo afwachtend. 'Wat nu, Kerry?'

'Ik weet het niet,' zei ze langzaam.

'Je weet het niet? Smith liegt.'

'Dat weten we nog niet zeker. Laten we eerst die foto's van Stevens maar eens afwachten voordat we te enthousiast worden. Een heleboel tieners bloeien opeens op nadat ze naar een goede kapper zijn geweest en in een schoonheidssalon hun gezicht hebben laten opmaken.'

Palumbo keek haar ongelovig aan. 'Ja, ja. En kalveren dansen op het ijs.'

48

Deirdre Reardon hoorde de teleurstelling in de stem van haar zoon toen ze hem zondag en dinsdag aan de lijn had. Daarom besloot ze woensdag de lange reis per bus, trein en nog een bus te maken naar de gevangenis in Trenton.

Ze was een kleine vrouw, van wie haar zoon het vuurrode haar, de warme blauwe ogen en de Keltische huid had. Ze was bijna zeventig en zag er nu niet langer jonger uit dan ze was. Haar compacte lichaam had iets fragiels gekregen en haar loop was heel wat minder veerkrachtig geworden. Vanwege haar gezondheid had ze haar baan als verkoopster bij A&S moeten opgeven. Ze vulde haar pensioenuitkering nu aan met kantoorwerk bij de administratie van haar kerk.

Ze had het geld dat ze had gespaard toen Skip zoveel verdiende en zo royaal voor haar was inmiddels allemaal uitgegeven, voor het grootste deel aan de onkosten van de afgewezen beroepen.

Ze kwam midden op de middag bij de gevangenis aan. Omdat het een doordeweekse dag was, mochten ze alleen per telefoon praten met een raam tussen hen in. Toen Skip werd binnengebracht en ze zijn gezicht zag, wist Deirdre dat haar grote angst bewaarheid geworden was. Skip had de hoop opgegeven.

Gewoonlijk als hij terneergeslagen was, probeerde ze hem af te leiden door hem alle nieuwtjes uit de buurt en van de kerk te vertellen. De soort verhalen die iemand die een poosje weg was maar verwachtte binnenkort weer terug te zijn graag wilde horen om op de hoogte te blijven.

Vandaag wist ze dat een dergelijk gezellig gebabbel geen zin zou hebben. 'Wat is er aan de hand, Skip? vroeg ze.

'Mam, Geoff heeft gisteravond gebeld. Die aanklager die bij me langs is geweest, gaat niet met het onderzoek door. Ze heeft haar handen van me afgetrokken. Ik heb Geoff gedwongen eerlijk te zijn en niet te proberen me aan het lijntje te houden.'

'Hoe heet ze, Skip?' vroeg Deirdre. Ze deed haar best neutraal te klinken. Ze kende haar zoon goed genoeg om te weten dat ze op dit moment niet met loze geruststellingen moest aankomen.

'McGrath. Kerry McGrath. Ze wordt blijkbaar binnenkort tot rechter benoemd. Ik zal wel weer de pech hebben dat ze haar aanstellen bij het hof van beroep zodat ze mijn zaak, als Geoff ooit nog een reden voor een beroep kan vinden, meteen kan afwijzen.'

'Maar het duurt toch een hele tijd voordat een rechter bij het hof van beroep komt?' vroeg Deirdre.

'Wat doet dat er nou toe? Tijd hebben we genoeg, nietwaar mam?'

Toen zei Skip dat hij die dag had geweigerd Beths telefoontje aan te nemen. 'Mam, Beth moet haar eigen leven gaan leiden. Dat doet ze niet zolang ze zich zo druk maakt over mij.'

'Skip, Beth houdt van je.'

'Dan moet ze maar van iemand anders gaan houden. Dat heb ik toch ook gedaan?'

'O Skip.' Deirdre Reardon voelde de benauwdheid aankomen die altijd voorafging aan de gevoelloosheid in haar arm en de stekende pijn in haar borst. De dokter had haar gewaarschuwd dat ze nog een bypassoperatie nodig had als de angioplastiek volgende week niet zou helpen. Dat had ze Skip nog niet verteld. Dat deed ze nu ook beslist niet.

Deirdre deed haar best haar tranen te bedwingen bij het zien van de diepbedroefde ogen van haar zoon. Hij was zo'n lieve jongen. Ze had vroeger nooit enig probleem met hem gehad. Zelfs als baby had hij niet gejengeld als hij moe was. Een van de verhalen die ze het liefst over hem vertelde, ging over de keer dat hij van de woonkamer in hun appartement naar de slaapkamer was gewaggeld, zijn knuffeldekentje door de spijlen van zijn bedje naar zich toe had getrokken, zich erin had gerold en op de vloer onder het bedje was gaan slapen. Ze had hem alleen in de woonkamer achtergelaten om eten te gaan koken. Toen ze hem nergens kon vinden was ze zijn naam roepend het hele appartement doorgehold, doodsbang dat hij misschien naar buiten was gegaan en was verdwaald. Ze had nu hetzelfde gevoel. Skip was nu op een andere manier aan het verdwalen. Ze stak onbewust haar hand uit en raakte het glas aan. Ze wilde dat ze haar armen om hem heen kon slaan, om die oprechte, goede zoon van haar. Ze wilde dat ze kon zeggen dat hij zich geen zorgen hoefde te maken, dat alles in orde zou komen, net als vroeger als hij verdriet had. Ze wist opeens wat ze moest zeggen.

'Skip, zulke onzin wil ik niet van je horen. Het is niet aan jou om te zeggen dat Beth niet meer van je moet houden, want dat doet ze toch. En ik ga eens met die Kerry McGrath praten. Er moet een reden zijn waarom ze je is komen bezoeken. Aanklagers komen niet zomaar bij veroordeelden langs. Ik wil weten waarom ze belangstelling voor je had en waarom ze je nu weer laat vallen. Maar je moet wel meewerken, dus waag het niet op zo'n manier tegen me te praten.'

Het bezoekuur was veel te vlug voorbij. Het lukte Deirdre haar tranen in te houden tot Skip door een bewaker was weggeleid. Toen bette ze stevig haar ogen. Ze kneep vastberaden haar lippen samen, stond op, wachtte tot de pijnscheut in haar borst voorbij was en liep kordaat naar buiten.

49

Het lijkt wel november, dacht Barbara Tompkins, toen ze vanaf haar kantoor op de hoek van 68th Street en Madison Avenue tien blokken verder naar haar appartement op de hoek van 61st Street en Third Avenue liep. Ze had een dikkere jas moeten aantrekken. Maar wat deed het er toe dat ze zich die korte afstand onbehaaglijk voelde terwijl ze in zo'n fantastische stemming was?

Er ging geen dag voorbij dat ze niet van het wonder genoot dat dokter Smith voor haar had verricht. Ze kon zich bijna niet meer voorstellen dat ze nog geen twee jaar geleden vast had gezeten in een saai pr-baantje in Albany, waar het haar taak was geweest onbelangrijke cosmetische firma's in tijdschriften vermeld te krijgen.

Nancy Pierce was een van de weinige cliënten geweest die ze aardig had gevonden. Nancy had altijd grappen gemaakt en zichzelf het grijze muisje met het minderwaardigheidsgevoel genoemd omdat ze in haar werk met beeldschone modellen te maken had. Toen was ze een hele poos met vakantie gegaan en teruggekomen met een fantastisch uiterlijk. Ze had openhartig en trots tegen iedereen verkondigd dat ze plastische chirurgie had ondergaan.
'Hoor eens,' had ze gezegd, 'mijn zusje heeft het gezicht van Miss Amerika, maar ze is altijd op dieet omdat ze te dik is. Ze zegt dat er binnen in haar een slanke den zit die naar buiten wil. Ik heb altijd gezegd dat er in mij een heel knap meisje zit dat eruit wil. Mijn zusje is naar de Weight Watchers gegaan en ik naar dokter Smith.'
Toen Barbara haar nieuwe uiterlijk, haar souplesse en haar zelfvertrouwen zag, beloofde ze zichzelf dat ze zodra ze er het geld voor had ook naar die dokter zou gaan. Toen was oudtante Betty op haar zevenentachtigste naar de hemel geroepen. Ze had Barbara vijfendertigduizend dollar nagelaten met de opdracht dat ze er maar eens lekker van uit de band moest springen.
Barbara herinnerde zich dat eerste bezoek aan dokter Smith nog heel goed. Hij was de kamer binnengekomen waar ze op de rand van de onderzoektafel zat. Zijn houding was kil geweest, bijna angstaanjagend. 'Wat wilt u?' had hij geblaft.
'Ik wil weten of u me knap kunt maken,' had Barbara aarzelend gezegd. Toen had ze haar moed verzameld en zichzelf gecorrigeerd: 'Heel knap.'
Hij had zwijgend voor haar gestaan, een spotlight op haar gezicht gezet en zijn hand onder haar kin gelegd. Toen was hij met zijn vingers over haar gezicht gegleden, had haar jukbeenderen en haar voorhoofd afgetast en haar een paar minuten lang aandachtig aangekeken.
Daarna had hij een pas achteruit gedaan. 'Waarom?'
Ze had hem verteld over de knappe vrouw die uit haar omhulsel tevoorschijn wilde komen. Ze had ook gezegd dat ze wist dat ze het niet zo belangrijk moest vinden. Toen had ze opeens uitgeroepen: 'Maar ik vind het wél belangrijk!'
Hij had onverwachts geglimlacht, een wat zuur maar oprecht glim-

lachje. 'Als het je niet zoveel kon schelen, zou ik er geen moeite voor doen,' had hij gezegd.
De procedure die hij had beschreven, was vreselijk ingewikkeld geweest. De operaties hadden haar een kin gegeven en haar oren verkleind. De donkere kringen onder haar ogen waren weggehaald en haar oogleden minder zwaar gemaakt, zodat haar ogen groot en stralend waren geworden. Haar lippen waren dik en uitdagend gemaakt, de acnelittekens van haar wangen waren verwijderd, haar neus was versmald en haar wenkbrauwen waren omhooggetrokken. Hij had haar zelfs een beter figuur gegeven.
Ten slotte had de dokter haar gezegd dat ze het restant van haar financiële meevaller aan nieuwe kleren moest besteden. Hij stuurde haar met een winkelbegeleidster naar de ontwerpers op Seventh Avenue. Onder haar supervisie schafte ze zich voor het eerst van haar leven een elegante garderobe aan.
Dokter Smith had haar aangeraden naar New York te verhuizen. Hij had gezegd waar ze woonruimte moest gaan zoeken en was zelfs zover gegaan dat hij het appartement dat ze had gevonden zelf had geïnspecteerd. Bovendien had hij erop gestaan dat ze eens in de drie maanden voor controle zou komen.
Het was een veelbewogen jaar geweest sinds ze naar Manhattan was verhuisd en voor Price en Vellone was gaan werken. Veelbewogen, maar heel opwindend. Barbara genoot nu van haar leven.
Toen ze echter het laatste stukje naar haar appartement liep, wierp ze een nerveuze blik over haar schouder. Ze had gisteravond met een paar cliënten in het Mark Hotel gedineerd. Bij het weggaan had ze dokter Smith aan een tafeltje achteraf zien zitten.
Vorige week had ze een glimp van hem opgevangen in de Oak Room van het Plaza.
Ze had er verder geen aandacht aan geschonken, maar toen ze vorige maand op een avond met cliënten in het Four Seasons was gaan eten, had ze het gevoel gehad dat iemand haar, toen ze een taxi aanriep, vanuit een auto aan de overkant van de straat zat te bespieden. Barbara voelde een golf van opluchting toen de portier haar begroette en de deur voor haar openhield. Ze keek nog eens achterom. Voor het gebouw stond een zwarte Mercedes stil in het

verkeer. Er bestond geen twijfel over de identiteit van de bestuurder, ook al had hij zijn gezicht gedeeltelijk van haar afgewend, alsof hij naar de overkant keek.
Dokter Smith.
'Is er iets, juffrouw Tompkins?' vroeg de portier. 'U ziet eruit of u zich niet lekker voelt.'
'Nee hoor, ik mankeer niets.' Barbara liep vlug de hal in. Toen ze op de lift stond te wachten, dacht ze: hij volgt me wel degelijk. Maar wat kan ik eraan doen?

50

Hoewel Kerry een van hun lievelingsmaaltijden voor Robin had klaargemaakt – gebakken kipfilet, gepofte aardappelen, sperziebonen, sla en broodjes – zaten ze zo goed als zwijgend te eten.
Vanaf het moment dat Kerry was thuisgekomen en Alison, de middelbare scholiere die Robin gezelschap hield, had gefluisterd: 'Ik geloof dat Robin ergens over inzit', had Kerry afgewacht.
Terwijl ze het eten klaarmaakte, zat Robin aan de eetbar huiswerk te maken. Kerry had gewacht tot ze klaar was zodat ze erover konden praten, maar Robin scheen bijzonder veel te doen te hebben. Kerry had zelfs, voordat ze het eten op tafel zette, voor alle zekerheid gevraagd: 'Weet je zeker dat je alles af hebt, Rob?'
Toen ze begon te eten, werd Robin wat minder gespannen. 'Heb je je lunch vandaag opgegeten?' vroeg Kerry zo achteloos mogelijk om de stilte te breken. 'Het lijkt wel of je honger hebt.'
'Ja hoor, mam. Het meeste wel.'
'Mooi zo.'
Kerry dacht eraan dat Robin het net zomin als zij wilde laten merken als ze zich gekwetst voelde. Ze was zo in zichzelf gekeerd.
Toen zei Robin: 'Ik mag Geoff graag. Het is een aardige man.'
Geoff. Kerry sloeg haar ogen neer en concentreerde zich op het snijden van haar kip. Ze wilde niet meer denken aan die minachtende, afwijzende manier waarop hij die avond afscheid van haar had genomen: goedenavond, edelachtbare.

'Uh-huh,' antwoordde ze, in de hoop duidelijk te maken dat hij in hun leven geen rol speelde.
'Wanneer komt hij weer?' vroeg Robin.
Nu was Kerry aan de beurt voor een uitvlucht. 'O, dat weet ik niet. Hij kwam alleen maar langs vanwege een zaak waarmee hij bezig is.'
Robin keek bezorgd. 'Ik geloof dat ik dat niet tegen papa had moeten zeggen.'
'Wat bedoel je daarmee?'
'Nou ja, hij zei dat je, als je eenmaal rechter bent, waarschijnlijk een heleboel andere rechters zult tegenkomen en uiteindelijk wel met een van hen zult trouwen. Ik was niet van plan het met hem over jou te hebben, maar ik heb gezegd dat er een paar dagen geleden een advocaat die ik aardig vond bij ons langs was geweest voor je werk. Toen vroeg papa wie dat was geweest.'
'En toen heb jij gezegd dat hij Geoff Dorso heette. Dat is helemaal niet erg.'
'Dat weet ik nog zo net niet. Het leek wel of papa daar boos om werd. We hadden het heel gezellig, maar toen moest ik opeens mijn mond houden en mijn garnalen opeten omdat we naar huis moesten.'
'Rob, het kan papa niets schelen met wie ik uitga en Geoff Dorso heeft absoluut niets met hem of met een van zijn cliënten te maken. Papa is op het ogenblik met een heel moeilijke zaak bezig. Misschien heb je hem een poosje kunnen afleiden, maar begon hij er aan het eind van jullie etentje weer aan te denken.'
'Geloof je dat echt?' vroeg Robin hoopvol, terwijl haar ogen weer begonnen te stralen.
'Dat geloof ik echt,' zei Kerry vastbesloten. 'Je hebt vaak genoeg gezien hoe afwezig ik ben als ik met een zaak bezig ben.'
Robin begon te lachen. 'Nou en of.'

Kerry ging om negen uur bij Robin kijken, die in bed zat te lezen.
'Licht uit,' zei ze beslist, toen ze naar haar toe liep om haar in te stoppen.
'Oké,' zei Robin met tegenzin. Terwijl ze onder de dekens kroop,

zei ze: 'Mam, ik heb iets bedacht. Ik weet wel dat Geoff voor je werk bij ons langskwam, maar we kunnen hem toch wel een keer terugvragen? Ik weet zeker dat hij je aardig vindt.'
'O Rob, hij is gewoon iemand die vriendelijk van aard is. Hij is absoluut niet speciaal in mij geïnteresseerd.'
'Toen hij me kwam afhalen, hebben Cassie en Courtney hem ook gezien. Ze vinden hem een leuke man.'
Dat vind ik ook, dacht Kerry, toen ze het licht uitdeed.
Ze ging naar beneden met het plan haar geldzaken bij te werken. Maar toen ze bij haar bureau stond, staarde ze een hele tijd naar de map documenten over de zaak-Reardon, die Joe Palumbo haar gisteren had gegeven. Toen schudde ze haar hoofd. Vergeet het nou maar, zei ze tegen zichzelf. Bemoei je er niet mee.
Maar het kon geen kwaad er even doorheen te bladeren, vond ze. Ze pakte hem op, liep ermee naar haar lievelingsstoel, legde hem op het voetenbankje, sloeg hem open en nam er een stapeltje papieren uit.
Er stond in dat het telefoontje 's nachts om twaalf uur twintig was binnengekomen. Skip Reardon had het alarmnummer gebeld en geschreeuwd dat hij met het politiebureau van Alpine wilde spreken. 'Mijn vrouw is dood, mijn vrouw is dood,' had hij steeds weer herhaald. De agenten hadden gerapporteerd dat ze hem huilend op zijn knieën naast haar hadden aangetroffen. Hij had gezegd dat hij zodra hij het huis binnenkwam had geweten dat ze dood was en dat hij haar niet had aangeraakt. De vaas met babyrozen was omgevallen. De rozen lagen verspreid over het lichaam.
De volgende morgen had Skip Reardon in het bijzijn van zijn moeder beweerd dat er een diamanten broche was verdwenen. Hij had gezegd dat hij zich die broche zo goed kon herinneren omdat het een van de sieraden was die hij haar niet had gegeven. Hij wist zeker dat ze hem van een andere man had gekregen. Hij had ook nadrukkelijk verklaard dat een miniatuurlijstje met een foto van Suzanne erin was verdwenen en dat het die morgen nog in de slaapkamer had gestaan.
Om elf uur was Kerry aan de verklaring van Dolly Bowles toe. Die kwam zo ongeveer neer op hetzelfde verhaal dat Kerry van haar had gehoord.

Kerry's ogen vernauwden zich toen ze las dat tijdens het onderzoek een Jason Arnott was ondervraagd. Skip Reardon had zijn naam genoemd. Arnott beschreef zichzelf als een antiekexpert, die tegen provisie vrouwen vergezelde naar veilinghuizen als Sotheby's en Christie's om hen bij het bieden te adviseren als ze iets wilden kopen.

Hij had gezegd dat hij graag mensen thuis ontving en dat Suzanne vaak op zijn feestjes en dinertjes was geweest, soms in gezelschap van Skip maar gewoonlijk alleen.

De rechercheur had er als aantekening bij gezet dat hij het aan gemeenschappelijke vrienden van Suzanne en Arnott had gevraagd, maar dat ze absoluut niet op een romantische manier in elkaar waren geïnteresseerd. Een van hun vrienden had in feite opgemerkt dat Suzanne van nature een flirt was en Arnott voor de grap 'Jason de eunuch' noemde.

Niets nieuws te ontdekken, besloot Kerry toen ze halverwege de map was gekomen. Het was een grondig onderzoek geweest. Een meteropnemer had door een open raam Skip tijdens het ontbijt tegen Suzanne horen schreeuwen. 'Man, wat was die vent kwaad,' had hij gezegd.

Sorry, Geoff, dacht Kerry toen ze de map oppakte om dicht te klappen. Haar ogen prikten. Ze zou morgen de rest doorbladeren en hem dan teruggeven. Toen viel haar blik op het volgende rapport. Het was het vraaggesprek met de caddie van de Palisades Country Club, waarvan Suzanne en Skip lid waren. Er sprong een naam uit en ze pakte het volgende stapeltje papieren op. Ze had plotseling geen slaap meer.

De caddie heette Michael Vitti. Hij was een bron van informatie over Suzanne Reardon. 'Iedereen wilde dolgraag haar caddie zijn. Ze was erg aardig. Ze maakte grapjes met de caddies en gaf grote fooien. Ze speelde vaak met mannen. Ze was goed, echt goed. Een heleboel vrouwen mochten haar niet omdat de mannen haar zo geweldig vonden.'

Er was aan Vitti gevraagd of Suzanne volgens hem wel eens een verhouding met een van de mannen had. 'O, dat weet ik eigenlijk niet,' had hij gezegd. 'Ik heb haar nog nooit alleen met iemand ge-

zien. Als ze met z'n vieren speelden, gingen ze na afloop altijd samen naar het restaurant, als u begrijpt wat ik bedoel.'
Maar toen de rechercheur had aangedrongen, had hij gezegd dat Suzanne misschien toch wel iets had met Jimmy Weeks.
Dat was de naam die Kerry was opgevallen. Volgens de aantekeningen van de rechercheur was Vitti's opmerking niet serieus genomen. Weeks stond weliswaar bekend als een charmeur maar toen hij over Suzanne aan de tand werd gevoeld, had hij pertinent ontkend dat hij haar ooit buiten de club had ontmoet. Hij had gezegd dat hij in die tijd een serieuze verhouding met een andere vrouw had. Bovendien had hij een onwrikbaar alibi voor de hele avond van de moord.
Kerry las de rest van het vraaggesprek met de caddie. Hij had toegegeven dat meneer Weeks alle vrouwen ongeveer hetzelfde behandelde en dat hij de meeste van hen kindje, schatje of liefje noemde. De caddie was gevraagd of Weeks een speciale naam voor Suzanne had gehad.
Hij had geantwoord: 'Nou ja, ik heb hem haar ook wel eens lieveling horen noemen.'
Kerry liet de documenten in haar schoot zakken. Jimmy Weeks. De cliënt van Bob. Was hij daarom als een blad aan een boom omgeslagen toen Robin hem had verteld dat Geoff Dorso voor zijn werk bij haar langs was geweest?
Het was vrij algemeen bekend dat Geoff Dorso Skip Reardon vertegenwoordigde en dat hij al tien jaar lang stug maar zonder succes bezig was te trachten zijn vonnis veranderd te krijgen.
Was Bob als de raadsman van Jimmy Weeks bang dat een nieuw proces een gevaar voor zijn cliënt zou betekenen?
Ik heb hem haar ook wel eens lieveling horen noemen. Die woorden lieten Kerry niet los.
Bezorgd sloot ze de map en ging naar bed. De caddie was tijdens het proces niet als getuige opgeroepen. Jimmy Weeks ook niet. Had de verdediging die caddie ooit ondervraagd? Zo niet, dan had dat wel moeten gebeuren, dacht ze. Hadden ze Jason Arnott gevraagd of Suzanne op zijn feestjes ooit belangstelling voor een andere man had gehad?

Ik wacht tot die foto's van Suzannes stiefvader komen, zei Kerry tegen zichzelf. Hoewel we daar waarschijnlijk toch geen cent wijzer van worden, niet wijzer dan we nu al zijn. Misschien was Suzanne in New York meteen naar een goede schoonheidssalon gegaan. Ze had immers het geld van haar moeders verzekeringspolis gekregen. Bovendien had dokter Smith ontkend dat hij ooit ook maar iets aan Suzanne had gedaan.
Wacht nou maar af, vermaande ze zichzelf. Goede raad, want dat was het enige dat er op dit moment op zat.

Donderdag, 2 november

51

Donderdagmorgen kwam Kate Carpenter om kwart voor negen op kantoor. Er stonden geen operaties op het programma en de eerste patiënt was pas geboekt voor tien uur, dus dokter Smith was er nog niet. De receptioniste zat met een bezorgd gezicht aan haar bureau. 'Kate, Barbara Tompkins heeft gevraagd of je haar wilt bellen. Ze wil absoluut niet dat dokter Smith weet dat ze heeft gebeld. Ze zegt dat het heel belangrijk is.'

'Ze heeft toch geen problemen vanwege die operaties?' vroeg Kate bezorgd. 'Die zijn al ruim een jaar geleden uitgevoerd.'

'Daar heeft ze het niet over gehad. Ik heb gezegd dat je er zo aan zou komen. Ze zit thuis op je telefoontje te wachten.'

Zonder eerst haar jas uit te trekken liep Kate het kleine kantoortje binnen dat door de accountant werd gebruikt, deed de deur dicht en draaide Barbara's nummer.

Met toenemende ongerustheid luisterde ze toe terwijl Barbara haar vertelde dat ze er van overtuigd was dat dokter Smith haar voortdurend volgde.

'Ik weet niet wat ik eraan moet doen,' zei ze. 'Ik ben hem ontzettend dankbaar, dat weet u best, mevrouw Carpenter. Maar ik word er bang van.'

'Hij heeft je nooit aangesproken?'

'Nee.'

'Laat me er dan eens over nadenken en met een paar mensen over praten. Zeg het alsjeblieft tegen niemand anders. Dokter Smith heeft een heel goede reputatie. Het zou vreselijk jammer zijn als die werd aangetast.'

'Ik zal dokter Smith nooit genoeg kunnen bedanken voor wat hij voor me heeft gedaan,' zei Barbara Tompkins zacht. 'Maar belt u me alstublieft gauw terug.'

52

Om elf uur belde Grace Hoover Kerry op en nodigde haar en Robin uit om zondag te komen eten. 'We zien jullie de laatste tijd bijna nooit meer,' zei Grace. 'Ik hoop dat jullie kunnen komen. Celia zal jullie iets heerlijks voorzetten, dat beloof ik je.'
Celia was de weekendhuishoudster en een betere kokkin dan de vrouw die doordeweeks bij hen inwoonde. Als Celia wist dat Robin kwam, bakte ze brownies en chocoladekoekjes om mee naar huis te nemen.
'Natuurlijk komen we,' zei Kerry hartelijk. Zondag is zo'n typische familiedag, dacht ze, toen ze de hoorn neerlegde. De meeste zondagmiddagen probeerde ze iets bijzonders met Robin te doen, zoals een museum bezoeken, naar een film of af en toe naar een show op Broadway.
Wat zou het fijn zijn als papa nog leefde, dacht ze. Dan zouden hij en moeder in ieder geval een deel van de tijd vlakbij wonen. En was Bob Kinellen maar de man geweest die ik dacht dat hij was.
Ze rilde alsof ze die gedachten van zich af wilde schudden. Robin en ik boffen ontzettend dat we Jonathan en Grace hebben, hield ze zichzelf voor. Zij staan altijd voor ons klaar.
Janet, haar secretaresse, kwam binnen en deed de deur dicht. 'Kerry, heb jij een afspraak met een mevrouw Deirdre Reardon gemaakt waarvan je me niets hebt verteld?'
'Deirdre Reardon? Nee, beslist niet.'
'Ze zit in de wachtkamer en ze zegt dat ze daar blijft zitten tot je haar wilt ontvangen. Zal ik de veiligheidsdienst bellen?'
Mijn god, dacht Kerry. De moeder van Skip Reardon! Wat doet die in vredesnaam hier? 'Nee. Laat haar maar binnen, Janet.'
Deirdre Reardon viel met de deur in huis. 'Het is niet mijn gewoonte om iemands kantoor binnen te dringen, mevrouw McGrath. Maar het is heel belangrijk. U bent naar de gevangenis geweest om mijn zoon te bezoeken. Daar moet u een reden voor hebben gehad. U moet zich op de een of andere manier hebben afgevraagd of er sprake is geweest van een rechterlijke dwaling. Dat weet ik wel zeker. Ik ken mijn zoon en ik weet dat hij onschuldig is. Maar waarom

wilt u Skip na uw gesprek met hem niet helpen? Vooral na wat u te weten bent gekomen over dokter Smith?'

'Het gaat er niet om dat ik hem niet wíl helpen, mevrouw Reardon. Het gaat erom dat ik hem niet kán helpen. Er is geen nieuw bewijsmateriaal. Het is inderdaad heel vreemd dat dokter Smith andere vrouwen het gezicht van zijn dochter heeft gegeven, maar dat is niet tegen de wet. Misschien is het gewoon zijn manier om zijn verdriet te vergeten.'

Deirdre Reardons gezichtsuitdrukking veranderde van bezorgdheid in woede. 'Mevrouw McGrath, dokter Smith heeft geen flauw benul wat verdriet betekent. In die vier jaar dat Suzanne en Skip getrouwd waren, heb ik hem niet vaak ontmoet. Daar had ik ook geen behoefte aan. Zijn houding ten opzichte van Suzanne had iets heel ongezonds. Ik herinner me bijvoorbeeld een dag dat ze een veeg op haar wang had. Dokter Smith liep naar haar toe en veegde hem af. Het leek wel of hij een beeld afstofte, zoals hij haar gezicht bekeek om te zien of het er weer smetteloos uitzag. Hij was trots op haar, dat geef ik toe. Maar genegenheid? Nee.'

Geoff had ook gezegd hoe onemotioneel Smith zich in de getuigenbank had gedragen, dacht Kerry. Maar dat bewees helemaal niets.

'Mevrouw Reardon, ik begrijp heus wel hoe u zich voelt,' begon ze.

'Nee, het spijt me, maar dat begrijpt u helemaal niet,' onderbrak Deirdre Reardon haar. 'Mijn zoon is niet tot geweld in staat. Hij heeft net zomin zorgvuldig dat koord van Suzannes taille afgehaald en haar daarmee gewurgd als u en ik dat hadden kunnen doen. Denk eens aan de soort mens die zoiets doet. Dat moet wel een monster zijn. En zo'n monster dat opeen dergelijke gewelddadige manier een ander van het leven berooft, was op die avond in Skips huis. En denk nu eens aan Skip.'

De tranen sprongen in Deirdre Reardons ogen toen ze uitbarstte: 'Hebt u dan niets van zijn wezenlijke persoonlijkheid en zijn goedheid aangevoeld? Bent u dan blind en doof, mevrouw McGrath? Vindt u dat mijn zoon eruitziet of klinkt als een moordenaar?'

'Mevrouw Reardon, ik heb me alleen maar in deze zaak verdiept omdat ik me afvroeg waarom dokter Smith zo geobsedeerd is door het gezicht van zijn dochter. Niet omdat ik denk dat uw zoon onschuldig is. Dat moest de rechtbank beoordelen en dat is ook gebeurd. Hij is een paar keer in beroep gegaan. Ik kan werkelijk niets voor u doen.'

'Mevrouw McGrath, ik geloof dat u een dochter hebt, nietwaar?'

'Ja, dat is zo.'

'Probeert u zich dan eens voor te stellen dat zij al tien jaar opgesloten heeft gezeten en dat er nog twintig jaar bij komen voor een misdaad die ze niet heeft gepleegd. Gelooft u dat uw dochter op een dag in staat zal zijn iemand te vermoorden?'

'Nee, dat geloof ik niet.'

'Mijn zoon ook niet. Alstublieft, mevrouw McGrath. U bevindt zich in een positie om Skip te kunnen helpen. Laat hem niet in de steek. Ik weet niet waarom dokter Smith over Skip gelogen heeft, maar ik denk dat ik het inmiddels wel begrijp. Hij was jaloers op hem omdat Skip met Suzanne getrouwd was, in de volle betekenis van het woord. Denkt u daar maar eens over na.'

'Mevrouw Reardon, als moeder begrijp ik heel goed hoe diepbedroefd u bent,' zei Kerry vriendelijk, terwijl ze naar het afgeleefde, bezorgde gezicht keek.

Deirdre Reardon stond op. 'Ik zie wel dat mijn verhaal u absoluut niet interesseert, mevrouw McGrath. Geoff zei dat u rechter wordt. God sta de mensen bij die bij u komen om gerechtigheid.' Plotseling kreeg haar gezicht een vaalgrijze kleur.

'Mevrouw Reardon, wat is er aan de hand?' riep Kerry uit.

De vrouw opende met trillende handen haar tas, haalde er een flesje uit en schudde een tabletje in haar handpalm. Ze legde het onder haar tong, draaide zich om en liep zwijgend het kantoor uit.

Kerry bleef minutenlang naar de gesloten deur zitten staren. Toen pakte ze een vel papier. Ze schreef erop:

1. Heeft dokter Smith gelogen over een door hem uitgevoerde operatie bij Suzanne?
2. Heeft kleine Michael een zwarte vierdeurs Mercedes voor het huis van de Reardons gezien toen Dolly Bowles die avond op

hem paste? Hoe zit het met die letter en het cijfer van het nummerbord die Dolly zegt te hebben gezien?

3. Hadden Jimmy Weeks en Suzanne een verhouding en zo ja, is Bob daarvan op de hoogte en is hij bang dat dat bekend wordt?

Ze bestudeerde het lijstje terwijl Deirdre Reardons eerlijke, bezorgde gezicht haar beschuldigend voor ogen bleef zweven.

53

Geoff Dorso had gepleit in de rechtbank van Newark. Het was hem op het laatste moment gelukt zijn cliënt te laten bekennen in ruil voor strafvermindering. Het was een achttienjarige jongen, die met zijn vaders auto aan de haal was gegaan en op een open bestelwagentje was gebotst. De aangereden chauffeur had een gebroken arm en been opgelopen.
Er was echter geen sprake van alcoholmisbruik geweest. De jongen had een blanco strafregister en toonde oprecht berouw. Omdat hij schuld had bekend, was zijn rijbewijs hem voor twee jaar afgenomen en moest hij honderd uur vrijwilligerswerk doen. Geoff was daar heel blij mee. Het zou een grote vergissing zijn hem naar de gevangenis te sturen in plaats van de universiteit.
Dus had Geoff donderdag zomaar opeens de luxe van een vrije middag. Hij besloot een kijkje te gaan nemen bij het proces van Jimmy Weeks. Hij wilde graag de openingspleidooien horen. Bovendien moest hij toegeven dat hij Bob Kinellen wel eens in actie wilde zien.
Hij ging achter in de rechtszaal zitten. Het viel hem op dat er een groot aantal journalisten aanwezig waren. Het was Jimmy Weeks zo vaak gelukt een veroordeling te ontlopen dat ze hem tegenwoordig 'Teflon Jimmy' noemden, naar de maffiabaas die de bijnaam 'de Teflon don' had gekregen en die nu levenslang gekregen had. Kinellen was net aan zijn openingspleidooi begonnen. Een gladde jongen, dacht Geoff. Hij weet hoe hij de jury moet bespe-

len, wanneer hij verontwaardigd moet klinken en dan weer woedend, en wanneer hij de telastlegging belachelijk moet maken. Bovendien ziet hij eruit om door een ringetje te halen. Hij probeerde zich Kerry voor te stellen als de vrouw van deze man. Op de een of andere manier lukte hem dat niet. Of misschien wilde hij het niet zien, moest hij toegeven. In ieder geval stelde het hem gerust dat Kinellen haar nu volkomen koud leek te laten.

Maar wat deed het er eigenlijk toe, vroeg hij zich af toen de rechter de zitting verdaagde.

In de gang werd hij aangehouden door Nick Klein, een verslaggever van de *Star-Ledger*. Na de begroeting merkte Geoff op: 'Er hangen hier heel wat collega's van je rond, hè?'

'We verwachten vuurwerk,' zei Nick. 'Ik heb een bron in het kantoor van de officier van justitie. Barney Haskell probeert een deal te sluiten. Maar ze bieden hem niet genoeg. Nu zinspeelt hij erop dat hij Jimmy in verband kan brengen met een moord waarvoor iemand anders in de bak zit.'

'Ik wou dat ik zo'n getuige voor een van mijn cliënten had,' gaf Geoff als commentaar.

54

Om vier uur werd er bij Joe Palumbo per exprespost een pakje bezorgd met als afzender Wayne Stevens uit Oakland, Californië. Hij maakte het meteen open en haalde er haastig twee bundeltjes foto's met elastiekjes erom uit. Bij het ene zat een briefje:

> Beste meneer Palumbo,
> Het drong pas goed tot me door toen ik deze foto's voor u ging uitzoeken. Ik betreur het ten zeerste. Susie was geen gemakkelijk kind om op te voeden. Dat ziet u waarschijnlijk wel aan deze foto's. Mijn dochters zijn altijd leuke meisjes geweest om te zien. Dat was Susie niet. Toen de meisjes groter werden, leidde dat bij Susie tot grote afgunst.
> Susies moeder, mijn vrouw, had er zeer veel moeite mee dat haar

stiefdochters zo van hun tienerjaren genoten, terwijl haar eigen kind zo'n gebrek aan zelfvertrouwen had en nauwelijks vriendinnen. Ik moet toegeven dat die situatie bij ons thuis een heel gespannen sfeer veroorzaakte. Ik denk dat ik altijd gehoopt heb dat er op een goede dag een volwassen, tevreden Susie bij ons op de stoep zou staan en dat we dan allemaal in harmonie bij elkaar zouden zitten. Ze had vele gaven die ze niet naar waarde schatte.

Ik hoop dat deze foto' s u een eind op weg zullen helpen.

Hoogachtend,
Wayne Stevens

Twintig minuten later liep Joe naar Kerry's kantoor. Hij liet de foto's op haar bureau vallen. 'Voor het geval dat je denkt dat Susie, ik bedoel Suzanne, een schoonheid werd omdat ze naar de kapper was geweest,' merkte hij op.

Om vijf uur belde Kerry naar de praktijk van dokter Smith. Hij was al weg. Met die mogelijkheid had ze rekening gehouden, dus vroeg ze: 'Mag ik dan even met mevrouw Carpenter spreken?'
Toen ze Kate Carpenter aan de lijn had, zei Kerry: 'Mevrouw Carpenter, hoe lang werkt u al voor dokter Smith?'
'Vier jaar, mevrouw McGrath. Waarom wilt u dat weten?'
'U had me de indruk gegeven dat u al langer voor hem werkte.'
'Nee.'
'Ik wil graag weten of u erbij was toen dokter Smith zijn dochter Suzanne opereerde of dat hij dat door een collega liet doen. Ik zal haar beschrijven. Ik heb bij u in de wachtkamer twee patiënten gezien van wie ik de naam heb gevraagd. Barbara Tompkins en Pamela Worth lijken allebei sprekend op de dochter van dokter Smith. Tenminste, zoals ze eruitzag nadat ze uitgebreide plastische chirurgie had ondergaan, niet zoals ze werd geboren.'
Ze hoorde de adem van de vrouw stokken. 'Ik wist niet dat dokter Smith een dochter had,' zei mevrouw Carpenter.
'Ze is bijna elf jaar geleden gestorven. Een jury heeft beslist dat ze door haar man is vermoord. Hij zit nog steeds in de gevangenis en

houdt vol dat hij onschuldig is. Dokter Smith was de hoofdgetuige à charge.'
'Mevrouw McGrath,' zei mevrouw Carpenter. 'Ik voel me niet bepaald loyaal ten opzichte van de dokter maar ik denk dat het heel belangrijk is dat u onmiddellijk met Barbara Tompkins gaat praten. Ik zal u haar nummer geven.' Vervolgens vertelde de verpleegster haar over het telefoontje van de bange vrouw.
'Dus dokter Smith achtervolgt Barbara Tompkins?' zei Kerry. Het flitste door haar hoofd wat een dergelijk gedrag zou kunnen betekenen.
'Nou ja, hij is in ieder geval vaak bij haar in de buurt,' verdedigde mevrouw Carpenter hem. 'Ik heb allebei haar nummers, zowel van huis als kantoor.'
Kerry noteerde ze. 'Mevrouw Carpenter, ik moet beslist met dokter Smith praten, maar ik betwijfel of hij me wil ontvangen. Is hij morgen in de praktijk?'
'Ja, maar zijn agenda staat boordevol. Hij is pas na vieren klaar.'
'Dan zal ik er tegen die tijd zijn maar zeg alstublieft niet dat ik kom.' Toen schoot haar een vraag te binnen. 'Heeft dokter Smith een auto?'
'Jazeker. Hij woont in Washington Mews, in een verbouwde rijtuigstalling. Er is een garage bij, dus kan hij daar zijn auto kwijt.'
'Wat voor auto heeft hij dan?'
'Hij rijdt al jarenlang in een vierdeurs Mercedes.'
Kerry's hand klemde zich om de hoorn. 'Welke kleur?'
'Zwart.'
'U zegt jarenlang, bedoelt u dat hij altijd precies dezelfde auto uitkiest?'
'Ik bedoel dat hij al minstens twaalf jaar oud is. Dat weet ik omdat ik hem dat een keer tegen een van zijn patiënten heb horen zeggen, een hoge piet bij Mercedes.'
'Dank u wel, mevrouw Carpenter.' Toen Kerry de hoorn weer op het toestel legde, verscheen Joe Palumbo opnieuw. 'Hé Kerry, is Skip Reardons moeder bij je langs geweest?'
'Ja.'
'Onze leider heeft haar gezien en herkend toen hij naar buiten ren-

de voor een afspraak met de gouverneur. Hij wil weten wat ze hier verdomme te zoeken had.'

55

Toen Geoff Dorso donderdagavond thuiskwam, ging hij voor het raam van zijn appartement naar het silhouet van New York staan staren. De hele dag had de herinnering aan hoe hij Kerry sarcastisch 'edelachtbare' had genoemd door zijn hoofd gespookt, maar hij had zijn uiterste best gedaan er geen aandacht aan te besteden. Maar nu was hij alleen en klaar met zijn werk, en kon hij er niet langer omheen.

Ik ben behoorlijk mijn boekje te buiten gegaan, dacht hij. Kerry was zo goed mij te bellen om te vragen of ze het procesverslag mocht lezen. Ze was ook zo goed om zowel met dokter Smith als met Dolly Bowles te gaan praten. Ze is dat hele eind naar Trenton gereden om Skip te bezoeken. Waarom zou ze zich geen zorgen mogen maken over het verliezen van haar rechterschap, vooral als ze oprecht gelooft dat Skip schuldig is?

Ik had niet het recht zo'n toon tegen haar aan te slaan, dacht Geoff. Ik moet haar mijn verontschuldigingen aanbieden, hoewel ik het haar niet kwalijk zou kunnen nemen als ze de hoorn erop gooit. Geef het nou maar toe, zei hij tegen zichzelf. Je was ervan overtuigd dat ze, naarmate ze meer van de babyrozenmoord aan de weet kwam, wel zou gaan geloven dat Skip onschuldig was. Maar waarom was hij daar zo zeker van geweest? Het is haar goed recht om het met de jury en het hof van beroep eens te zijn. Het was heel goedkoop geweest te insinueren dat ze alleen aan haar carrière dacht.

Hij stak zijn handen in zijn zakken. Het was 2 november. Over drie weken was het Thanksgiving. Weer een Thanksgiving in de gevangenis voor Skip. Mevrouw Reardon zou intussen weer voor een nieuwe angioplastiek worden opgenomen. Tien jaar lang wachten op een wonder had heel wat van haar gevergd.

Desondanks was er toch iets goeds uit voortgekomen, hield hij zich

voor. Kerry mocht dan wel niet in Skips onschuld geloven, maar ze had wel twee nieuwe kanalen aangeboord die Geoff verder ging onderzoeken. Het eerste was het verhaal van Dolly Bowles over 'opa's auto', de zwarte vierdeurs Mercedes. Het tweede was de bizarre aandrang van dokter Smith om andere vrouwen hetzelfde gezicht te geven als dat van Suzanne. Het waren twee geheel nieuwe aspecten van het zo langzamerhand overbekende verhaal.
Het gerinkel van de telefoon onderbrak zijn gedachten. Hij kwam in de verleiding niet op te nemen maar omdat hij jarenlang zijn moeders: 'Hoe kun je nu niet opnemen, Geoff? Misschien heb je wel een hoofdprijs gewonnen' had moeten aanhoren, stak hij toch zijn hand naar de hoorn uit.
Het was Deirdre Reardon. Ze vertelde hem over haar bezoeken aan Skip en Kerry McGrath.
'Deirdre, dat heb je toch niet echt allemaal tegen Kerry gezegd?' vroeg Geoff. Hij liet er geen twijfel over bestaan dat hij daar behoorlijk ontstemd over was.
'Jazeker, en het spijt me helemaal niet,' zei mevrouw Reardon. 'Geoff, het enige dat Skip overeind houdt is hoop. Dat mens heeft die hoop in één klap vernietigd.'
'Deirdre, dank zij Kerry zijn er een paar nieuwe aspecten aan het licht gekomen, die ik ga onderzoeken. Ze zouden wel eens heel belangrijk kunnen zijn.'
'Ze is mijn zoon gaan bezoeken, heeft hem aangekeken en een paar vragen gesteld en heeft toen besloten dat hij een moordenaar is,' zei mevrouw Reardon. 'Het spijt me, Geoff. Ik denk dat ik oud, moe en verbitterd ben geworden. Ik neem geen woord terug van wat ik tegen Kerry McGrath heb gezegd.' Ze hing op zonder een woord van afscheid.
Geoff haalde diep adem en toetste Kerry' s nummer in.
Toen Kerry thuiskwam en de oppas was vertrokken, keek Robin haar kritisch aan. 'Je ziet er afgepeigerd uit, mam.'
'Ik bèn afgepeigerd, meid.'
'Zware dag?'
'Zo zou je het wel kunnen noemen.'
'Maakt meneer Green het je lastig?'

'Binnenkort wel. Maar laten we het daar niet over hebben, ik wil er even niet meer aan denken. Hoe was jouw dag?'
'Prima. Ik denk dat Andrew me wel aardig vindt.'
'O ja?' Kerry wist dat Andrew als de bink van de vijfde werd beschouwd. 'Hoe weet je dat?'
'Hij heeft tegen Tommy gezegd dat ik er zelfs met mijn beschadigde gezicht een stuk leuker uitzie dan de rest van de trutten in mijn klas.'
Kerry grinnikte. 'Dat noem ik nou echt een compliment.'
'Dat vind ik ook. Wat eten we?'
'Ik ben langs de supermarkt gegaan. Wat vind je van een cheeseburger?'
'Perfect.'
'Eigenlijk niet, maar ik doe mijn best. Nou ja, ik denk niet dat je ooit reden zult hebben om over je moeders kookkunst op te scheppen, Rob.'
De telefoon rinkelde en Robin nam op. Het was voor haar. Ze gooide de hoorn naar Kerry. 'Zo meteen ophangen, hoor. Ik neem hem boven op, het is Cassie.'
Toen ze Robins enthousiaste 'ik heb 'M' hoorde, legde Kerry de hoorn weer neer. Ze nam de post mee naar de keuken, legde alles op het aanrecht en begon hem te sorteren. Haar oog viel op een eenvoudige, witte envelop waarop in blokletters het adres geschreven was. Ze sneed hem open, trok er een fotootje uit, bekeek het goed en begon te rillen.
Het was een polaroidkleurenfoto van Robin, die de oprit van hun huis kwam aflopen. Ze had een stapel boeken onder haar arm. Ze had de donkerblauwe broek aan die ze dinsdag had gedragen, de dag dat ze was geschrokken van de auto die haar bijna had aangereden.
Kerry's lippen voelden als verdoofd. Ze boog zich een beetje voorover, alsof ze een stomp in haar maag had gekregen. Ze snakte naar adem. Wie had dit gedaan? Wie had die foto van Robin genomen, was toen in een auto recht op haar af gereden en had haar die foto gestuurd, vroeg ze zich geschokt en verward af.
Ze hoorde Robin de trap afkomen. Vlug stak ze de foto in haar zak.

'Mam, Cassie heeft me eraan herinnerd dat ik nu naar een programma op Discovery moet kijken. Het gaat over iets waar we het met natuurkunde over hebben. Dat telt toch niet als ontspanning, hè?'
'Nee, natuurlijk niet. Ga maar gauw kijken.'
De telefoon rinkelde opnieuw toen Kerry zich net in een stoel wilde laten zakken. Het was Geoff Dorso. Ze onderbrak zijn verontschuldiging. 'Geoff, ik heb net de post geopend.' Ze vertelde hem van de foto. 'Dan had Robin toch gelijk,' fluisterde ze. 'Er zat toch iemand in die auto op haar te wachten. Mijn god, hij had haar wel naar binnen kunnen trekken. Dan was ze verdwenen, net als die kinderen in de staat New York een paar jaar geleden. O mijn god.'
Geoff hoorde de angst en de wanhoop in haar stem. 'Kerry, zeg maar niets meer. Laat die foto niet aan Robin zien en laat haar niet merken dat je van streek bent. Ik kom eraan. Ik ben over een halfuur bij je.'

56

Dokter Smith voelde de hele dag aan dat Kate Carpenter zich anders tegenover hem gedroeg. Het viel hem op dat ze hem af en toe onderzoekend aankeek. Waarom, vroeg hij zich af.
Toen hij zoals gewoonlijk 's avonds in zijn vaste stoel in de studeerkamer zijn cocktail zat te drinken, piekerde hij over de mogelijke oorzaken van haar vreemde gedrag. Hij wist zeker dat Carpenter de lichte trilling van zijn hand had gezien toen hij onlangs die neusoperatie uitvoerde, maar dat kon de reden niet zijn. Hij was ervan overtuigd dat haar iets heel anders bezighield.
Het was een grote vergissing geweest om Barbara Tompkins gisteravond te volgen. Toen zijn auto vlak voor haar flatgebouw in het verkeer vast was komen te zitten, had hij zijn gezicht zo veel mogelijk afgewend. Maar ze had hem waarschijnlijk toch gezien. Aan de andere kant was het centrum van Manhattan natuurlijk wel een plek waar mensen vrij geregeld een glimp van een bekende op

vingen. Dus was zijn aanwezigheid daar niet echt ongewoon geweest.
Die ene, snelle blik op Barbara had hem echter geen voldoening gegeven. Hij wilde haar goed kunnen bekijken. Met haar praten. Ze had pas over twee maanden weer een afspraak. Voor die tijd moest hij haar weer zien. Zo lang kon hij niet wachten om haar ogen, nu zo stralend zonder die zware oogleden die hun schoonheid hadden verborgen, weer aan de andere kant van de tafel naar hem te zien glimlachen.
Ze was Suzanne niet. Dat kon ook niet. Maar net als bij Suzanne maakte haar persoonlijkheid haar schoonheid indrukwekkender naarmate ze eraan gewend raakte. Hij dacht terug aan het norse, onopvallende schepsel dat voor het eerst in zijn spreekkamer had gezeten. Binnen een jaar na haar operatie had Suzanne haar transformatie met een totale ommekeer van haar persoonlijkheid voltooid.
Smith glimlachte zwak. Hij dacht aan Suzannes uitdagende lichaamstaal en de subtiele bewegingen die ervoor zorgden dat iedere man naar haar keek. Iets later was ze begonnen haar hoofd een beetje scheef te houden, zodat degene met wie ze praatte het gevoel kreeg dat hij voor haar de belangrijkste mens ter wereld was. Ze had zelfs haar stem verlaagd tot een hese, intieme klank. Ze streek soms plagend met een vingertop over de hand van een man altijd die van een man – met wie ze in gesprek was.
Toen hij eens een opmerking had gemaakt over de transformatie van haar persoonlijkheid had ze gezegd: ‘Ik heb twee goede voorbeelden gehad: mijn stiefzusjes. Het sprookje was bij ons andersom. Zij waren de schoonheden en ik was de lelijke Assepoester. Maar in plaats van een toverfee kwam jij in mijn leven.’
Tegen het einde begon zijn Pygmalion-sprookje echter een nachtmerrie te worden. Het respect en de genegenheid die ze aanvankelijk voor hem leek te voelen, werden steeds minder. Ze wilde niet meer naar zijn raad luisteren. Op het laatst ging ze veel verder dan een simpele flirt. Hoe vaak had hij haar niet gewaarschuwd dat ze met vuur speelde, dat Skip Reardon tot moord in staat zou zijn als hij erachter kwam wat ze allemaal uitvoerde?

Iedere man van zo'n begerenswaardige vrouw zou tot moord in staat zijn, dacht dokter Smith.
Met een schok keek hij kwaad in zijn lege glas. Hij zou nooit meer de kans krijgen zo'n perfectie te bereiken als bij Suzanne. Hij moest ophouden met opereren voordat er een ramp gebeurde. Het was te laat. Hij wist dat hij in het eerste stadium van parkinson was.
Hoewel Barbara Suzanne niet was, was ze van al zijn patiënten wel het grootste bewijs van zijn genialiteit. Hij stak zijn hand uit naar de telefoon.
Ze klonk toch niet gespannen, dacht hij toen ze opnam en hallo zei. 'Mijn beste Barbara, is er iets aan de hand? Je spreekt met dokter Smith.'
Hij hoorde haar diep ademhalen, maar ze antwoordde snel: 'O nee, natuurlijk niet. Hoe gaat het met u, dokter?'
'Goed. Misschien wil je iets voor me doen. Ik ga even langs een doodzieke vriend van me in het Lenox Hill-ziekenhuis en ik weet dat ik me daarna een beetje somber zal voelen. Zou je medelijden met me willen hebben en met me gaan eten? Ik kan je om een uur of halfacht komen afhalen.'
'Ik eh... ik weet niet...'
'Alsjeblieft, Barbara.'Hij deed zijn best een grappige toon aan te slaan. 'Je hebt zelf gezegd dat je je nieuwe leven aan mij te danken hebt. Kun je daarvan dan geen twee uur voor me missen?'
'Natuurlijk wel.'
'Fantastisch. Halfacht dan.'
Toen Smith neerlegde, trok hij zijn wenkbrauwen op. Had hij een terughoudende klank in Barbara's stem gehoord? Ze had bijna geklonken alsof hij haar had gedwongen met hem uit te gaan.
Als dat waar was, ging ze inderdaad steeds meer op Suzanne lijken.

57

Jason Arnott kon het gevoel niet van zich afzetten dat er iets mis was. Hij had de hele dag in New York achter Vera Shelby Todd aan gelopen op haar eindeloze jacht naar Perzische tapijten.

Vera had hem 's morgens gebeld en gevraagd of hij die dag beschikbaar was. Ze was een Shelby van Rhode Island en woonde in een van die mooie landhuizen in Tuxedo Park. Ze was eraan gewend om haar zin te krijgen. Na de dood van haar eerste man was ze met Stuart Todd getrouwd, maar ze had besloten het huis in Tuxedo Park aan te houden. Met behulp van Todds blijkbaar onuitputtelijke bankrekening maakte Vera vaak gebruik van Jasons onfeilbare oog voor zeldzame vondsten en koopjes.

De eerste keer dat Jason Vera ontmoet had, was niet in New Jersey geweest maar op een galafeest van de Shelby's in Newport. Ze waren aan elkaar voorgesteld door een nicht van haar. Toen Vera erachter kwam dat hij vrij dicht bij haar huis in Tuxedo Park woonde, begon ze hem uit te nodigen voor haar feestjes. Ze nam ook graag uitnodigingen voor zijn avondjes aan.

Jason had er nog steeds plezier in dat Vera hem elk detail verteld had van het politieonderzoek naar de inbraak in Newport, die hij jaren geleden had gepleegd.

'Mijn nichtje Judith is vreselijk van streek,' had ze hem toevertrouwd. 'Ze begrijpt maar niet waarom iemand de Picasso en de Gainsborough wel heeft meegenomen, maar de Van Eyck heeft laten hangen. Ze heeft er een kunstkenner bij gehaald en die zei dat het een misdadiger met een goed oog moet zijn geweest omdat de Van Eyck een vervalsing is. Judith is woedend maar de rest van de familie, die altijd heeft moeten aanhoren hoeveel ze van de grote meesters af weet, vindt het een kostelijke grap.'

Ze hadden de hele dag eindeloze stapels belachelijk dure kleden bekeken, van Turkomans tot Safavids, maar er was er niet één bij die precies was waar Vera naar zocht. Jason had op het laatst niets liever gewild dan aan Vera ontsnappen en naar huis gaan.

Maar Vera had erop aangedrongen om eerst nog een late lunch in het Four Seasons te gaan gebruiken. Die gezellige adempauze had

Jason opmerkelijk goed gedaan. Tot aan de espresso tenminste, want toen had Vera gezegd: 'O, heb ik je dat al verteld? Weet je nog dat er vijf jaar geleden is ingebroken in het huis van mijn nichtje Judith op Rhode Island?'
Jason had zijn lippen getuit. 'Ja natuurlijk. Dat was vreselijk.'
Vera knikte. 'Dat was het ook. Maar gisteren ontving Judith een foto van de FBI. Er is onlangs ingebroken in Chevy Chase en een verborgen camera heeft de dief opgenomen. De FBI denkt dat het misschien dezelfde inbreker is als die van Judith en nog een heleboel anderen.'
Jason had iedere zenuw in zijn lichaam voelen tintelen. Hij had Judith Shelby maar een paar keer ontmoet en de laatste keer was alweer bijna vijf jaar geleden. Ze had hem blijkbaar niet herkend, nog niet.
'Was het een duidelijke foto?' vroeg hij achteloos.
Vera lachte. 'Nee, helemaal niet. Judith zegt dat hij en profil genomen is en bovendien slecht belicht. Die vent had een kous over zijn hoofd die tot op zijn voorhoofd omhooggeduwd was, maar die zijn haar nog steeds bedekte. Ze zei dat ze alleen maar vaag een neus en een mond kon onderscheiden. Ze heeft hem weggegooid.'
Jason onderdrukte zijn zucht van verlichting nog net, hoewel hij wist dat het nog te vroeg was om te juichen. Als de Shelby's die foto hadden gekregen, gold dat waarschijnlijk ook voor een groot aantal anderen in wiens huis hij had ingebroken.
'Ik geloof wel dat Judith over haar Van Eyck-teleurstelling heen is,' vervolgde Vera. 'Volgens de informatie die bij de foto was, wordt de man als gevaarlijk beschouwd. Hij wordt gezocht om te worden verhoord in verband met de moord op de moeder van congreslid Peale. Ze is hem blijkbaar tijdens een inbraak bij haar thuis tegen het lijf gelopen. Judith was op de avond van haar inbraak ook bijna vroeg naar huis gegaan. Je moet er niet aan denken wat er gebeurd zou kunnen zijn als zij hem daar had aangetroffen.'
Jason tuitte nerveus zijn lippen. Ze legden verband tussen hem en de Peale-moord!

Toen ze uit het Four Seasons kwamen, namen ze samen een taxi naar de parkeergarage in West 57th Street, waar ze allebei hun auto hadden achtergelaten. Ze namen uitbundig afscheid en Vera beloofde nadrukkelijk: 'We blijven zoeken. Ik weet zeker dat er ergens een perfect kleed op me ligt te wachten.' Toen kon Jason eindelijk op weg gaan naar zijn huis in Alpine.

Hoe onduidelijk was die foto die die verborgen camera van hem had genomen, vroeg hij zich af toen hij in het drukke middagverkeer in noordelijke richting over de Henry Hudson Parkway reed. Zou het bij iemand die hem bekeek kunnen opkomen dat hij hem aan Jason Arnott deed denken?

Moest hij ervandoor gaan? Hij reed over de George Washingtonbrug en draaide de Palisades Parkway op. Niemand wist van het huis in de Catskills af. Hij had het onder een valse naam gekocht. Onder andere namen bezat hij meer dan genoeg geld in effecten en aandelen. Hij had zelfs een vals paspoort. Misschien moest hij onmiddellijk het land uit.

Aan de andere kant zouden de mensen wanneer ze toch een gelijkenis met hem zagen – hoewel het volgens Judith Shelby een zeer onduidelijke foto was – het een belachelijk idee vinden dat hij iets met diefstal te maken zou hebben.

Toen Jason de weg naar Alpine insloeg, had hij een besluit genomen. Met uitzondering van die foto was hij er zo goed als zeker van dat hij geen sporen of vingerafdrukken had achtergelaten. Hij was uiterst voorzichtig geweest en dat was maar goed ook. Hij kon het gewoon niet opbrengen zijn fantastische leven op te geven voor iets dat misschien helemaal niet zou gebeuren. Hij was nergens bang voor. Als dat wel zo was, had hij beslist niet jarenlang dit soort leven kunnen leiden.

Nee, hij zou niet in paniek raken. Hij zou zich gewoon gedeisd houden. Maar hij zou een hele tijd geen klussen meer doen, beloofde hij zichzelf. Hij had het geld niet nodig en dit was wel een waarschuwing.

Hij kwam om kwart voor vier thuis en bekeek zijn post. Zijn oog viel op een bepaalde enveloppe en hij sneed hem open. Hij trok er een enkel velletje papier uit, bekeek het goed en begon te lachen. Niemand zou hem in verband brengen met die enigszins komische

figuur met dat omhooggeduwde masker en dat stippelig grijze karikatuur van een profiel slechts een paar centimeter verwijderd van die kopie van dat beeldje van Rodin.
'Lang leve de rotzooi,' riep Jason uit. Hij installeerde zich in zijn studeerkamer om een dutje te gaan doen. Vera's eindeloze gepraat had hem dodelijk vermoeid. Hij werd net op tijd wakker voor het nieuws van zes uur. Hij pakte de afstandsbediening en zette de tv aan.
Het belangrijkste nieuws was dat de medeverdachte van Jimmy Weeks, Barney Haskell, een deal aan het maken was met de officier van justitie.
Ik zou een nog veel betere deal kunnen sluiten, dacht Jason. De gedachte daaraan gaf hem troost. Maar het zou natuurlijk nooit nodig zijn.

58

Robin zette de televisie uit op het moment dat de bel ging. Ze was dolblij toen ze Geoff Dorso's stem in de hal hoorde en holde naar hem toe om hem te begroeten. Ze zag dat hij en haar moeder allebei ernstig keken. Misschien hebben ze ruzie gehad, dacht ze, en willen ze het goedmaken.
Tijdens het eten viel het Robin op dat haar moeder ongewoon stil was, terwijl Geoff grappige verhalen over zijn zusjes vertelde.
Wat een aardige man is Geoff, dacht Robin. Hij deed haar denken aan Jimmy Stewart in die film waar ze samen met haar moeder ieder jaar met Kerstmis naar keek: *It's a Wonderful Life*. Hij had dezelfde soort verlegen, warme glimlach en aarzelende stem en haar dat eigenlijk nooit netjes wilde zitten.
Robin zag dat haar moeder maar met één oor naar Geoffs verhalen zat te luisteren. Het was duidelijk dat er iets tussen hen aan de hand was en dat ze dat uit wilden praten, zonder haar erbij. Dus besloot ze zich op te offeren en boven op haar kamer aan haar natuurkundeproject te gaan werken.
Nadat ze met het afruimen van de tafel had geholpen, kondigde ze aan wat ze ging doen. Ze zag de opgeluchte blik in haar moeders

ogen. Ze wil echt alleen met Geoff praten, dacht Robin tevreden. Misschien is dat een goed teken.
Geoff ging onder aan de trap staan luisteren. Toen hij Robins slaapkamerdeur hoorde dichtvallen, ging hij terug naar de keuken.
'Laat me die foto nu maar zien.'
Kerry haalde hem uit haar zak en gaf hem aan hem.
Geoff bekeek hem nauwkeurig. 'Het ziet ernaar uit dat Robin gelijk had toen ze ons vertelde wat er gebeurd was,' zei hij. 'Die auto moet hier recht tegenover hebben gestaan. Deze foto is recht van voren genomen op het moment dat ze het huis uit kwam.'
'Dan had ze ook gelijk toen ze zei dat die auto recht op haar af reed,' zei Kerry. 'Stel je voor dat hij die scherpe bocht niet had gehaald. Maar waarom, Geoff?'
'Dat weet ik niet, Kerry. Maar ik weet wel dat we dit ernstig moeten opnemen. Wat denk je eraan te gaan doen?'
'Ik laat die foto morgenvroeg aan Frank Green zien. En ik probeer uit te vinden of er sekscriminelen in de buurt zijn komen wonen. Ik zal Robin 's morgens op weg naar kantoor zelf naar school brengen. Ze mag niet meer met de anderen naar huis lopen, maar moet door de oppas worden afgehaald. Ik zal de school waarschuwen dat iemand het op haar heeft gemunt.'
'Zeg je iets tegen Robin?'
'Dat weet ik nog niet, voorlopig in ieder geval niet.'
'Heb je het Bob Kinellen al verteld?'
'Hemelse goedheid, dat is nooit bij me opgekomen. Bob moet het natuurlijk wel weten.'
'Als het mijn kind was, zou ik het ook willen weten,' beaamde Geoff. 'Hoor eens, waarom bel je hem niet even, dan schenk ik nog een kop koffie in.'
Bob was niet thuis. Alice was ijzig beleefd tegen Kerry. 'Hij zit nog op kantoor,' zei ze. 'Daar woont hij tegenwoordig bijna. Kan ik hem een boodschap doorgeven?'
Alleen maar dat zijn oudste dochter in gevaar verkeert, dacht Kerry. Zij heeft niet het voordeel dat er een echtpaar bij haar inwoont dat haar kan beschermen als haar moeder aan het werk is. 'Ik bel Bob wel even op kantoor. Dag Alice.'

Bob Kinellen nam meteen de telefoon aan. Hij verbleekte toen hij Kerry's relaas aanhoorde over wat er met Robin was gebeurd. Hij wist meteen wie die foto had genomen. Dat was duidelijk het werk van Jimmy Weeks. Zo pakte hij zijn zaken aan. Eerst een zenuwoorlog ontketenen en dan iemand het vuur steeds nader aan de schenen leggen. Volgende week zou er nog een foto komen, van een iets grotere afstand genomen. Geen dreigementen. Geen briefjes. Alleen een foto. Een doe-wat-ik-zeg-of-anders situatie.
Het kostte Kinellen geen moeite bezorgd te klinken en met Kerry in te stemmen dat het beter zou zijn om Robin een poosje naar school te brengen en te laten halen.
Toen hij de hoorn had neergelegd, sloeg hij met zijn vuist op zijn bureau. Jimmy raakte in paniek en ging te ver. Ze wisten allebei dat het een verloren zaak was als het Haskell lukte een deal met de officier van justitie te sluiten.
Weeks rekent er natuurlijk op dat Kerry me over die foto vertelt, dacht Bob. Het is zijn manier om me te laten weten dat ze zich niet langer met de zaak-Reardon moet bemoeien. En ook om mij te laten weten dat ik er maar beter voor kan zorgen dat hij van die belastingfraude wordt vrijgesproken. Maar Weeks weet niet dat Kerry voor geen kleintje vervaard is. Als ze doorheeft dat die foto als waarschuwing is bedoeld, werkt hij als een rode lap op een stier. Maar Kerry heeft er geen flauw idee van dat je Jimmy Weeks beter niet als vijand kunt hebben, dacht hij.
Bobs gedachten gingen terug naar die dag elf jaar geleden toen Kerry, drie maanden in verwachting, hem met zowel stomverbaasde als woedende ogen had aangekeken. 'Je gaat weg bij de openbaar aanklager om voor die advocatenpraktijk te gaan werken? Ben je niet goed wijs? Al hun cliënten staan met één been in de gevangenis. En het andere zou ernaast moeten staan,' had ze gezegd.
Ze hadden een knallende ruzie gehad die was geëindigd met Kerry's minachtende waarschuwing: 'Denk er maar eens goed aan, Bob, dat degene die met pek omgaat ermee wordt besmet.'

59

Dokter Smith nam Barbara Tompkins mee naar Le Cirque, een heel chic, duur restaurant in het centrum van Manhattan. 'Sommige vrouwen gaan liever naar kleine, onbekende eethuisjes maar ik vermoed dat jij wel geniet van een gelegenheid waar men naartoe gaat om gezien te worden,' zei hij tegen de beeldschone jonge vrouw.

Hij had haar afgehaald bij haar appartement en het was hem niet ontgaan dat ze klaarstond zodat ze meteen konden vertrekken. Haar jas lag op een stoel in de kleine hal, haar tas op het tafeltje ernaast. Ze bood hem geen aperitief aan.

Ze wil niet met me alleen zijn, had hij gedacht.

Maar in het restaurant, omringd door andere mensen en met een attente hoofdkelner in de buurt, zag hij dat Barbara zich ontspande. 'Een heel verschil met Albany,' zei ze. 'Ik voel me nog steeds als een kind dat iedere dag jarig is.'

Toen hij dat hoorde, was hij even sprakeloos. Ze klonk precies als Suzanne, die zichzelf omschreven had als een kind met iedere dag een kerstboom en cadeautjes eronder. Maar Suzanne was van een dolgelukkig kind in een ondankbare volwassene veranderd. Ik heb maar zo weinig van haar gevraagd, dacht hij. Mag een kunstenaar dan geen plezier aan zijn schepping beleven? Waarom moest die schepping worden verspild aan verlekkerd klootjesvolk, terwijl de kunstenaar moest lijden omdat hij er nauwelijks meer iets van te zien kreeg?

Het deed hem goed te constateren dat er in dit vertrek vol aantrekkelijke, elegante vrouwen nog zoveel zijdelingse blikken op Barbara werden geworpen. Hij maakte er een opmerking over.

Ze schudde even haar hoofd, alsof ze het niet geloofde.

'Echt waar,' verzekerde Smith haar. Zijn ogen verkilden. 'Dat moet je niet onverschillig laten, Suzanne. Dan zou je mij beledigen.'

Pas later, toen hij haar na hun rustige etentje voor haar appartement had afgezet, vroeg hij zich af of hij haar Suzanne had genoemd. Als dat zo was, had hij zich vast wel vaker vergist.

Hij zuchtte en leunde met gesloten ogen achterover. Terwijl de taxi zich in de richting van het centrum een weg door het verkeer baande, dacht Charles Smith eraan hoe gemakkelijk het was geweest om langs Suzannes huis te rijden als hij ernaar snakte een glimp van haar op te vangen. Als ze niet op de golfbaan was, zat ze steevast voor de televisie. Ze had nooit de moeite genomen de gordijnen voor het grote raam van hun televisiekamer dicht te trekken. Dan had hij haar met opgetrokken benen in haar lievelingsstoel zien zitten, hoewel hij soms had moeten toezien dat ze naast Skip Reardon op de bank zat. Schouder aan schouder, met hun benen uitgestrekt op de lage tafel, in een achteloze intimiteit waarin hij niet kon delen. Barbara was niet getrouwd. Voor zover hij kon nagaan, was er geen speciale man in haar leven. Hij had haar vanavond gevraagd hem Charles te noemen. Hij dacht aan de armband die Suzanne had gedragen toen ze stierf. Zou hij die aan Barbara geven? Zou ze dan meer op hem gesteld raken?

Hij had Suzanne verscheidene sieraden gegeven. Heel mooie sieraden. Maar toen was ze ook juwelen van andere mannen gaan aannemen en gaan eisen dat hij daarover loog.

Smith voelde de warmte van het samenzijn met Barbara wegtrekken. Even later drong het tot hem door dat de taxichauffeur al voor de tweede keer ongeduldig zei: 'Hé man, slaap je? Je bent thuis.'

60

Geoff bleef na Kerry's telefoontje naar Kinellen niet lang meer zitten. 'Bob is het met me eens,' zei ze, terwijl ze haar koffie opdronk.

'Geen ander advies?'

'Nee, natuurlijk niet. Alleen zijn normale "je doet maar, Kerry, ik vind alles best".'

Ze zette het kopje neer. 'Dat is niet eerlijk. Bob klonk werkelijk bezorgd en ik zou ook niet weten wat hij nog meer had kunnen voorstellen.'

Ze zaten in de keuken. Kerry had de plafondlamp uitgedaan met de bedoeling dat ze hun koffie mee naar de woonkamer zouden ne

men. Het vertrek werd alleen nog maar verlicht door een muurlampje.
Geoff keek naar het ernstige gezicht tegenover hem. Hij zag de lichte droefheid in Kerry's groenbruine ogen, de vastberadenheid in haar brede mond en fijnbesneden kin en de kwetsbaarheid van haar hele figuurtje. Hij wilde het liefst zijn armen om haar heen slaan en tegen haar zeggen dat ze op hem kon leunen.
Hij wist echter dat ze dat niet wilde. Kerry McGrath verwachtte of wenste niet op iemand te leunen. Hij probeerde zich opnieuw te verontschuldigen voor zijn neerbuigende opmerking van een paar avonden geleden, toen hij had gesuggereerd dat ze alleen maar aan zichzelf dacht, en ook voor Deirdre Reardons bezoek aan haar kantoor. 'Dat had ik niet moeten zeggen,' zei hij. 'Ik weet best dat vooral jij niet zou aarzelen Skip Reardon te helpen als je dacht dat hij onschuldig was. Je bent er een uit duizenden, McGrath.'
Is dat waar, vroeg Kerry zich af. Ze was nog niet zover dat ze Geoff de informatie over Jimmy Weeks wilde doorgeven die ze in de map documenten uit het archief van de openbaar aanklager had gevonden. Ze zou het hem beslist vertellen, maar ze wilde eerst dokter Smith nog een keer spreken. Hij had woedend ontkend dat hij ooit een ingreep bij Suzanne had gedaan, maar hij had niet gezegd dat hij haar naar iemand anders had gestuurd. Dat betekende dat hij technisch gezien geen leugenaar was.
Toen Geoff een paar minuten later wegging, bleven ze even in de hal staan. 'Ik vind het gezellig om bij je te zijn,' zei hij, 'en dat heeft niets met de zaak-Reardon te maken. Zullen we zaterdagavond uit eten gaan en Robin meenemen?'
'Dat zou ze leuk vinden.'
Toen Geoff de deur had opengedaan, leunde hij naar haar toe en gaf haar een lichte kus op haar wang. 'Ik weet dat ik je niet hoef te vertellen de deur op het nachtslot te doen en het alarm in te schakelen, maar ik raad je wel aan niet in bed te gaan liggen piekeren over die foto.'
Toen hij weg was, liep Kerry naar boven om bij Robin te kijken. Ze zat aan haar natuurkundeproject te werken en hoorde haar moeder niet binnenkomen. Kerry bekeek haar kind vanuit de deurope-

ning. Robin zat met de rug naar haar toe. Haar lange, donkerbruine haar hing over haar schouders, haar hoofd was aandachtig voorovergebogen en ze had haar benen om de stoelpoten geslagen.
Ze is het onschuldige slachtoffer van degene die die foto heeft genomen, dacht Kerry. Robin lijkt precies op mij. Ze is net zo onafhankelijk. Ze zal het vreselijk vinden als ik haar vertel dat ze naar school wordt gebracht en weer afgehaald, en dat ze niet meer in haar eentje naar Cassies huis mag lopen.
Opeens hoorde ze weer Deirdre Reardons smekende stem vragen hoe zij het zou vinden als haar kind tien jaar lang opgesloten zou worden voor een misdaad die ze niet begaan had.

Vrijdag, 3 november

61

De onderhandelingen van Barney Haskell met de officier van justitie verliepen niet naar zijn zin. Vrijdagmorgen om zeven uur had hij een afspraak met meester Mark Young in diens fraaie advocatenkantoor in Summit. Het was een halfuur rijden vanaf het hof van justitie in het centrum van Newark en een totaal andere wereld.
Young was het hoofd van Barney's team van verdedigers en net als hij vijfenvijftig. Afgezien daarvan leken ze absoluut niet op elkaar, dacht Barney zuur. Young zag er zelfs op dit vroege tijdstip onberispelijk elegant uit in zijn pak met een krijtstreepje, dat hem als gegoten zat. Maar Barney wist dat die indrukwekkende schouders verdwenen zodra het jasje uitging. De *Star-Ledger* had onlangs een artikel gepubliceerd over de bekende advocaat, waarin stond dat hij pakken van duizend dollar droeg.
Barney kocht zijn pakken gewoon in de winkel. Jimmy Weeks had hem nooit genoeg betaald om zich iets anders te kunnen veroorloven. Als hij aan Jimmy's kant bleef staan, had hij een jarenlange gevangenisstraf voor de boeg. Tot nu toe was de aanklager onvermurwbaar gebleven. Hij wilde het alleen over een verminderde straf hebben in plaats van hem vrijuit te laten gaan als hij een boekje over Jimmy opendeed. Hij dacht dat hij Weeks wel zonder Barney kon veroordelen.
Misschien wel, maar misschien ook niet, dacht Barney. Volgens hem bluften ze. Hij had al eerder meegemaakt dat Jimmy' s advocaten hem vrij kregen. Kinellen en Bartlett waren slimme jongens, die hem steeds weer zonder echte kleerscheuren door vorige onderzoeken hadden weten te sleuren.
Maar deze keer had de aanklager, te oordelen naar zijn openingspleidooi, meer dan genoeg hard bewijsmateriaal. Toch waren ze waarschijnlijk nog wel bang dat Jimmy weer een nieuwe goocheltruc had verzonnen.

Barney wreef met zijn hand over zijn vlezige wang. Hij wist dat hij het onschuldige uiterlijk van een domme bankbediende had, wat hem geregeld van pas was gekomen. De mensen hadden de neiging hem over het hoofd te zien. Zelfs Weeks' boezemvrienden negeerden hem meestal. Ze dachten dat hij een soort loopjongen was. Geen van hen had zich ooit gerealiseerd dat hij degene was die het zwarte geld investeerde en de bankrekeningen over de hele wereld beheerde.

'We kunnen je de status van beschermde getuige geven,' zei Young. 'Maar pas als je vijf jaar uitgezeten hebt.'

'Te lang,' gromde Barney.

'Hoor eens, je hebt laten vallen dat je Jimmy in verband kunt brengen met een moord,' zei Young, terwijl hij een ruwe duimnagel bestudeerde. 'Barney, dat heb ik al genoeg als lokaas gebruikt. Nu moet je het waarmaken of je mond houden. Ze willen niets liever dan Weeks van moord betichten. Dan hoeven ze nooit meer iets met hem te maken te hebben. Als hij levenslang krijgt, stort zijn organisatie waarschijnlijk in. Dat proberen ze voor elkaar te krijgen.'

'Van één moord ben ik zeker. Maar ze moeten wel bewijzen dat hij de dader is. Wordt er niet gezegd dat de aanklager in deze zaak zich samen met Frank Green kandidaat wil stellen voor het gouverneurschap?'

'Als ze tenminste door hun partij worden gekozen,' antwoordde Young, terwijl hij in zijn bureaula naar een nagelvijl zocht. 'Barney, je moet echt ophouden met die vage praatjes. Je kunt me maar beter vertrouwen met wat het ook is dat je weet. Anders kan ik je niet helpen een verstandige beslissing te nemen.'

Barney's engelengezicht stond een ogenblik nadenkend. Toen verdween de frons van zijn voorhoofd en zei hij: 'Oké, ik zal het je vertellen. Herinner je je nog die babyrozenmoord, toen dat sexy jonge vrouwtje dood werd gevonden met al die rozen over zich heen? Het is al tien jaar geleden, maar Frank Green heeft naam gemaakt met die zaak.'

Young knikte. 'Ja, dat herinner ik me nog wel. Hij kreeg het voor elkaar haar man te laten veroordelen. Dat was in feite niet zo moeilijk, maar er is een heleboel publiciteit over geweest en de krantenverkoop rees de pan uit.' Zijn ogen vernauwden zich. 'Wat bedoel je eigenlijk? Je wilt toch niet zeggen dat Weeks daar iets mee te maken heeft gehad, hè?'

'Weet je ook nog dat haar man beweerde dat hij haar die rozen niet had gegeven maar dat ze die moest hebben gekregen van een andere vent waarmee ze iets had?' Toen Young knikte, ging Haskell verder: 'Jimmy Weeks had die rozen naar Suzanne Reardon gestuurd. Dat kan ik weten. Ik heb ze namelijk zelf op de avond van haar dood om twintig voor zes bij haar afgegeven. Er was een kaartje bij dat hij zelf geschreven had. Ik zal je laten zien wat erop stond. Geef me eens een stukje papier?'

Young schoof de notitieblok van de telefoon naar hem toe. Barney pakte zijn pen. Even later gaf hij hem de blocnote terug. 'Jimmy noemde Suzanne altijd lieveling,' legde hij uit. 'Hij had die avond een afspraak met haar. Hij had dit op het kaartje geschreven.'

Young keek naar het vel papier dat Barney naar hem toe had geschoven. Er stonden zes muzieknoten in C op, met vier woorden eronder: 'Ik hou van jou'. Het was ondertekend met een 'J'.

Young neuriede de noten en keek toen naar Barney. 'De eerste regel van het liedje "Je bent mijn lieveling",' zei hij.

'Mmm. Gevolgd door de rest van die regel: ik hou van jou.' 'Waar is dat kaartje?'

'Dat is het 'm nou juist. Niemand schijnt het gevonden te hebben toen het lijk werd ontdekt. En die rozen lagen verspreid over haar lichaam. Ik heb ze alleen maar afgegeven, ik ben meteen weer verder gegaan. Ik was voor Jimmy op weg naar Pennsylvania. Maar ik heb daarna een gesprek afgeluisterd. Jimmy was stapelgek op die vrouwen hij werd er wild van dat ze ook met andere kerels flirtte. Toen hij haar die bloemen stuurde, had hij haar al gezegd dat ze een scheiding moest aanvragen en andere mannen met rust moest laten.'

'En hoe heeft ze daarop gereageerd?'

'O, ze vond het leuk als hij jaloers was. Dat gaf haar blijkbaar een kick. Ik weet dat een van ons haar heeft geprobeerd te waarschuwen dat Jimmy gevaarlijk kon zijn, maar daar lachte ze alleen maar om. Ik vermoed dat ze die avond te ver is gegaan. Het zou net iets

voor Jimmy zijn om die rozen over haar lichaam te gooien.'
'En dat kaartje was nergens meer te bekennen?'
Barney haalde zijn schouders op. 'Er is tijdens die rechtszaak geen woord over gezegd. Ik moest wat haar betrof mijn mond stijf dichthouden. Ik weet wél dat ze Jimmy die avond heeft laten wachten of helemaal niet is komen opdagen. Een paar van de andere jongens zeiden dat Jimmy woest was geweest en had gedreigd haar om zeep te brengen. Je weet hoe hij is. En er is nog iets anders. Jimmy had een paar kostbare juwelen voor haar gekocht. Dat weet ik omdat ik ze betaald heb en de rekeningen bewaard heb. Tijdens die rechtszaak werd er heel wat afgepraat over juwelen die ze niet van haar man had gekregen, maar die volgens haar vader van hem afkomstig zouden zijn.'
Young scheurde het velletje papier dat Barney had gebruikt uit de blocnote, vouwde het dubbel en stak het in zijn borstzakje. 'Barney, ik denk dat je binnenkort een prachtig nieuw leven in Ohio tegemoet gaat. Je hebt niet alleen de openbaar aanklager de kans gegeven Jimmy van moord te beschuldigen, maar ook om Frank Green de das om te doen omdat hij een onschuldig man heeft laten veroordelen.'
Ze glimlachten elkaar over het bureau toe. 'Zeg maar dat ik liever niet in Ohio wil wonen,' grapte Barney.
Ze verlieten samen het kantoor en liepen de gang uit naar de rij liften. Toen er een stilhield en de deuren opengleden, voelde Barney onmiddellijk dat er iets mis was. Het licht was uit. Intuïtief draaide hij zich om en rende weg.
Het was al te laat. Hij was op slag dood, vlak voordat de eerste kogel de revers van het exclusieve pak van Mark Young aan flarden scheurde.

62

Kerry hoorde over de dubbele moord via de WCBS-zender op de autoradio toen ze naar haar werk reed. De lichamen waren door de privésecretaresse van Mark Young ontdekt. De verslaggever ver klaarde dat Young en zijn cliënt Barney Haskell om zeven uur 's morgens een afspraak hadden op het parkeerterrein. Er werd verondersteld dat Young het alarmsysteem had uitgeschakeld toen hij de benedendeur van het gebouwtje had geopend. De bewaker kwam pas om acht uur.

De buitendeur had niet op slot gezeten toen de secretaresse om kwart voor acht aankwam, maar ze had gedacht dat Young vergeten was hem weer op slot te doen. Dat was volgens haar wel vaker gebeurd. Ze was met de lift naar boven gegaan en had daar de lichamen aangetroffen.

Het verslag eindigde met een verklaring van Mike Murkowski, de openbaar aanklager van Essex County. Hij zei dat het erop leek dat beide mannen waren beroofd. Het was mogelijk dat ze door dieven waren achtervolgd toen ze het gebouw binnengingen, en het leven hadden gelaten toen ze zich wilden verdedigen. Barney Haskell was in zijn achterhoofd en in zijn nek getroffen.

De CBS-verslaggever vroeg of het feit dat Barney Haskell volgens de berichten aan het onderhandelen was over strafvermindering in het proces tegen Jimmy Weeks en dat werd gefluisterd dat Weeks iets met een moord te maken had gehad, een mogelijke verklaring voor de dubbele moord kon zijn. De aanklager reageerde scherp met: 'Geen commentaar.'

Het klinkt als een maffiavergelding, dacht Kerry toen ze de radio afzette. En Bob verdedigt Jimmy Weeks. Grote goedheid, wat een rotzooi.

Zoals verwacht lag er een boodschap van Frank Green op haar bureau. Hij was kort en krachtig: 'Ik wil je spreken.' Ze trok haar jas uit en stak de hal over naar zijn kantoor.

Hij wond er geen doekjes om. 'Wat moest Reardons moeder hier bij jou?'

Kerry probeerde voorzichtig te antwoorden. 'Ze was gekomen omdat ik naar de gevangenis ben geweest om Skip Reardon op te zoeken. Maar ik heb hem te verstaan gegeven dat ik geen reden heb kunnen ontdekken om opnieuw in beroep te gaan.'

Ze zag hoe Greens mond zich ontspande, maar hij was nog steeds kwaad. 'Dat had ik je ook kunnen vertellen. Kerry, als er tien jaar geleden ook maar een greintje bewijs van Skip Reardons onschuld was geweest, had ik er voor opengestaan. Maar dat was er niet. Heb je enig idee hoe de media tekeer zouden gaan als ze zouden vermoeden dat we die zaak weer aan het onderzoeken waren? Ze zouden het geweldig vinden als ze van Skip Reardon een slachtoffer konden maken. Het stimuleert de kranten verkoop en ze doen niets liever dan politieke kandidaten met negatieve publiciteit de grond in boren.'

Zijn ogen vernauwden zich en hij hamerde met zijn vingers op zijn bureau om zijn woorden kracht bij te zetten. 'Ik vind het verdomd jammer dat je nog niet bij ons in dienst was toen we die moord onderzochten. En het spijt me ook verdomd veel dat je niet hebt gezien hoe die mooie vrouw zó gewelddadig was gewurgd dat haar ogen bijna uit haar hoofd puilden. Skip Reardon had die morgen zo hard tegen haar staan schreeuwen dat de meteropnemer die het hoorde op het punt stond de politie te waarschuwen voordat er iets ergs zou gebeuren. Dat heeft hij onder ede verklaard. Ik ben van mening dat je een goede rechter zult worden, Kerry, als je de kans krijgt. Maar een goede rechter moet goed kunnen beoordelen. En volgens mij schort het daar bij jou op het ogenblik aan.'

Als je de kans krijgt.

Was dat een waarschuwing, vroeg ze zich af. 'Frank, het spijt me als ik je van streek heb gemaakt. Laten we het nu maar vergeten, als je dat goedvindt.' Ze haalde de foto van Robin uit de zak van haar jasje en overhandigde hem die. 'Dit zat gisteren in een normale, witte envelop bij de post. Zo was Robin dinsdagmorgen gekleed, toen ze die onbekende auto aan de overkant van de straat zag staan en dacht dat iemand het op haar had gemunt. Dat klopte dus.'

De woede trok uit Greens gezicht weg. 'Laten we eens zien hoe we haar kunnen beschermen.'

Hij was het met Kerry eens dat de school gewaarschuwd en Robin gebracht en gehaald moest worden. 'Ik zal uitzoeken of er onlangs voor seksuele delicten veroordeelde misdadigers op vrije voeten zijn gesteld of in jouw omgeving zijn komen wonen. Ik geloof nog steeds dat dat stuk tuig dat je vorige week hebt gevonnist een paar vriendjes heeft, die je te pakken willen nemen. We zullen vragen of de po-

litie van Hohokus in de buurt van je huis een oogje in het zeil wil houden. Heb je een brandblusapparaat?'
'Een sproeisysteem.'
'Koop in ieder geval ook een paar blusapparaten.'
'Bedoel je voor het geval ze een vuurbom naar binnen gooien?'
'Dat is wel eens gebeurd. Ik wil je niet bang maken, maar je moet wel je maatregelen nemen.'
Pas toen ze wilde weglopen, zei hij iets over de moordpartij in Summit.
'Jimmy Weeks heeft er geen gras over laten groeien, maar je ex zal nog steeds hemel en aarde moeten bewegen om hem vrij te krijgen, zelfs zonder Haskells bekentenis.'
'Frank, je praat alsof je er absoluut zeker van bent dat dit een vergeldingsactie was.'
'Dat weet iedereen, Kerry. Het is een wonder dat Jimmy zo lang heeft gewacht voordat hij Haskell te grazen nam. Wees maar blij dat je tijdig van Weeks' spreekbuis af bent gekomen.'

63

Bob Kinellen hoorde het nieuws over Barney Haskell en Mark Young pas toen hij het gerechtsgebouw binnenliep en de verslaggevers zich om hem heen verdrongen. Zodra hij hoorde wat er was gebeurd, realiseerde hij zich dat hij het wel had verwacht.
Hoe had Haskell nou zo stom kunnen zijn om niet te beseffen dat Jimmy hem nooit tegen zich zou laten getuigen?
Hij deed zijn best zo geschokt mogelijk te reageren en op een vraag vol overtuiging te antwoorden dat Haskells dood geen enkele verandering zou brengen in de verdedigingsstrategie van meneer Weeks. 'James Forrest Weeks is onschuldig aan alle telastleggingen,' zei hij. 'Elke regeling die meneer Haskell met de openbaar aanklager zou hebben getroffen, zou als oneerlijke zelfbescherming zijn ontmaskerd. Ik betreur de dood van meneer Haskell en mijn collega en vriend Mark Young ten zeerste.'
Het lukte hem een lift in te springen en zich op de eerste verdie-

ping een weg door een ander groepje verslaggevers te banen. Jimmy zat al in de rechtszaal. 'Heb je gehoord wat er met Haskell is gebeurd?'
'Ja, Jimmy.'
'Niemand is meer veilig. Je wordt overal omringd door gespuis.'
'Daar heb je waarschijnlijk gelijk in, Jimmy.'
'Maar het maakt het spel wel wat gemakkelijker of niet soms, Bobby?'
'Ja, volgens mij wel.'
'Ik hou niet zo van makkelijke spelletjes.'
'Dat weet ik, Jimmy.'
'Als je dat maar niet vergeet.'
Bob zei, zorgvuldig zijn woorden kiezend: 'Jimmy, iemand heeft mijn ex-vrouw een foto van ons dochtertje Robin gestuurd. Hij is genomen toen ze dinsdag naar school ging door iemand in een auto die pas vlak voor haar voeten het stuur omgooide. Robin dacht dat hij haar op de stoep omver zou rijden.'
'Er worden altijd grappen over autorijders in New Jersey gemaakt, Bobby.'
'Jimmy, er kan maar beter niets met mijn dochter gebeuren.'
'Bobby, ik snap niet waarover je het hebt. Wanneer gaan ze je ex-vrouw tot rechter benoemen en haar bij de aanklager weghalen? Ze hoort zich niet met andermans zaken te bemoeien.'
Bob wist dat hij een antwoord op zijn vraag had gekregen. Een van Jimmy's mensen had die foto van Robin gemaakt. Hij, Bob, moest ervoor zorgen dat Kerry met dat onderzoek van de zaak-Reardon ophield. Bovendien kon hij maar beter zorgen dat Jimmy in deze zaak werd vrijgesproken.
'Goeiemorgen, Jimmy. 'Morgen, Bob.'
Bob keek op en zag dat zijn schoonvader, Anthony Bartlett, op de stoel naast Jimmy ging zitten.
'Triest geval, dat van Haskell en Young,' mompelde Bartlett.
'Tragisch,' zei Jimmy.
Op dat moment gebaarde de rechtbankbeambte dat de aanklager, Bob en Bartlett naar het kantoor van de rechtbankpresident moesten gaan. Een somber kijkende rechter Benton keek op van zijn bu-

reau. 'Ik neem aan dat u allemaal op de hoogte bent van de tragedie die meneer Haskell en meester Young is overkomen.' De advocaten knikten zwijgend.
'Ondanks mijn stellige overtuiging dat het heel moeilijk zal worden ben ik van mening dat we, gezien de twee maanden die we er al aan hebben besteed, deze rechtszaak moeten voortzetten. Gelukkig zit de jury in afzondering, zodat dit nieuws en het gerucht dat meneer Weeks hier misschien iets mee te maken heeft hun niet ter ore kunnen komen. Ik zal ze slechts meedelen dat de afwezigheid van meneer Haskell en meester Young betekent dat de zaak van meneer Haskell niet langer relevant is. Ik zal ze opdracht geven niet te gissen naar wat er gebeurd kan zijn en het geen invloed te laten uitoefenen op de zaak van meneer Weeks. Zo, laten we dan nu maar doorgaan.'
De juryleden kwamen achter elkaar aan binnenlopen en namen hun plaatsen in. Bob zag hun vragende gezichten toen ze naar de lege stoelen van Haskell en Young keken. Toen de rechter hun opdracht gaf niet naar het gebeurde te gissen, wist Bob donders goed dat ze dat natuurlijk wèl zouden doen. Ze zullen aannemen dat hij schuld heeft bekend, dacht Bob. Dat zal ons geen goed doen.
Terwijl Bob erover nadacht hoeveel schade dit Weeks zou kunnen berokkenen, viel zijn blik op jurylid nummer 10: Lillian Wagner. Hij wist dat Wagner, een vooraanstaand lid van de gemeenschap, trots als ze was op haar tot de Ivy League horende echtgenoot en zonen, en zich zeer bewust van haar maatschappelijke status, een probleem was. Er moest een reden voor zijn dat Jimmy had geëist dat hij haar accepteerde.
Bob wist niet dat een medewerker van Jimmy Weeks, vlak voordat de jury in afzondering werd geplaatst, jurylid nummer twee, Alfred Wight, in stilte had benaderd. Weeks had gehoord dat Wight een doodzieke vrouw had en bijna failliet was vanwege zijn medische onkosten. De wanhopige meneer Wight had de belofte gedaan dat hij, in ruil voor honderdduizend dollar, Niet Schuldig zou stemmen.

64

Kerry keek ontmoedigd naar de stapel dossiers op de werktafel naast haar bureau. Ze wist dat ze er zo gauw mogelijk aan moest beginnen. Het werd hoog tijd dat ze de nieuwe zaken aan haar ondergeschikten toewees. Bovendien moest ze nog een aantal gevallen van eventuele strafvermindering bespreken met Frank of Carmen, de eerste assistente. Ze had nog ontzettend veel te doen en daar moest ze zich nu beslist op concentreren.
In plaats daarvan vroeg ze haar secretaresse te proberen om dokter Craig Riker te bereiken. Hij was de psychiater die ze soms bij moordzaken als getuige à charge gebruikte. Riker was een ervaren arts met gezond verstand, wiens levensopvattingen ze deelde. Hij was van mening dat, hoewel het leven vaak rake klappen uitdeelt, een mens zijn wonden moest likken en verder gaan. Bovendien was hij heel behendig in het vertalen van het verwarrende psychiatrische jargon van de zielknijpers waarmee de verdediging vaak aankwam. Ze vond het vooral prachtig wanneer hij op de vraag of de verdachte volgens hem krankzinnig was, antwoordde: 'Ik vind hem krankjorum, maar niet krankzinnig. Hij wist heel goed wat hij deed toen hij het huis van zijn tante binnendrong en haar vermoordde. Hij had het testament gelezen.'
'Dokter Riker is met een patiënt bezig,' gaf Kerry's secretaresse door. 'Hij zal je om tien voor elf terugbellen.'
Zoals beloofd, liet Janet precies om tien voor elf weten dat dokter Riker aan de lijn was.
'Wat is er, Kerry?'
Ze vertelde hem dat dokter Smith andere vrouwen het gezicht van zijn dochter gaf. 'Hij heeft nadrukkelijk ontkend dat hij iets aan Suzannes gezicht heeft gedaan,' legde ze uit, 'en daar kan hij gelijk in hebben. Hij kan haar naar een collega hebben verwezen. Maar is het een manier van rouwen als hij andere vrouwen op Suzanne laat lijken?'
'Dan is het wel een vrij griezelige manier van rouwen,' antwoordde Riker. 'Volgens jou had hij haar sinds ze een baby was niet meer gezien?'

'Dat klopt.'
'En toen stond ze opeens in zijn spreekkamer voor zijn neus?'
'Ja.'
'Wat voor soort man is die Smith?'
'Nogal indrukwekkend.'
'Eenzaam?'
'Zou me niet verbazen.'
'Kerry, ik moet er eerst iets meer van weten. Ik wil in ieder geval weten of hij zelf zijn dochter onder handen heeft genomen of een collega heeft gevraagd het voor hem te doen. Of misschien was ze al geopereerd voordat ze naar hem toe ging.'
'Aan die mogelijkheid had ik nog niet gedacht.'
'Maar als, met de klemtoon op als, hij Suzanne na al die jaren weer ontmoette en een onopvallende of zelfs vrij lelijke jonge vrouw voor zich zag, haar in een schoonheid veranderde en vervolgens in de ban raakte van zijn eigen schepping, zou dat een geval van erotomanie kunnen zijn.'
'Wat is dat?' vroeg Kerry.
'Dat omvat een heleboel symptomen. Maar als een eenzame dokter na al die jaren zijn dochter weer te zien krijgt, haar tot een schoonheid omtovert en dan het gevoel heeft dat hij iets geweldigs heeft gedaan, kunnen we zeggen dat dat in die categorie valt. Dan gaat hij haar als zijn bezit zien en wordt hij zelfs verliefd op haar. Het is een afwijking waarbij iemand aan waandenkbeelden lijdt, zoals bijvoorbeeld gluurders dat doen.'
Kerry dacht eraan dat Deirdre Reardon haar had verteld dat dokter Smith Suzanne als een voorwerp behandelde. Ze vertelde dokter Riker hoe Smith een veeg van Suzannes wang had verwijderd en haar toen had voorgehouden dat ze haar schoonheid moest koesteren. Ze vertelde hem ook over Kate Carpenters gesprek met Barbara Tompkins en Barbara's angst dat Smith haar achtervolgde.
Er viel een stilte. 'Kerry, mijn volgende patiënt komt binnen. Hou me alsjeblieft op de hoogte. Ik vind deze zaak hoogst interessant.'

65

Kerry was van plan geweest vroeg van kantoor te gaan, zodat ze vlak na de laatste afspraak van dokter Smith in zijn praktijk kon zijn. Ze veranderde echter van gedachten omdat ze zich realiseerde dat het verstandiger was te wachten tot ze een beter beeld had van dokter Smiths verhouding met zijn dochter. Bovendien wilde ze graag thuis bij Robin zijn.

Volgens mevrouw Reardon was de houding van Smith tegenover zijn dochter ongezond.

Frank Green had opgemerkt dat Smiths gedrag in de getuigenbank volkomen onemotioneel was geweest.

Skip Reardon had gezegd dat zijn schoonvader niet vaak bij hen thuis kwam en dat Suzanne hem meestal alleen ontmoette.

Ik moet er met iemand over praten die deze mensen kende en volkomen neutraal tegenover hen stond, dacht Kerry. Ik wil ook graag nog eens met mevrouw Reardon praten, deze keer wat rustiger. Maar wat moet ik dan tegen haar zeggen? Dat een maffiabaas, die nu toevallig voor de rechter moet verschijnen, Suzanne wel eens lieveling noemde als hij met haar golf speelde? En dat een golfcaddie het gevoel had dat die twee misschien iets met elkaar hadden?

Die beweringen zouden ook best eens de laatste nagel aan Skip Reardons doodkist kunnen zijn, beredeneerde ze. Als aanklager zou ik kunnen aanvoeren dat, zelfs als Skip een scheiding wilde zodat hij weer naar Beth terug zou kunnen gaan, hij woedend geweest zou zijn wanneer hij hoorde dat Suzanne een vriendje had die multimiljonair was terwijl ze hem haar Saint Laurent-mantelpakjes van drieduizend dollar liet betalen.

Ze stond op het punt het kantoor te verlaten toen Bob opbelde. Ze hoorde hoe gespannen hij was. 'Kerry, ik moet je heel even spreken. Ben je over een uurtje thuis?'

'Ja.'

'Tot dan,' zei hij en verbrak de verbinding.

Waarom kwam Bob bij haar thuis langs, vroeg ze zich af. Bezorgdheid over die foto van Robin? Of had hij een onverwacht moeilijke dag op de rechtbank gehad? Dat zou best kunnen, zei ze tegen zichzelf. Frank Green had gezegd dat de officier van justitie zelfs zonder de verklaring van Haskell Jimmy Weeks kon veroordelen. Ze pakte haar jas, hing haar tas over haar schouder en dacht eraan hoe ze in die anderhalf jaar dat ze getrouwd was blij was geweest als ze na haar werk naar huis kon om de avond met Bob Kinellen door te brengen.

Toen ze thuiskwam, keek Robin haar beschuldigend aan. 'Mam, waarom heeft Alison me met de auto van school gehaald? Ze wilde niets zeggen en ik stond voor aap.'

Kerry keek de oppas aan. 'Je mag nu wel naar huis, Alison. Dank je wel.'

Toen ze alleen waren, keek ze naar Robins verontwaardigde gezicht. 'Die auto waar je onlangs zo van geschrokken bent...' begon ze.

Toen ze uitgesproken was, zat Robin doodstil. 'Het is wel een beetje eng, hè mam?'

'Ja, dat vind ik ook.'

'Zag je er daarom gisteravond zo moe en ellendig uit?'

'Ik wist niet dat het zo erg met me was, maar ik voelde me inderdaad verschrikkelijk.'

'En kwam Geoff daarom zo vlug naar ons toe?'

'Ja.'

'Ik wou dat je me dat gisteravond verteld had.'

'Ik wist niet hoe ik het moest zeggen, Rob. Ik was zelf nog te veel van streek.'

'Dus wat doen we nu?'

'Het is erg vervelend, maar we moeten heel voorzichtig zijn totdat we erachter komen wie afgelopen dinsdag in die auto zat en waarom.'

'Denk je dat hij terug zal komen om nog eens te proberen me aan te rijden?'

Kerry wilde uitschreeuwen: 'Nee, dat denk ik helemaal niet!' In plaats daarvan ging ze naast Robin op de bank zitten en sloeg een arm om haar heen.

Robin legde haar hoofd tegen haar moeders schouder. 'Met ande-

re woorden: als die auto weer op je af komt stuiven, maak dat je wegkomt.'
'Daarom willen we hem geen kans geven, Rob.'
'Weet papa hier iets van af?'
'Ik heb hem gisteravond gebeld. Hij komt straks even langs.'
Robin ging rechtop zitten. 'Omdat hij zich zorgen over me maakt?'
Dat vindt ze fijn, dacht Kerry, alsof hij haar een dienst bewijst.
'Natuurlijk maakt hij zich zorgen over jou.'
'Fantastisch. Mam, mag ik het aan Cassie vertellen?'
'Nee, nu nog niet. Dat moet je me beloven, Robin. Totdat we weten wie ons deze streek...'
'En hem in de boeien hebben geslagen,' viel Robin haar in de rede.
'Zo is het. Als we zover zijn, mag je erover praten.'
'Oké. Wat gaan we vanavond doen?'
'Lekker thuis rondlummelen. We zullen een pizza laten komen. Ik heb op weg naar huis een paar video' s gehaald.'
Het ondeugende trekje waarvan Kerry zo genoot verscheen op Robins gezicht. 'Alleen voor volwassenen, hoop ik?'
Ze probeert me op te beuren, dacht Kerry. Ze wil me niet laten merken hoe bang ze is.
Bob stond om tien voor zes voor de deur. Kerry keek toe hoe Robin met een kreet van vreugde in zijn armen sprong. 'Hoe vind je het dat ik in gevaar ben?' vroeg ze.
'Ik laat jullie even gezellig met elkaar praten terwijl ik me omkleed,' kondigde Kerry aan.
Bob liet Robin los. 'Blijf niet te lang weg, Kerry,' zei hij gehaast. 'Ik kan maar heel even blijven.'
Kerry zag de teleurstelling op Robins gezicht en kon Kinellen wel wurgen. Geef haar voor de verandering toch eens wat extra aandacht, dacht ze boos. Ze deed haar best neutraal te klinken toen ze antwoordde: 'Ik ben zo weer beneden.'
Ze kleedde zich vlug om in een broek en een trui, maar bleef expres nog tien minuten boven. Toen ze op het punt stond naar beneden te gaan, werd er op de deur geklopt en riep Robin: 'Mam!'
'Kom maar binnen.' Kerry wilde net zeggen dat ze eraan kwam toen ze Robins gezicht zag. 'Wat is er?'

'Niets. Papa zei dat ik hierboven moest wachten terwijl hij met jou praat.'
'O.'
Bob stond midden in de studeerkamer. Het was duidelijk dat hij zich niet op zijn gemak voelde en zo gauw mogelijk weer weg wilde.
Hij heeft zelfs zijn jas niet uitgetrokken, dacht Kerry. En waarom is Robin nu weer zo teleurgesteld? Hij heeft haar waarschijnlijk alleen maar zitten uitleggen dat hij haast heeft.
Hij draaide zich om toen hij haar voetstappen hoorde. 'Kerry, ik moet terug naar kantoor. Ik heb voor de zitting van morgen nog een heleboel te doen. Maar ik moet je iets heel belangrijks vertellen.'
Hij haalde een velletje papier uit zijn zak. 'Je hebt zeker wel gehoord wat er met Barney Haskell en Mark Young is gebeurd?'
'Natuurlijk.'
'Kerry, Jimmy Weeks komt altijd overal achter. Ik weet niet hoe, maar het is zo. Hij weet bijvoorbeeld dat je afgelopen zaterdag Reardon in de gevangenis hebt opgezocht.'
'O ja?' Kerry keek haar ex-man verbaasd aan. 'Wat kan hem dat nou schelen?'
'Kerry, hou op met die spelletjes. Jimmy is wanhopig. Ik heb je net verteld dat hij altijd overal achter komt. Kijk hier maar eens naar.'
Kinellen overhandigde haar wat eruitzag als een kopie van een notitie op een kleine blocnote. Er stonden zes muzieknoten in C op met daaronder de woorden 'ik hou van jou'. Getekend met 'J'.
'Wat heeft dit te betekenen?' vroeg Kerry, terwijl ze in gedachten de noten neuriede. Toen, voordat Bob nog maar had kunnen antwoorden, begreep ze het en sloeg de schrik haar om het hart. Het was de eerste regel van het liedje 'Je bent mijn lieveling'.
'Waar heb je dit vandaan en wat heeft het te betekenen?' snauwde ze. 'Ze hebben het origineel in het borstzakje van Mark Young gevonden toen ze in het lijkenhuis zijn kleren doorzochten. Het is Haskells handschrift op een vel papier van de blocnote naast Youngs telefoon. De secretaresse herinnert zich dat ze gisteravond

een nieuwe blocnote heeft neergelegd, dus moet Haskell het vanmorgen tussen zeven uur en halfacht hebben opgeschreven.'
'Een paar minuten voor zijn dood?'
'Precies. Kerry, ik weet zeker dat het iets te maken heeft met de strafonderhandelingen waarmee Haskell bezig was.'
'De strafonderhandelingen? Bedoel je dat de moord waarmee Jimmy Weeks volgens hem iets te maken had de babyrozenmoord was?'
Kerry wist niet wat ze hoorde. 'Jimmy had wel degelijk iets met Suzanne Reardon, of niet soms? Bob, wil je soms zeggen dat degene die Robins foto heeft genomen en haar bijna heeft overreden voor Jimmy Weeks werkt en dat hij me op deze manier wil dwingen erbuiten te blijven?'
'Kerry, ik zeg niets, behalve dat je je er niet mee moet bemoeien. Voor Robins bestwil moet je je er niet mee bemoeien!'
'Weet Weeks dat je hier bent?'
'Hij weet dat ik je voor Robins bestwil zal waarschuwen.'
'Wacht eens even.' Kerry keek haar ex-man ongelovig aan. 'Je bent me komen waarschuwen omdat je cliënt, de schurk en moordenaar die je vertegenwoordigt, je heeft opgedragen mij een dreigement door te geven. Mijn god, Bob, je bent wel diep gezonken.'
'Kerry, ik doe mijn best het leven van mijn kind te redden.'
'Jouw kind? Opeens is ze belangrijk voor je? Weet je wel hoe vaak je haar hebt teleurgesteld omdat je gewoon niet kwam opdagen? Hoe durf je het te zeggen. Maak nu maar dat je wegkomt.'
Terwijl ze zich omdraaide, trok ze het vel papier uit zijn hand. 'Dit wil ik wel houden.'
'Geef terug.' Kinellen greep haar hand, trok haar vingers los en pakte het papier.
'Papa, laat mama los!'
Ze draaiden zich allebei snel om en zagen Robin in de deuropening staan. De wegtrekkende littekens stonden felrood afgetekend tegen haar spierwitte gezichtje.

66

Dokter Smith was om twintig over vier uit zijn praktijk vertrokken, slechts een paar minuten nadat zijn laatste patiënt – een controle van een buikverkleining – was weggegaan.
Kate Carpenter was blij dat hij weg was. Ze vond het de laatste tijd een opgave om in zijn buurt te zijn. Ze had vandaag opnieuw de trilling van zijn hand gezien, toen hij de hechtingen verwijderde bij mevrouw Pryce, van wie hij de wenkbrauwen had opgetrokken. De verpleegster was echter niet alleen bezorgd over de lichamelijke aspecten, ze was ervan overtuigd dat er geestelijk ook iets heel erg mis was met de dokter.
Het meest frustrerende voor Kate was dat ze niet wist tot wie ze zich moest wenden. Charles Smith was, of was althans geweest, een briljant chirurg. Ze wilde niet dat hij in diskrediet werd gebracht of van zijn bevoegdheid ontheven. Onder andere omstandigheden zou ze met zijn vrouw of zijn beste vriend zijn gaan praten. Maar in het geval van dokter Smith kon ze dat niet doen. Zijn vrouw was lang geleden verdwenen en hij scheen geen enkele vriend te hebben.
Kates zuster Jean was maatschappelijk werkster. Jean zou het probleem waarschijnlijk begrijpen en haar kunnen aanraden waar ze de hulp voor dokter Smith moest zoeken die hij zo duidelijk nodig had. Maar Jean was met vakantie in Arizona en Kate had geen flauw idee waar ze haar kon bereiken.
Om halfvijf belde Barbara Tompkins. 'Mevrouw Carpenter, ik heb er schoon genoeg van. Dokter Smith belde me gisteravond op en eiste bijna dat ik met hem zou gaan eten. Hij noemde me steeds Suzanne. En hij wil dat ik hem Charles noem. Hij vroeg of ik een vriend had. Het spijt me erg en ik weet dat ik hem veel dank verschuldigd ben, maar ik vind dat hij zich behoorlijk griezelig gedraagt. Ik word er zo langzamerhand doodzenuwachtig van. Zelfs op kantoor kijk ik steeds om me heen of hij niet ergens naar me staat te loeren. Ik kan er echt niet meer tegen. Dit kan werkelijk zo niet doorgaan.'
Kate Carpenter wist dat ze de situatie niet langer op zijn beloop kon laten. De enige persoon die ze kon bedenken om in vertrouwen

te nemen, was de moeder van Robin Kinellen, Kerry McGrath. Kate wist dat ze jurist was en assistent-aanklager in New Jersey. Maar ze was ook een moeder die heel dankbaar was dat dokter Smith haar dochter in een noodsituatie had behandeld. Bovendien was Kerry McGrath beter van de persoonlijke achtergrond van dokter Smith op de hoogte dan zij of iemand anders van zijn personeel. Kate wist niet waarom Kerry belangstelling voor de dokter had, maar ze had niet het gevoel dat Kerry hem schade zou berokkenen. Kerry had haar verteld dat Smith niet alleen gescheiden was, maar dat hij ook de vader van een vermoorde vrouw was.
Ze voelde zich net Judas Iscariot toen ze Barbara het privételefoonnummer gaf van de assistent-aanklager van Bergen County, Kerry McGrath.

67

Lang nadat Bob Kinellen was vertrokken, zaten Kerry en Robin nog zwijgend naast elkaar op de bank, hun benen voor zich uitgestrekt op de lage tafel.
Ten slotte zei Kerry, zorgvuldig haar woorden kiezend: 'Wat ik ook gezegd heb, of wat je ook gedacht hebt van die scène die je net hebt gezien, papa houdt heel veel van je, Robin. Hij is bezorgd over je. Ik heb geen bewondering voor de manier waarop hij zich in de nesten werkt, maar zelfs al gooi ik hem het huis uit, dan weet ik wel hoeveel hij om je geeft.'
'Je werd kwaad op hem toen hij zei dat hij zich zorgen over me maakte.'
'Welnee, dat zei ik maar zo. Hij maakt me soms dol van woede. In ieder geval weet ik zeker dat jij niet de soort mens zult worden die in moeilijkheden verzeild raakt die ieder ander heeft zien aankomen, en die zich dan achter de ethiek van de situatie probeert te verschuilen. Ik bedoel door te zeggen dat je weet dat je iets fout doet, maar dat het noodzakelijk is.'
'Doet papa dat?'
'Volgens mij wel.'

'Weet hij wie die foto van me heeft gemaakt?'
'Hij denkt dat hij het weet. Het heeft te maken met een zaak: waar Geoff Dorso mee bezig is en waar hij mijn hulp bij probeert in te roepen. Hij doet zijn best om iemand uit de gevangenis te krijgen die volgens zijn oprechte mening onschuldig is.'
'Help je hem daar ook mee?'
'Ik had eigenlijk al besloten dat ik me, door me ermee te bemoeien, voor niets in een wespennest zou steken. Maar ik begin nu te geloven dat ik me misschien vergist heb en dat er een paar heel goede redenen zijn om aan te nemen dat Geoffs cliënt inderdaad ten onrechte is veroordeeld. Aan de andere kant ben ik niet van plan jou in gevaar te brengen omdat ik dat zo nodig wil bewijzen. Dat beloof ik je.'
Robin bleef een ogenblik voor zich uit zitten staren en keek toen haar moeder aan. 'Mam, dat is onzin. Dat is ontzettend oneerlijk. Je beschuldigt papa van iets en dan doe je het zelf ook. Als je Geoff niet helpt terwijl je gelooft dat zijn cliënt niet in de gevangenis hoort te zitten, verschuil je je toch ook achter de ethiek van de situatie?'
'Robin!'
'Dat meen ik echt. Denk er maar eens over na. Zullen we nu een pizza bestellen? Ik heb honger.'
Geschokt keek Kerry naar haar dochter, die opstond en de zak met video's pakte die ze wilden gaan bekijken. Robin las de titels, koos er een uit en schoof hem in de videorecorder. Voordat ze hem aanzette, zei ze: 'Mam, ik denk echt dat die vent in die auto me alleen maar bang probeerde te maken. Ik geloof niet dat hij me werkelijk overreden zou hebben. Ik vind het niet erg als je me naar school brengt en Alison me afhaalt. Dus wat denk je ervan?'
Kerry staarde haar dochtertje een ogenblik aan en schudde toen haar hoofd. 'Ik denk dat ik trots op je ben en me schaam.' Ze omhelsde Robin snel, liet haar weer los en ging naar de keuken.
Een paar minuten later, toen ze de borden voor de pizza uit de kast haalde, ging de telefoon. Een aarzelende stem zei: 'Mevrouw McGrath, u spreekt met Barbara Tompkins. Neem me niet kwalijk dat ik u lastigval, maar mevrouw Carpenter van de praktijk van dokter Charles Smith heeft me aangeraden u te bellen.'
Terwijl ze luisterde, pakte Kerry een pen en begon aantekeningen

te maken op een kladblok: Barbara gaat naar dokter Smith... hij laat haar een foto zien... vraagt of ze op die vrouw wil lijken... verricht de operaties... adviseert haar... helpt haar een appartement zoeken... geeft haar een winkelbegeleidster mee... noemt haar nu Suzanne en achtervolgt haar.

Ten slotte zei Barbara: 'Mevrouw McGrath, ik ben dokter Smith heel dankbaar. Hij heeft mijn leven totaal veranderd. Ik wil hem liever niet aangeven bij de politie en vragen of ze hem een volgverbod opleggen. Ik wil hem op geen enkele manier schade berokkenen. Maar dit kan zo niet doorgaan.'

'Hebt u ooit het gevoel gehad dat hij u lichamelijk bedreigde?' vroeg Kerry.

Barbara Tompkins aarzelde even voordat ze langzaam antwoordde: 'Nee, dat niet. Hij heeft zich nooit lichamelijk aan me opgedrongen. Hij is eigenlijk heel bezorgd over me en behandelt me of ik breekbaar ben, als een porseleinen pop. Maar ik voel soms ook een verschrikkelijke, ingehouden woede in hem, die gemakkelijk zou kunnen losbarsten en zich misschien zelfs tegen mij zou kunnen richten. Toen hij me bijvoorbeeld gisteravond kwam afhalen om me mee uit eten te nemen, merkte ik dat het hem absoluut niet beviel dat ik al klaarstond om de deur uit te gaan. Ik dacht zelfs even dat hij boos zou worden. Maar ik wilde niet alleen met hem zijn. Het is nu al zover dat ik denk dat hij, als ik weiger hem te ontmoeten, wel eens heel kwaad zou kunnen worden. Maar ik heb u al verteld hoe goed hij voor me is geweest. En ik weet dat een politieverbod zijn reputatie ernstig zou schaden.'

'Barbara, ik ga maandag naar dokter Smith toe. Dat weet hij nog niet, maar het is wel zo. Door wat je me hebt verteld en vooral omdat hij je Suzanne noemt, vermoed ik dat hij aan een soort zenuwinstorting lijdt. Ik hoop dat ik hem kan overhalen hulp te zoeken. Maar ik kan je niet aanraden niet naar de politie te gaan als je bang bent. Ik vind eigenlijk dat je dat wel moet doen.'

'Nu nog niet. Ik zou eigenlijk volgende maand pas op zakenreis gaan, maar dat kan ik wel verschuiven naar volgende week. Als ik terug ben, wil ik graag weer met u praten. Dan kan ik beslissen wat ik moet doen.'

Toen ze de hoorn had neergelegd, liet Kerry zich op een keukenstoel vallen. De aantekeningen van het gesprek lagen voor haar. De situatie werd steeds gecompliceerder. Dokter Smith achtervolgde Barbara Tompkins. Had hij zijn eigen dochter ook achtervolgd? Als dat waar was, dan was het zeer waarschijnlijk zijn Mercedes geweest die Dolly Bowles en de kleine Michael op de avond van de moord voor het huis van de Reardons hadden zien staan.

Ze herinnerde zich de paar nummerplaattekens die mevrouw Bowles had onthouden. Zou Joe Palumbo al gelegenheid hebben gehad die met de auto van Smith te vergelijken?

Maar als dokter Smiths houding tegenover Suzanne net zo was veranderd als Barbara Tompkins vreesde dat in haar situatie het geval was, als hij verantwoordelijk was voor Suzannes dood, waarom was Jimmy Weeks dan zo bang dat hij met de moord op Suzanne Reardon in verband zou worden gebracht?

Voordat ik hem spreek, moet ik meer te weten zien te komen over dokter Smiths verhouding met Suzanne, anders weet ik niet wat ik hem moet vragen, dacht Kerry. Die antiekhandelaar, Jason Arnott, is misschien de juiste persoon om mee te gaan praten. Volgens de aantekeningen in het dossier was hij gewoon een vriend geweest, die regelmatig met Suzanne veilingen en dergelijke bezocht. Misschien hadden ze daar af en toe dokter Smith wel ontmoet.

Ze belde Arnott en liet de boodschap achter dat hij haar moest terugbellen. Toen dacht ze erover na of ze nog iemand zou bellen. Geoff, om hem te vragen of hij nog een bezoek aan Skip Reardon in de gevangenis kon regelen.

Alleen deze keer zou ze willen dat zowel zijn moeder als zijn vriendin, Beth Taylor, ook aanwezig zou zijn.

68

Jason Arnott was van plan vrijdagavond rustig alleen thuis te blijven en een eenvoudige maaltijd voor zichzelf klaar te maken. Daarom had hij zijn werkster boodschappen laten doen. Zoals hij haar had opgedragen, was ze teruggekomen met een gefileerde tong, wa-

terkers, peultjes en knapperig stokbrood maar toen Amanda Coble om vijf uur opbelde om hem uit te nodigen met haar en Richard in de Ridgewood Country Club te gaan eten, nam hij de uitnodiging graag aan.
De Cobles waren zijn soort mensen: steenrijk maar heerlijk gewoon, amusant en vreselijk intelligent. Richard was een internationale bankier en Amanda binnenhuisarchitecte. Jason beheerde met succes zijn eigen aandelenportefeuille en schepte er groot genoegen in met Richard te praten over de termijnmarkt en buitenlandse aandelen. Hij wist dat Richard respect had voor zijn mening en dat Amanda zijn kennis van antiek waardeerde.
Ze zouden voor een welkome afwisseling zorgen na de vervelende dag die hij gisteren met Vera Todd in New York had doorgebracht. Bovendien had hij via de Cobles een aantal interessante mensen ontmoet. Een van hun introducties had in feite drie jaar geleden tot een heel succesvolle strooptocht in Palm Springs geleid.
Hij naderde de ingang van de club juist op het moment dat de Cobles hun auto door de parkeerbediende lieten wegrijden. Hij liep vlak achter hen aan naar binnen en wachtte terwijl ze een elegant paar begroetten, dat op het punt stond weg te gaan. Hij herkende de man onmiddellijk. Senator Jonathan Hoover. Hij was bij een paar politieke diners geweest waar Hoover ook even acte de présence had gegeven, maar hij was nooit aan hem voorgesteld.
De vrouw zat in een rolstoel, maar ze zag er nog steeds koninklijk uit in diepblauwe avondkleding met een rok die tot aan de punten van haar rijglaarsjes reikte. Hij had gehoord dat mevrouw Hoover invalide was, maar hij had haar nooit eerder gezien. Met een oog dat onmiddellijk het kleinste detail registreerde, zag hij hoe haar samengevouwen handen de gezwollen gewrichten van haar vingers gedeeltelijk verborgen hielden.
Ze moet een schoonheid zijn geweest toen ze jong was en voordat haar dit overkwam, dacht hij, terwijl hij de nog steeds mooie trekken gedomineerd door de saffierblauwe ogen bestudeerde.
Amanda Coble keek op en zag hem staan. 'O Jason, ben je daar.' Ze gebaarde hem dichterbij te komen en stelde hen aan elkaar voor. 'We hadden het net over die vreselijke moordpartij van vanmorgen

in Summit. Zowel senator Hoover als Richard kenden die advocaat, Mark Young.'

'Het was duidelijk een maffiavergelding,' zei Richard Coble boos.

'Dat ben ik met je eens,' zei Jonathan Hoover. 'En de gouverneur ook. We weten allemaal hoe hard hij de misdaad de afgelopen acht jaar heeft aangepakt en nu hebben we Frank Green nodig om daarmee door te gaan. Ik kan je wel verzekeren dat, als Weeks in een arrondissementsrechtbank zou worden berecht, het de officier van justitie beslist was gelukt Barney Haskells bekentenis los te krijgen in ruil voor strafvermindering. Dan zouden deze moorden nooit hebben plaatsgevonden. En nu wil Royce, de vent die deze hele situatie heeft verknoeid, nota bene gouverneur worden. Maar niet met mijn hulp!'

'Jonathan,' mompelde Grace Hoover berispend. 'Je kunt wel horen dat het een verkiezingsjaar is, hè Amanda?' Terwijl ze allemaal moesten glimlachen, voegde ze eraan toe: 'Nu willen we jullie niet langer ophouden.'

'Mijn vrouw houdt me al in het gareel sinds ons eerste jaar op de universiteit,' legde Jonathan Hoover Jason uit. 'Het was een genoegen u weer te ontmoeten, meneer Arnott.'

'Meneer Arnott, hebben wij elkaar ook niet eens eerder ontmoet?' vroeg Grace Hoover plotseling.

Jason voelde zijn inwendige alarmsysteem aanslaan. Het was een sterk signaal. 'Ik geloof het niet,' antwoordde hij langzaam. Dat zou ik me zeker herinneren, dacht hij. Dus waarom denkt ze dat we elkaar al eens ontmoet hebben?

'Ik weet niet waarom, maar ik heb het gevoel dat ik u ken. Nou ja, dan vergis ik me zeker. Goedenavond.'

Ondanks het feit dat de Cobles net zo onderhoudend waren als altijd en het eten heerlijk was, wenste Jason de hele avond dat hij alleen thuis was gebleven en de tongfilet had klaargemaakt.

Toen hij om halfelf weer thuiskwam, werd de rest van zijn dag bedorven door de enige boodschap op zijn antwoordapparaat. Hij was van Kerry McGrath, die zichzelf voorstelde als de assistent-aanklager van Bergen County. Ze gaf hem haar telefoonnummer en vroeg hem haar voor elf uur 's avonds of de volgende morgen vroeg thuis terug te bellen. Ze legde hem uit dat ze onofficieel met hem wilde praten over zijn overleden buurvrouw en vriendin, de vrouw die het slachtoffer was geworden van een moordaanslag: Suzanne Reardon.

69

Vrijdagavond ging Geoff eten bij zijn ouders in Essex Fells. Ze hadden hem min of meer gedwongen te komen. Zijn zusje Marian, haar man Don en hun tweejarige tweeling waren onverwachts voor het weekend uit Boston overgekomen. Zijn moeder probeerde nu ook haar vier andere kinderen met hun aanhang bij elkaar te krijgen om de bezoekers te verwelkomen. De anderen konden allemaal alleen op vrijdag, dus moest het vrijdagavond worden. 'Dus je zegt je afspraken toch wel af, hè Geoff?' had zijn moeder half gesmeekt, half bevolen, toen ze hem 's middags opbelde.

Geoff had helemaal geen afspraken gehad, maar in de hoop voor een volgende keer vast wat krediet op te bouwen, had hij aarzelend geantwoord: 'Ik weet nog niet of ik kan komen, mam. Dan moet ik iets anders verzetten, maar...'

Het speet hem meteen dat hij het over die boeg had gegooid. Zijn moeder klonk opeens hevig geïnteresseerd toen ze hem onderbrak: 'O, heb je een afspraakje, Geoff? Heb je een aardige vrouw ontmoet? Dat hoef je niet af te zeggen, hoor. Breng haar maar gerust mee, ik wil haar graag ontmoeten.'

Geoff kreunde in stilte. 'Nee hoor, mam, ik maak maar een grapje. Ik heb helemaal geen afspraak. Ik ben om een uur of zes bij jullie.' 'Dat is goed, schat.' Het was duidelijk dat zijn moeders genoegen in zijn toestemming gedempt werd door het feit dat ze nog steeds geen mogelijk aanstaande schoondochter te zien zou krijgen. Toen hij de hoorn neerlegde, dacht hij bij zichzelf dat hij, als het om morgenavond zou zijn gegaan, in de verleiding zou zijn gekomen Kerry en Robin uit te nodigen voor het etentje bij zijn ouders. Ze zou waarschijnlijk niet weten hoe snel ze moest weigeren, dacht hij.

Hij kreeg opeens een onrustig gevoel toen het tot hem doordrong dat het die dag verscheidene keren bij hem was opgekomen dat zijn moeder Kerry erg aardig zou vinden.

Om zes uur stopte hij voor het mooie, grote huis in tudorstijl, dat zijn ouders zevenentwintig jaar geleden voor een tiende van de huidige waarde hadden gekocht. Het was een ideaal huis voor een groot gezin, dacht hij, en het is nog steeds ideaal met al die kleinkinderen. Hij parkeerde de auto voor de oude rijtuigstalling, waar nu zijn jongste en nog ongetrouwde zusje woonde. Ze hadden allemaal om beurten na hun hogere opleiding of de universiteit in de rijtuigstalling gewoond. Hij was er ingetrokken toen hij rechten studeerde aan de Columbia-universiteit en was er daarna nog twee jaar blijven zitten.

We hebben een fantastische jeugd gehad, dacht hij, terwijl hij de koude novemberlucht diep inademde en zich verheugde op de warmte van het uitnodigende, helder verlichte huis. Zijn gedachten dwaalden af naar Kerry. Ik ben blij dat ik geen enig kind ben, zei hij tegen zichzelf. Ik ben er dankbaar voor dat mijn vader niet is overleden toen ik op de universiteit zat, en dat mijn moeder niet is hertrouwd en een paar duizend kilometer verder weg is gaan wonen. Kerry heeft het vast niet makkelijk gehad.

Ik had haar vandaag moeten bellen, dacht hij. Waarom heb ik dat niet gedaan? Ik weet wel dat ze niet wil dat iemand haar betutteld, maar aan de andere kant heeft ze eigenlijk niemand om haar zorgen mee te delen. Ze kan Robin niet op dezelfde manier beschermen als deze familie dat zou kunnen doen als een van onze kinderen in gevaar verkeerde.

Hij liep naar de voordeur en stapte de rumoerige warmte binnen, de typische sfeer van het samenzijn van de drie generaties van de Dorso-clan.

Na een uitgebreide begroeting van de Boston-tak en een achteloos hoi naar de zusjes die hij regelmatig zag, ontsnapte Geoff met zijn vader naar de studeerkamer.

Langs de wanden stonden kasten vol juridische boeken en gesigneerde eerste edities. Het was het enige vertrek waar de avontuurlijke kinderschaar geen voet mocht zetten. Edward Dorso schonk

voor zijn zoon en zichzelf een glas whisky in. Hij was zeventig jaar oud en een gewezen advocaat gespecialiseerd in handels- en bedrijfsrecht. Verscheidene Fortune 500-bedrijven hadden ooit tot zijn clientèle behoord.
Edward had Mark Young gekend en hem graag gemogen. Hij wilde weten of Geoff op de rechtbank nog geruchten over de toedracht van zijn dood had gehoord.
'Ik kan je niet veel vertellen, pap,' zei Geoff. 'Het is nauwelijks te geloven dat het toeval is dat een of meer boeven een inbraak uit de hand laten lopen en Young doodschieten net op het moment dat het andere slachtoffer, Haskell, aan het onderhandelen is over strafvermindering als hij tegen Jimmy Weeks getuigt.'
'Dat ben ik met je eens. Nu we het er toch over hebben, ik heb vandaag in Trenton geluncht met Sumner French. We hadden het ook over iets dat jou wel zal interesseren. Ze weten zeker dat een ambtenaar van het bouwcomité in Philadelphia Weeks tien jaar geleden informatie heeft verstrekt over een nieuwe verkeersweg tussen Philly en Lancaster. Weeks heeft toen in die omgeving grond gekocht, die hij met enorme winst aan bouwondernemingen doorverkocht heeft zodra de plannen voor die weg openbaar werden gemaakt.'
'Vertrouwelijke informatie is niets nieuws,' gaf Geoff als commentaar. 'Het gebeurt nou eenmaal en is zo goed als onmogelijk te voorkomen. En bovendien vaak heel moeilijk te bewijzen.'
'Ik vertel het je niet zomaar. Ik heb gehoord dat Weeks belachelijk weinig voor die grond heeft betaald omdat de vent die er opties op had in grote geldnood verkeerde.'
'Ken ik hem soms?'
'Je favoriete cliënt, Skip Reardon.'
Geoff haalde zijn schouders op. 'Het is een kleine wereld, pap, dat weet je. Het heeft allemaal tot Skips ondergang bijgedragen. Ik kan me nog herinneren dat Tim Farrell destijds zei dat Skip Reardon al zijn onroerend goed aan het verkopen was om zijn verdediging te kunnen betalen. Op papier zagen Skips financiën er fantastisch goed uit. Maar hij had een groot aantal opties lopen, een zware bouwhypotheek op een luxueus huis en een vrouw die dacht dat ze met

koning Midas getrouwd was. Als Skip niet in de gevangenis was beland, was hij nu rijk geweest want hij was een goed zakenman. Maar ik meen me te herinneren dat hij al die opties voor een redelijke marktprijs heeft verkocht.'

'Niet bepaald redelijk als de koper vertrouwelijke informatie bezit,' zei zijn vader scherp. 'Ik heb bovendien gehoord dat Haskell, die toen ook al de accountant van Weeks was, op de hoogte was van die transacties. In ieder geval is het misschien nuttig dit soort informatie achter de hand te hebben.'

Voordat Geoff kon reageren, riep een koor van stemmen voor de deur van de studeerkamer: 'Opa, oom Geoff, het eten is klaar!'

'Zo wordt men zacht ontboden,' grapte Edward Dorso terwijl hij opstond en zich uitrekte.

'Ga maar vast, pap, ik kom eraan. Ik wil even bellen of er nog boodschappen zijn.' Toen hij Kerry's hese, lage stem op het antwoordapparaat hoorde, drukte hij de hoorn tegen zijn oor. Bedoelde ze werkelijk dat ze nog een keer naar de gevangenis wilde gaan om met Skip te praten? En dat ze zijn moeder en Beth Taylor er ook bij wilde hebben? 'Halleluja!' zei hij hardop.

Hij greep Justin vast, het neefje dat was gestuurd om hem op te halen, en liep stoeiend met hem naar de eetkamer. Hij wist dat zijn moeder daar ongeduldig zat te wachten tot iedereen op zijn plaats zat, zodat ze samen konden bidden.

Toen zijn vader het tafelgebed beëindigd had, voegde zijn moeder eraan toe: 'En we zijn heel dankbaar dat we Marian, Don en de tweeling hier bij ons hebben.'

'Moeder, we wonen toch niet op de Noordpool,' protesteerde Marian met een knipoog naar Geoff. 'Boston ligt maar drie-en-half uur rijden hiervandaan.'

'Als je moeder haar zin kreeg, zouden we samen in een commune wonen,' zei zijn vader met een geamuseerde glimlach. 'Dan kon ze jullie allemaal in de gaten houden.'

'Jullie mogen me best uitlachen,' zei zijn moeder, 'Maar ik geniet ervan mijn hele gezin bij elkaar te hebben. Ik vind het heerlijk dat drie van mijn dochters zo gelukkig getrouwd zijn en dat Vickey zo'n aardige vriend als Kevin heeft.'

Geoff zag haar stralend naar hen glimlachen.
'Nu moet ik alleen nog wachten tot onze enige zoon een geschikt meisje vindt en dan...' Ze maakte haar zin niet af en iedereen keek goedmoedig glimlachend naar Geoff.
Geoff trok een gezicht en glimlachte toen terug. Hij hield zich voor dat zijn moeder, als ze niet haar stokpaardje bereed, een heel interessante vrouw was die twintig jaar lang middeleeuwse geschiedenis op de Drew-universiteit had gedoceerd. Hij had in feite de naam Geoffrey gekregen vanwege haar grote bewondering voor Chaucer.
Tussen twee gangen liep Geoff snel terug naar de studeerkamer om Kerry te bellen. Het deed hem plezier te merken dat ze blij was zijn stem te horen.
'Kerry, zou je morgen naar Skip toe kunnen gaan? Ik weet zeker dat zijn moeder en Beth alles opzij zullen zetten om erbij te kunnen zijn.'
'Dat zou ik wel willen, Geoff, maar ik weet niet of dat gaat. Ik word doodnerveus als ik Robin ergens moet achterlaten, zelfs bij Cassie. De kinderen spelen altijd buiten en hun huis ligt heel open op een hoek.'
Geoff wist pas dat hij een oplossing gevonden had toen hij zichzelf hoorde zeggen: 'Dan heb ik een beter idee. Ik kom jullie allebei ophalen en dan laten we Robin bij mijn familie achter. Mijn zusje is hier met haar man en kinderen, en daarom zullen de andere kleinkinderen ook langskomen. Robin zal een heleboel gezelschap hebben. Als dat nog niet genoeg is, kan ik je vertellen dat mijn zwager officier bij de staatspolitie van Massachusetts is. Ik verzeker je dat ze hier veilig zal zijn.'

Zaterdag, 4 november

70

Jason Arnott deed de hele nacht bijna geen oog dicht. Hij lag te piekeren wat hij moest doen met het telefoontje van assistent-aanklager Kerry McGrath, ook al had ze er zorgvuldig bij gezegd dat het onofficieel was.

's Morgens om zeven uur had hij een beslissing genomen. Hij zou haar terugbellen en haar beleefd doch gereserveerd meedelen dat hij haar met alle plezier wilde ontmoeten, maar dat hij niet veel tijd had. Als verontschuldiging zou hij aanvoeren dat hij op het punt stond op zakenreis te gaan.

Naar de Catskills, beloofde Jason zichzelf. Daar ga ik een poosje onderduiken. Niemand zal me daar vinden. Intussen zal dit allemaal overwaaien. Maar ik mag er niet uitzien alsof ik me ergens zorgen over maak.

Nu hij er niet verder over hoefde na te denken, viel hij eindelijk in een diepe slaap, de soort slaap waarin hij altijd wegzonk nadat hij een van zijn strooptochten met succes had volbracht en weer veilig thuis was gekomen.

Toen hij om halftien wakker werd, belde hij Kerry McGrath meteen. Ze nam direct op. Er viel een pak van zijn hart toen hij meende de oprechte dankbaarheid in haar stem te horen.

'Meneer Arnott, ik waardeer het erg dat u me terugbelt. Ik verzeker u dat het onofficieel is,' zei ze. 'Uw naam werd genoemd omdat u jaren geleden zowel vriend als adviseur op antiekgebied van Suzanne Reardon bent geweest. Die rechtszaak is weer ter sprake gekomen en ik zou graag uw mening willen horen over haar relatie met haar vader, dokter Charles Smith. Ik beloof u dat ik maar heel even beslag op uw tijd zal leggen.'

Ze meende het. Jason wist onmiddellijk of iemand oprecht was of niet. Het was een van de dingen die hij zichzelf had aangeleerd. En zij klonk oprecht. Het zou hem geen moeite kosten over Suzanne

te praten, zei hij tegen zichzelf. Hij had vaak op dezelfde manier met haar gewinkeld als gisteren met Vera Shelby Todd. Ze was heel vaak op zijn feestjes geweest, maar dat waren tientallen andere mensen ook. Daar kon niemand iets van zeggen.
Jason stemde welwillend in met Kerry's verzoek of ze, omdat ze om één uur werd afgehaald en het daarom erg op prijs zou stellen, binnen het uur even bij hem langs kon komen.

71

Kerry besloot Robin mee te nemen naar Jason Arnott. Ze wist dat Robin erg geschrokken was toen ze haar de vorige avond met Bob had zien worstelen om die kopie van dat briefje van Haskell. De rit naar Alpine zou hun tweemaal een halfuur geven om rustig te praten. Ze gaf zichzelf de schuld van die scène met Bob. Ze had moeten beseffen dat hij er niet over zou denken haar dat briefje te laten houden. Maar ze wist in ieder geval wat erin stond. Ze had het net zo neergekrabbeld als het er had gestaan, zodat ze het straks aan Geoff kon laten zien.
Het was een koele, zonnige dag. Echt een dag om de geest op te frissen, vond ze. Nu ze wist dat ze zich serieus in de zaak-Reardon moest verdiepen en die tot een goed einde moest brengen, was ze vastbesloten dat zo gauw mogelijk te doen.
Robin had er meteen in toegestemd met haar mee te gaan, hoewel ze had gezegd dat ze tegen het middaguur terug wilde zijn. Ze wilde Cassie vragen om te komen lunchen.
Kerry vertelde haar van het plan om haar bij Geoffs familie achter te laten, terwijl zij voor haar werk naar Trenton ging.
'Omdat je bezorgd over me bent,' zei Robin kalm.
'Ja,' gaf Kerry toe. 'Ik laat je alleen daar achter waar ik weet dat je veilig bent en dat ben je bij de Dorso's. Nadat ik je maandag naar school heb gebracht, zal ik er met Frank Green over praten. Rob, als we bij meneer Arnott zijn, wil ik graag dat je met me mee naar binnen gaat. Maar ik moet onder vier ogen met hem praten, dus heb je een boek bij je?'

'Uh-huh. Ik vraag me af hoeveel nichtjes en neefjes van Geoff er vandaag zullen zijn. Even denken. Hij heeft vier zusters. De jongste is ongetrouwd. Degene die op Geoff volgt, heeft drie kinderen: een jongen van negen – hij is bijna net zo oud als ik – een meisje van zeven en een jongetje van vier. Het daaropvolgende zusje heeft vier kinderen, maar die zijn nog vrij klein. Ik geloof dat de oudste zes is. En dan komt degene met de tweejarige tweeling.'
'Mijn hemel, Rob, hoe Weet je dat allemaal?' vroeg Kerry.
'Dat heeft Geoff verteld toen hij bij ons at. Jij zat er heel verstrooid bij, ik zag dat je niet luisterde. Nou ja, het lijkt me best leuk daar. Hij zegt dat zijn moeder goed kan koken.'
Toen ze Closter verlieten en Alpine binnenreden, keek Kerry naar haar aantekeningen. 'Het is nu niet zo ver meer.'
Vijf minuten later reden ze over een bochtige weg omhoog naar het in Europese stijl gebouwde landhuis van Jason Arnott. De felle zon wierp speelse schaduwen op het gebouw, dat een adembenemende combinatie was van ruwe steen, pleisterwerk, baksteen en hout, met hoge glas-in-loodramen.
'Jeetje,' zei Robin.
'Kun je nagaan hoe bescheiden wij wonen,' stemde Kerry in terwijl ze op de halfronde oprit parkeerde.
Jason Arnott opende de deur nog voordat ze de bel hadden gevonden. Zijn begroeting was vriendelijk. 'Mevrouw McGrath. En uw assistente, neem ik aan?'
'Ik heb u gezegd dat het een onofficieel bezoek zou worden, meneer Arnott,' zei Kerry. Ze stelde Robin aan hem voor. 'Misschien kan ze hier even wachten, terwijl wij praten.' Ze wees op een stoel naast een levensgroot bronzen beeld van twee vechtende ridders.
'O nee, ze kan veel beter in de kleine studeerkamer gaan zitten.' Arnott gebaarde naar een kamer aan de linkerkant van de hal. 'U en ik kunnen naar de bibliotheek gaan, die ligt aan de andere kant van de studeerkamer.'
Het lijkt hier wel een museum, dacht Kerry terwijl ze Arnott volgde. Ze had graag op haar gemak de prachtige wandbekleding willen bekijken, de mooie meubels, de schilderijen, het hele harmoni-

euze interieur. Niet afdwalen, waarschuwde ze zichzelf. Je hebt beloofd dat het maar een halfuurtje zou duren.
Toen ze tegenover elkaar zaten op fraaie Marokkaans leren stoelen zei ze: 'Meneer Arnott, Robin heeft een paar weken geleden haar gezicht verwond bij een auto-ongeluk. Ze is toen behandeld door dokter Charles Smith.'
Arnott trok zijn wenkbrauwen op. 'De dokter Charles Smith die de vader was van Suzanne Reardon?'
'Juist. Bij Robins twee volgende controles heb ik een patiënte in zijn wachtkamer gezien die verbazingwekkend veel op Suzanne Reardon leek.'
Arnott staarde haar aan. 'Dat was toeval, hoop ik. U bedoelt toch niet dat hij Suzanne opzettelijk namaakt?'
'Een interessante woordkeus, meneer Arnott. Zoals ik u door de telefoon al gezegd heb, ben ik gekomen omdat ik graag iets meer van Suzanne wil weten. Ik moet weten wat haar werkelijke relatie met haar vader was en ook die met haar man, voor zover u dat kon beoordelen.'
Arnott leunde achterover, keek naar het plafond en vouwde zijn handen onder zijn kin.
Wat een geaffecteerde houding, dacht Kerry. Hij wil indruk op me maken. Ik vraag me af waarom.
'Ik zal beginnen met u te vertellen hoe ik haar heb ontmoet. Dat zal nu zo ongeveer twaalf jaar geleden zijn geweest. Ze stond op een dag gewoon voor de deur. Ik kan u wel vertellen dat het een bijzonder mooi vrouwtje was. Ze stelde zich voor en legde uit dat zij en haar man in de buurt een huis lieten bouwen. Ze wilde het inrichten met antiek en had gehoord dat ik wel eens met vrienden meeging om ze op veilingen wegwijs te maken.'
'Ik heb gezegd dat dat waar was, maar dat ik mezelf niet als binnenhuisarchitect beschouwde. En dat ik ook niet als officieel adviseur gezien wilde worden.'
'Laat u zich voor uw diensten betalen?'
'In het begin deed ik dat niet. Maar ik begon me te realiseren dat ik het heel plezierig vond om aardige mensen bij dat soort uitstapjes te vergezellen. Ik behoedde ze voor miskopen en hielp ze om kostbare

voorwerpen tegen een redelijke prijs aan te schaffen. Toen ben ik een eerlijke provisie gaan berekenen. In het begin had ik niet de minste belangstelling voor Suzanne. Ze was nogal dominant, ziet u.'
'Maar u hebt haar toch beter leren kennen?'
Arnott haalde zijn schouders op. 'Mevrouw McGrath, als Suzanne iets wilde, gebeurde dat ook. Toen het tot haar doordrong dat ze me alleen maar irriteerde met dat overdreven geflirt, gooide ze het over een andere boeg. Ze kon heel amusant zijn. Uiteindelijk werden we heel goede vrienden. Ik mis haar eigenlijk nog steeds. Ze was een grote aanwinst voor mijn feestjes.'
'Kwam Skip dan met haar mee?'
'Zelden. Hij verveelde zich en om eerlijk te zijn vonden mijn vrienden hem niet *simpatico*. Maar u moet me niet verkeerd begrijpen. Hij was een welgemanierde, intelligente jongeman, maar hij was anders dan de meeste mensen met wie ik omga. Hij was de soort man die vroeg opstond, hard werkte en geen belangstelling had voor gezellig gekout. Dat zei hij op een avond ook hardop tegen Suzanne toen hij haar hier achterliet en naar huis ging.'
'Had ze toen haar eigen auto bij zich?'
Arnott glimlachte. 'Suzanne kon altijd wel met iemand meerijden.'
'Hoe zag u de verhouding tussen Suzanne en Skip?'
'Afbrokkelend. Ik kende ze tijdens de laatste twee jaar van hun huwelijk. In het begin leek het of ze elkaar graag mochten, maar ten slotte werd het duidelijk dat hij haar verveelde. Op het laatst deden ze nauwelijks meer iets samen.'
'Dokter Smith heeft gezegd dat Skip razend jaloers op Suzanne was en haar bedreigde.'
'Als dat zo was, liet Suzanne het niet merken.'
'Hoe goed kende u dokter Smith?'
'Net zo goed als haar andere vrienden, denk ik. Als ik met Suzanne naar New York ging op de dag dat zijn praktijk was gesloten, was hij regelmatig van de partij. Maar uiteindelijk leek het of ze genoeg kreeg van zijn attenties. Soms maakte ze opmerkingen als: "Had ik hem maar niet moeten zeggen dat we vandaag hiernaartoe zouden gaan."'
'Liet ze hem merken dat hij haar irriteerde?'

'Zoals ze er geen doekjes om wond dat Skip haar niet meer interesseerde, liet ze dokter Smith ook duidelijk merken dat ze genoeg van hem had.'

'Wist u dat ze door haar moeder en stiefvader grootgebracht was?'

'Ja. Ze heeft me verteld dat ze een ellendige jeugd had gehad. Haar stiefzusjes waren jaloers op haar uiterlijk. Ze heeft eens gezegd dat haar leven soms op dat van Assepoester had geleken.'

Dat beantwoordt mijn volgende vraag dan al, dacht Kerry. Het was duidelijk dat Suzanne nooit tegen Arnott had gezegd dat ze het lelijke zusje genaamd Susie was geweest.

Plotseling kwam er een andere vraag bij haar op. 'Hoe noemde ze dokter Smith eigenlijk?'

Arnott dacht even na. 'Dokter of Charles,' zei hij toen.

'Niet vader.'

'Nooit. Tenminste niet voor zover ik het me kan herinneren.' Arnott keek nadrukkelijk op zijn horloge.

'Ik weet dat ik u heb beloofd niet te veel van uw tijd in beslag te nemen. Maar ik moet nog één ding weten. Had Suzanne een verhouding met een andere man? Om een naam te noemen: was die man Jimmy Weeks?'

Arnott nam de tijd voordat hij antwoordde: 'Ik heb haar hier in deze kamer aan Jimmy Weeks voorgesteld. Dat was de enige keer dat hij hier was. Ze mochten elkaar erg graag. U weet misschien dat Weeks een figuur is die macht uitstraalt en daar voelde Suzanne zich meteen toe aangetrokken. En Jimmy was natuurlijk altijd al dol op mooie vrouwen. Suzanne schepte erover op dat hij zich na hun ontmoeting veel vaker op de Palisades Country Club vertoonde, waar ze veel tijd doorbracht. Volgens mij was Jimmy daar ook lid van.'

Kerry dacht aan de verklaring van de caddie toen ze vroeg: 'Vond ze dat leuk?'

'O ja, heel leuk. Maar ik geloof niet dat ze dat aan Jimmy liet merken. Ze wist dat hij een paar vriendinnen had en ze maakte hem graag jaloers. Herinnert u zich een van die eerste scènes in *Gejaagd door de wind*, waarin Scarlett de vriendjes van de andere meisjes afpikt?'

'Ja, die herinner ik me wel.'

'Zo was Suzanne ook. Je zou denken dat ze daar inmiddels te oud voor was. Meestal halen tieners zulke streken uit, nietwaar? Maar Suzanne kon geen man met rust laten. Daarom was ze onder vrouwen ook niet bepaald geliefd.'
'Wat vond dokter Smith van al dat geflirt?'
'Het maakte hem woedend. Als het mogelijk was geweest, had hij volgens mij het liefst een hek om haar heen gezet om de mensen bij haar weg te houden. Net zoals musea hun kostbaarste voorwerpen beschermen.'
Precies in de roos, dacht Kerry. Ze dacht aan Deirdre Reardons beschrijving van de relatie tussen dokter Smith en Suzanne. Hij behandelde haar als een voorwerp. 'Als u gelijk hebt, meneer Arnott, is dat dan geen reden waarom dokter Smith een hekel aan Skip Reardon zou kunnen hebben?'
'Een hekel? Volgens mij is het veel erger. Volgens mij haat hij hem.'
'Meneer Arnott, kwam het wel eens bij u op dat Suzanne misschien juwelen kreeg van andere mannen dan haar echtgenoot en haar vader?'
'Als dat zo was, wist ik er niets van. Ik weet wel dat Suzanne een aantal schitterende sieraden had. Skip gaf haar altijd iets moois voor haar verjaardag en met Kerstmis, maar alleen dingen die ze zelf had uitgezocht. Ze had ook een aantal unieke oude sieraden van Cartier, die ze volgens mij van haar vader had gekregen.'
Dat zei hij tenminste, dacht Kerry. Ze stond op. 'Meneer Arnott, gelooft u dat Skip Reardon Suzanne heeft vermoord?'
Hij kwam overeind. 'Mevrouw McGrath, ik beschouw mezelf als een expert op het gebied van antieke kunst en meubelen maar ik ben minder goed in het beoordelen van mensen. Is het niet waar dat liefde en geld de belangrijkste redenen zijn om te doden? Ik vind het spijtig te moeten constateren dat in dit geval beide redenen op Skip schijnen te slaan. Bent u het niet met me eens?'

Jason stond voor het raam en zag Kerry's auto de oprit afrijden. Hij dacht terug aan hun korte gesprek en was van mening dat hij genoeg in detail was getreden om een behulpzame indruk te maken.

Hij was echter ook vaag genoeg gebleven om haar, net zomin als de aanklager en de verdediger tien jaar geleden, aanleiding te geven hem een tweede keer te komen ondervragen.
Geloof ik dat Skip Reardon Suzanne heeft vermoord? Nee, dat geloof ik niet, mevrouw McGrath, dacht hij. Ik denk dat Skip, net als veel te veel andere mannen, misschien wel in staat was zijn vrouw te vermoorden maar op die avond is een ander hem voor geweest.

72

Skip Reardon had het gevoel dat hij een van de ergste weken van zijn leven doormaakte. Na de mededeling dat hij niet meer in beroep kon gaan, was de scepsis in de ogen van assistent-aanklager Kerry McGrath de laatste druppel geweest.
Het was alsof hij zonder ophouden een Grieks koor in zijn hoofd hoorde galmen: 'Nog twintig jaar voordat je zelfs maar een kans op vervroegde vrijlating krijgt.' Steeds weer dezelfde woorden. In plaats van 's avonds te lezen of televisie te kijken, had Skip de hele week naar de ingelijste foto's aan de muren van zijn cel zitten staren.
De meeste waren van Beth en zijn moeder. Een aantal was van zeventien jaar geleden, toen hij drieëntwintig was en Beth pas had leren kennen. Zij was net aan haar eerste baan in het onderwijs begonnen en hij had vlak daarvoor de Reardon Bouwmaatschappij opgericht.
In de tien jaar van zijn gevangenschap had Skip vele uren naar die foto's zitten staren en zich afgevraagd hoe alles zo fout had kunnen lopen. Als hij die avond Suzanne niet had ontmoet, waren hij en Beth inmiddels een jaar of vijftien getrouwd geweest. Dan hadden ze waarschijnlijk een stuk of twee, drie kinderen gehad. Hoe zou het zijn om een zoon of dochter te hebben, vroeg hij zich af.
Hij zou een huis voor Beth hebben gebouwd dat ze samen zouden hebben ontworpen – heel anders dan dat krankzinnige, moderne bedenksel van de een of andere architect dat Suzanne had willen hebben en waaraan hij een ontzettende hekel had gekregen.

Al die jaren in de gevangenis was hij overeind gebleven door de wetenschap dat hij onschuldig was, zijn vertrouwen in het Amerikaanse rechtssysteem en het geloof dat de nachtmerrie op zekere dag voorbij zou zijn. In zijn verbeelding beaamde het hof van beroep dat dokter Smith een leugenaar was en zag hij voor zijn geestesoog hoe Geoff in de gevangenis naar hem toe zou komen en zou zeggen: 'Kom mee, Skip, je bent vrij.'

Volgens de regels van de gevangenis mocht Skip op kosten van de ontvanger tweemaal per dag iemand opbellen. Gewoonlijk belde hij zowel zijn moeder als Beth twee keer per week. Minstens een van beiden kwam hem op zaterdag of zondag altijd opzoeken.

Deze week had Skip geen van beiden opgebeld. Hij had een beslissing genomen. Hij wilde Beth niet meer zien. Ze moest haar eigen leven gaan leiden. Ze zou dit jaar veertig worden, had hij geredeneerd. Ze moest een andere man ontmoeten, trouwen en kinderen krijgen. Ze was dol op kinderen. Daarom had ze eerst voor een baan in het onderwijs gekozen en was daarna kinderpsychologie gaan studeren.

Skip had nog iets anders besloten. Hij zou geen tijd meer verspillen met het ontwerpen van kamers en huizen in de hoop dat iemand die ooit nog eens zou bouwen. Tegen de tijd dat hij uit de gevangenis kwam – als hij er ooit uitkwam – zou hij in de zestig zijn. Dat was te laat om opnieuw te beginnen. Bovendien zou het dan niemand meer iets kunnen schelen.

Toen Skip zaterdagmorgen werd verteld dat zijn advocaat aan de lijn was, nam hij de telefoon aan met de bedoeling Geoff te zeggen dat hij hem ook maar moest vergeten. Hij moest zich maar met andere zaken gaan bezighouden. Skip werd dan ook boos toen hij hoorde dat Kerry, zijn moeder en Beth hem zouden komen bezoeken.

'Wat wil McGrath eigenlijk, Geoff?' vroeg hij. 'Mijn moeder en Beth precies laten zien waarom ze hun tijd verdoen met te proberen me hieruit te krijgen? Aantonen dat ieder argument vóór mij eigenlijk het omgekeerde is? Zeg maar tegen McGrath dat ik die praatjes niet meer hoef te horen. De rechtbank heeft me daar al uitentreuren van overtuigd.'

'Zeur niet zo, Skip,' zei Geoff beslist. 'Kerry's belangstelling voor jou en deze zaak bezorgt haar al meer dan genoeg ellende. Ze heeft zelfs een dreigement ontvangen dat er iets met haar tienjarige dochter kan gebeuren als ze zich niet terugtrekt.'
'Een dreigement? Van wie?' Skip keek naar de hoorn in zijn hand alsof het opeens een vreemd voorwerp was geworden. Hij kon zich nauwelijks voorstellen dat de dochter van Kerry McGrath vanwege hem bedreigd werd.
'Niet alleen van wie maar ook waarom. We weten zeker dat Jimmy Weeks erachter steekt. De reden is dat hij op de een of andere manier bang is dat het onderzoek heropend wordt. Nou moet je eens goed luisteren. Kerry wil deze hele zaak tot op de bodem met je uitpluizen en ook met je moeder en Beth. Ze heeft jullie een heleboel vragen te stellen en ook heel wat te vertellen over dokter Smith. Ik hoef je er niet aan te herinneren waar je dank zij zijn getuigenverklaring bent beland. We komen op het laatste bezoekuur, dus werk alsjeblieft mee. Dit is de grootste kans die we ooit hebben gehad om je vrij te krijgen. Het zou ook wel eens de laatste kunnen zijn.'
Skip hoorde de klik in zijn oor. Een bewaker bracht hem terug naar zijn cel. Hij ging op zijn bed zitten en begroef zijn gezicht in zijn handen. Tegen zijn wil was het sprankje hoop dat hij zo succesvol meende te hebben gedoofd weer tot leven gekomen en vlamde nu door zijn hele lichaam.

73

Geoff haalde Kerry en Robin om één uur af. Toen ze in Essex Fells aankwamen, nam hij hen mee naar binnen en stelde hen aan iedereen voor. Hij had de volwassenen de vorige avond aan het eind van de maaltijd uitgelegd waarom hij Robin bij hen achter zou laten.
Zijn moeder had onmiddellijk aangevoeld dat de vrouw die Geoff steeds 'Robins moeder' bleef noemen waarschijnlijk veel voor haar zoon betekende.
'Natuurlijk moetje Robin morgenmiddag hier brengen,' had ze ge-

zegd. 'Het arme kind, wat vreselijk dat iemand haar iets wil aandoen. Geoff, als jij en haar moeder – ze heet toch Kerry, zei je? – terug zijn uit Trenton moeten jullie hier blijven eten, hoor.'
Geoff wist dat zijn vage 'we zullen wel zien' geen enkele indruk maakte. De kans is groot dat we, tenzij er iets onverwachts gebeurt, hierbij mijn moeder aan tafel zullen zitten, zei hij tegen zichzelf.
Hij zag onmiddellijk de goedkeuring in de ogen van zijn moeder toen ze Kerry opnam. Kerry droeg een camel jas met ceintuur over een bijpassende broek. Een jagersgroene trui met een col accentueerde de groene tinten in haar bruingroene ogen. Haar haar hing los over haar kraag. Haar enige make-up behalve lipgloss leek een beetje oogschaduw te zijn.
Vervolgens merkte hij dat Kerry's oprechte, maar niet overdreven dankbaarheid voor het feit dat Robin mocht blijven zijn moeder ook beviel. Moeder heeft er altijd nadrukkelijk op gewezen dat we op een mooie, duidelijke toon moesten spreken, dacht hij.
Robin was dolblij toen ze hoorde dat alle negen kleinkinderen wel ergens in het huis rondliepen. 'Don neemt jou en de twee oudsten mee naar Sports World,' zei mevrouw Dorso tegen haar.
Kerry schudde haar hoofd en mompelde: 'Ik weet niet...'
'Don is de zwager die officier is bij de staatspolitie van Massachusetts: zei Geoff zacht. 'Hij zal die kinderen geen minuut uit het oog verliezen.'
Robin liet duidelijk merken dat ze zich op een leuke middag verheugde. Ze keek naar de tweejarige tweeling die, achternagezeten door hun vierjarige nichtje, langs hen heen sprintte. 'Het lijkt hier wel een soort kleine-kinderspitsuur: merkte ze vrolijk op. 'Tot straks, mam.'

In de auto leunde Kerry achterover en zuchtte diep.
'Je maakt je toch geen zorgen, hè?' vroeg Geoff snel.
'Nee, helemaal niet. Het was een zucht van opluchting. Zo, nu zal ik je op de hoogte brengen van wat je nog niet weet.'
'En dat is?'
'Suzannes kinderjaren en hoe ze er in die tijd uitzag. Het gedrag van dokter Smith tegenover een van de patiënten die hij Suzannes

gezicht heeft gegeven. Het verhaal dat ik vanmorgen van Jason Arnott heb gehoord.'

Deirdre Reardon en Beth Taylor zaten al in de wachtkamer van de gevangenis te wachten. Nadat Geoff en Kerry zich hadden laten registreren, liepen ze naar hen toe en stelde Geoff Kerry en Beth aan elkaar voor.

Terwijl ze zaten te wachten tot ze werden opgeroepen, hield Kerry het gesprek met opzet onpersoonlijk. Ze wist wat ze in het bijzijn van Skip wilde bespreken, maar ze wilde er nog niet over beginnen. Ze wilde de spontaniteit niet verliezen die zou ontstaan als ze elkaar naar aanleiding van haar vragen allerlei dingen in herinnering zouden brengen. Ze had begrip voor de terughoudendheid van mevrouw Reardon en richtte zich op Beth, die ze meteen mocht. Klokslag drie uur werden ze naar het vertrek gebracht waar de gevangenen hun familie en vrienden zonder belemmering mochten ontvangen. Het was drukker dan tijdens Kerry's vorige bezoek, nu een week geleden. Ontmoedigd besefte Kerry dat het misschien beter was geweest een privékamer aan te vragen, die beschikbaar werd gesteld als de aanklager en de verdediger samen een gevangene wilden spreken. Maar dan zou ze te boek hebben gestaan als een assistent-aanklager van Bergen County die een veroordeelde moordenaar wenste te bezoeken en daar was ze nog steeds niet aan toe.

Ze wisten echter een hoektafel te bemachtigen, die hen enigszins afschermde van het achtergrondlawaai. Toen Skip werd binnengeleid, sprongen Deirdre Reardon en Beth allebei overeind. Nadat de bewaker Skips handboeien had afgedaan, bleef Beth wachten tot Deirdre haar zoon had omhelsd.

Kerry zag hoe Skip en Beth elkaar daarna aankeken. De uitdrukking op hun gezicht en de terughoudendheid van hun kus zeiden meer over hun relatie dan de heftigste, meest demonstratieve omhelzing had kunnen doen. Op dat moment herleefde Kerry het ogenblik in de rechtszaal waarop ze de uitdrukking van diepe ellende op het gezicht van Skip Reardon had gezien toen hij tot dertig jaar gevangenisstraf werd veroordeeld en ze zijn hartverscheurende pro-

test had gehoord dat dokter Smith een leugenaar was. Terwijl ze eraan terugdacht besefte ze dat ze, ondanks het feit dat ze toen maar heel weinig van de zaak af wist, toch de klank van waarheid in Skip Reardons stem had gehoord.
Ze had een gele blocnote bij zich waarop ze een reeks vragen had geschreven, met daaronder ruimte voor de antwoorden. Ze deelde hun in het kort mee waarom ze ertoe was gekomen dit tweede bezoek af te leggen: het verhaal van Dolly Bowles over de Mercedes op de avond dat Suzanne stierf, het feit dat Suzanne in haar jeugd een heel onopvallend meisje was geweest, de bizarre manier waarop dokter Smith sommige van zijn patiënten Suzannes gezicht gaf, de aantrekkingskracht van Barbara Tompkins voor Smith, het feit dat de naam Jimmy Weeks in het onderzoek naar voren was gekomen en ten slotte de bedreiging van Robin.
Kerry had er bewondering voor dat de drie betrokkenen na hun eerste schok bij het aanhoren van haar redenen geen tijd verspilden door er met elkaar over in discussie te gaan. Beth Taylor pakte Skips hand vast en vroeg: 'Wat kunnen we nu doen?'
'Ik wil graag beginnen met de lucht te klaren door te zeggen dat ik nu serieuze twijfel koester over Skips schuld. Als we feiten ontdekken die ik verwacht te zullen vinden, zal ik mijn uiterste best doen Geoff te helpen het vonnis gewijzigd te krijgen. Ik wil als volgt te werk gaan,' zei Kerry. 'Skip, een week geleden nam je na ons gesprek aan dat ik je niet geloofde. Dat was niet juist. Ik was er alleen van overtuigd dat alles wat ik had gehoord op twee manieren kon worden uitgelegd: voor of tegen je. Maar er was niets bij dat reden zou kunnen zijn voor een nieuw beroep. Waar of niet, Geoff?'
Geoff knikte.
'De getuigenverklaring van dokter Smith is de voornaamste reden voor je veroordeling, Skip. We willen nu die verklaring proberen te ontzenuwen. De enige manier waarop we dat volgens mij kunnen doen, is door hem te confronteren met een aantal van zijn leugens.'
Ze wachtte niet op een eventuele reactie. 'Het antwoord op de eerste vraag die ik van plan was te stellen, heb ik al gekregen. Suzanne

heeft nooit tegen je gezegd dat ze plastische chirurgie had ondergaan. Laten we tussen twee haakjes de formaliteiten vergeten: ik heet Kerry.'
De resterende vijf kwartier vuurde ze vragen op hen af. 'Om te beginnen Skip, heeft Suzanne ooit de naam Jimmy Weeks genoemd?'
'Alleen terloops,' zei hij. 'Ik wist dat hij ook lid van de club was en dat ze soms in een viertal met hem speelde. Ze gaf altijd hoog op van haar golfspel. Maar toen ze merkte dat ik haar ervan verdacht een vriend te hebben, noemde ze alleen nog maar de namen van de vrouwen met wie ze speelde.'
'Is Weeks niet die man die voor belastingontduiking terechtstaat?' vroeg Deirdre Reardon.
Kerry knikte.
'Dat is ongelooflijk! Ik vond het nog wel zo afschuwelijk voor hem dat de regering hem op die manier lastigvalt. Ik was vorig jaar vrijwilliger bij de geldinzameling voor het kankerfonds en hij gaf ons toen toestemming die op zijn landgoed in Peapack te houden. Hij heeft alles gefinancierd en ons nog een enorme gift gegeven ook. En nu vertel jij me dat hij een verhouding met Suzanne had en je dochtertje bedreigt.'
'Jimmy Weeks heeft er goed voor gezorgd dat hij in het openbaar als een prima kerel bekendstaat,' zei Kerry. 'Je bent niet de enige die vindt dat de regering het hem te lastig maakt. Maar het tegendeel is waar, dat kan ik je verzekeren.' Ze wendde zich tot Skip. 'Beschrijf die juwelen eens die Suzanne volgens jou van een ander gekregen had.'
'Een ervan was een gouden armband met alle tekens van de dierenriem behalve de Steenbok er in zilver ingegraveerd. De Steenbok stond met diamanten bezet in het midden. Suzanne was een Steenbok. Hij zag er heel duur uit. Toen ik er haar naar vroeg, zei ze dat ze hem van haar vader had gekregen. Toen ik Charles daarna sprak, heb ik hem voor zijn vrijgevigheid bedankt en zoals ik al had verwacht, had hij geen flauw idee waarover ik het had.'
'Zoiets kunnen we misschien ergens terugvinden. Om te beginnen kunnen we juweliers in New Jersey en Manhattan een briefje sturen,' zei Kerry. 'Het zal je verbazen hoevelen van hen een sieraad

kunnen identificeren dat ze jaren geleden hebben verkocht, of iemands stijl herkennen als het een uniek ontwerp is.'
Vervolgens beschreef Skip een met smaragden en diamanten bezette ring in de vorm van een trouwring. De edelstenen waren om en om in een fijne roodgouden band gezet.
'En die had ze volgens haar ook van haar vader gekregen?'
'Ja. Ze zei dat hij de jaren dat hij haar niets had gegeven wilde inhalen en dat sommige dingen familiestukken van zijn moeder waren. Dat klonk geloofwaardiger. Ze had ook een broche in de vorm van een bloem die er erg oud uitzag.'
'Die herinner ik me,' zei Deirdre Reardon. 'Er zat nog een kleine broche in de vorm van een knop aan vast met een zilveren kettinkje. Ik heb nog steeds een krantenfoto uit een van de plaatselijke bladen van Suzanne die die broche op het een of andere liefdadigheidsfeest draagt. En Suzanne droeg ook zo'n erfstukachtige diamanten armband toen ze stierf, Skip.'
'Waar lagen Suzannes juwelen die avond?' vroeg Kerry.
'Behalve dat wat ze droeg, lag alles in haar juwelenkistje op haar toilettafel,' zei Skip. 'Ze had eigenlijk alles in haar kleedkamer moeten wegsluiten, maar daar nam ze meestal niet de moeite voor.'
'Skip, je hebt in je getuigenverklaring gezegd dat er die avond een aantal voorwerpen uit je slaapkamer werd vermist.'
'Van twee dingen weet ik het zeker. Een daarvan was de bloembroche. Het probleem is dat ik er geen eed op kan doen dat hij die dag in het juwelenkistje lag. Maar ik kan er wel een eed op doen dat een miniatuurlijstje van het nachtkastje verdwenen was.'
'Beschrijf het eens,' zei Kerry.
'Laat mij dat maar doen, Skip,' onderbrak Deirdre Reardon hen. 'Want dat lijstje was bijzonder mooi, Kerry. Men zei dat het was gemaakt door een assistent van de juwelier Fabergé. Mijn man zat na de oorlog in het bezettingsleger en had het in Duitsland gekocht. Het was een blauw email ovaal met een gouden rand ingezet met parels. Het was mijn huwelijkscadeau aan Skip en Suzanne.'
'Suzanne had er een fototje van haarzelf in gedaan,' voegde Skip eraan toe.
Kerry zag dat de bewaker bij de deur op de klok aan de muur keek.

'We hebben nog maar een paar minuten,' zei ze haastig. 'Wanneer heb je dat lijstje voor het laatst gezien, Skip?'
'Die laatste morgen toen ik me aankleedde, stond het er nog. Dat weet ik nog heel goed omdat ik er naar keek toen ik de spullen uit de zakken van mijn ene pak in die van mijn andere deed. Toen de politie me die avond voor een verhoor wilde meenemen naar het bureau liep een van hen met me mee naar de slaapkamer om een trui te halen. Het lijstje stond er toen niet meer.'
'Als Suzanne een verhouding had met een andere man, zou ze die foto dan die dag aan hem hebben kunnen geven?'
'Nee. Het was een van haar mooiste foto's en ze keek er graag naar. Bovendien geloof ik niet dat zelfs zij het lef zou hebben gehad mijn moeders huwelijkscadeau weg te geven.'
'En het is nooit meer tevoorschijn gekomen?' vroeg Kerry.
'Nooit. Maar toen ik probeerde te zeggen dat het misschien was gestolen, zei de aanklager dat een dief dan ongetwijfeld alle juwelen zou hebben meegenomen.'
De bel gaf het einde van het bezoekuur aan. Toen Skip opstond, legde hij een arm om de schouders van zijn moeder en een om Beth en trok hen naar zich toe. Over hun hoofden heen keek hij naar Kerry en Geoff. Zijn glimlach deed hem tien jaar jonger lijken. 'Kerry, als jij me hier weg kunt krijgen, zal ik een huis voor je bouwen waar je nooit meer uit wilt.' Toen begon hij te lachen. 'Mijn god,' zei hij, 'ik kan nauwelijks geloven dat ik zoiets hier heb durven zeggen.'

Aan de andere kant van het vertrek zat gevangene Will Toth met zijn vriendin, maar zijn grootste aandacht ging uit naar het groepje mensen rond Skip Reardon. Hij had Skips moeder, zijn advocaat en zijn vriendin al veel vaker gezien. Maar vorige week had hij Kerry McGrath herkend. Hij zou haar overal hebben herkend: McGrath was er de oorzaak van dat hij de komende vijftien jaar in dit verdomde rotoord zou moeten doorbrengen. Zij was de aanklager in zijn proces geweest. Het was hem vandaag opgevallen dat ze goede maatjes met Reardon was, ze had alles opgeschreven wat hij tegen haar had gezegd.

Toen het sein werd gegeven dat het bezoekuur voorbij was, stonden Will en zijn vriendin op. Hij kuste haar ten afscheid en fluisterde: 'Bel zo gauw je thuis bent je broer en zeg dat hij moet doorgeven dat McGrath hier vandaag weer was en dat ze van alles zat op te schrijven.'

74

Si Morgan, de hoofdinspecteur van de FBI die de leiding had over het onderzoek naar de Hamilton-inbraak, zat zaterdagmiddag op zijn kantoor in Quantico de computerprint-outs te bekijken van die zaak en de andere die er waarschijnlijk mee in verband stonden. Ze hadden de Hamiltons en de andere slachtoffers om een lijst met namen gevraagd van alle mensen die in de laatste paar maanden voor de inbraak op feestjes en avondjes bij hen thuis waren geweest. De computer had een hoofdlijst samengesteld plus een aparte lijst met namen die vaker voorkwamen.
De moeilijkheid is, dacht Si, dat zoveel van die lui tot dezelfde kring behoren dat het niet abnormaal is dat sommige mensen zo vaak worden genoemd, vooral als het grote feesten betreft.
Toch was er ongeveer een dozijn namen dat overal op voorkwam.
Si bestudeerde de alfabetische lijst.
De eerste was Arnott, Jason.
Niets op aan te merken, dacht Si. Arnott was een paar jaar geleden onderzocht en smetteloos verklaard. Hij had een gezonde aandelenportefeuille en zijn privérekeningen vertoonden niet de plotselinge grote stortingen die doorgaans met diefstallen samengingen. Zijn rente-inkomsten kwamen overeen met zijn manier van leven. Zijn opgaven voor inkomstenbelasting klopten met zijn transacties op de aandelenmarkt. Hij stond goed bekend als een expert op het gebied van kunst en antiek. Hij ontving regelmatig mensen en iedereen mocht hem graag.
Als er ergens een rood lichtje zou moeten branden, was dat misschien omdat Arnott te perfect was. Dat plus het feit dat zijn grote kennis van antiek en kunstvoorwerpen overeenkwam met de

voorkeur van de dief voor alleen de meest waardevolle eigendommen van de slachtoffers. Het was misschien niet onverstandig hem nog eens goed onder de loep te nemen als er niets anders aan het licht kwam, dacht Si. Maar voorlopig had hij meer belangstelling voor een andere naam op de lijst van regelmatige gasten: die van Sheldon Landi, een man met zijn eigen public-relationsfirma.

Landi was beslist kind aan huis bij de bobo's, dacht Si. Zoveel verdient hij niet, maar hij leeft er goed van. Bovendien was Landi de soort man naar wie ze volgens de computer moesten zoeken: van middelbare leeftijd, ongetrouwd, met een hogere opleiding en eigen baas.

Ze hadden zeshonderd mensen van de gastenlijsten een pamflet met de foto van de verborgen camera toegestuurd. Tot nu toe hadden ze dertig tips ontvangen. Een daarvan was afkomstig van een vrouw die meende dat de dader misschien haar ex-man was. 'Hij heeft me gedurende ons hele huwelijk bestolen en bij onze scheiding een enorme alimentatie bij elkaar gelogen. Hij heeft net zo'n puntige kin als op die foto,' had ze geestdriftig verklaard. 'Als ik u was, zou ik hem maar eens aan de tand voelen.'

Si dacht terug aan dat telefoontje, leunde achterover in zijn bureaustoel en glimlachte. De ex-man van die vrouw was een senator van de regering van het land.

Zondag, 5 november

75

Jonathan en Grace Hoover verwachtten Kerry en Robin om een uur of een. Ze vonden allebei dat een ontspannen zondagse lunch een beschaafde gewoonte was.

Jammer genoeg was het weer totaal omgeslagen. De zondagmorgen was grijs en koud, maar tegen het middaguur hing er in het hele huis een heerlijke geur van gebraden lamsvlees. Er brandde een knapperend vuur in hun lievelingskamer, de bibliotheek, waar ze tevreden op hun gasten zaten te wachten.

Grace was verdiept in de kruiswoordpuzzel van de *Times* en Jonathan zat aandachtig de bijlage 'Kunst en Ontspanning' te lezen. Hij keek op toen hij Grace geërgerd iets hoorde mompelen en zag dat haar pen op het vloerkleed was gevallen. Ze boog zich met grote moeite voorover om hem weer op te rapen.

'Grace,' zei hij afkeurend, terwijl hij opsprong om het voor haar te doen.

Ze nam met een zucht de pen van hem aan. 'Heus, Jonathan, ik weet niet wat ik zonder jou zou moeten beginnen.'

'Dat hoef je ook niet, liefste. En ik wil er graag bij zeggen dat het wederzijds is.'

Ze legde even zijn hand tegen haar gezicht. 'Dat weet ik, schat. Dat is een van de dingen die me de kracht geven verder te gaan.'

Op weg naar de Hoovers hadden Kerry en Robin het over de vorige avond. 'Het was veel leuker om bij de Dorso's te blijven eten dan naar een restaurant te gaan,' zei Robin enthousiast. 'Ik vind ze erg aardig, mam.'

'Ik ook,' gaf Kerry onomwonden toe.

'Mevrouw Dorso zegt dat het niet zo moeilijk is om lekker te koken.'

'Daar heeft ze gelijk in. Het spijt me dat ik er zo weinig van terechtbreng.'

'O mam,' zei Robin verwijtend. Ze kruiste haar armen en staarde recht voor zich uit naar de smaller wordende weg, die aangaf dat ze Riverdale naderden. 'Je maakt heel lekkere pasta,' zei ze verdedigend.
'Dat is zo, maar meer ook niet.'
Robin veranderde van onderwerp. 'Mam, Geoffs moeder denkt dat hij je aardig vindt. Dat denk ik ook. Daar hebben we het ook over gehad.'
'Wat zeg je me nou?'
'Mevrouw Dorso zegt dat Geoff nooit een vrouw mee naar huis brengt. Ze zegt dat jij sinds de middelbare school de eerste bent. Ze zegt dat zijn zusjes de meisjes met wie hij uitging altijd voor de gek hielden en dat hij daar van geschrokken is.'
'Dat zou best kunnen,' zei Kerry achteloos. Ze verdrong de gedachte dat ze op de terugweg van de gevangenis zo moe was geweest dat ze heel even haar ogen had gesloten en later met haar hoofd tegen Geoffs schouder wakker was geworden. En dat het heel vanzelfsprekend had aangevoeld.

Het bezoek aan Grace en Jonathan Hoover was zoals verwacht erg gezellig. Kerry wist best dat ze op een zeker ogenblik de zaak-Reardon zouden moeten aanroeren, maar dat zou niet voor de koffie gebeuren. Dan mocht Robin van tafel opstaan om te gaan lezen of met een van de nieuwe computerspelletjes te spelen die Jonathan altijd voor haar had klaarliggen.
Onder het eten vermaakte Jonathan hen met verhalen over regeringsbijeenkomsten en het budget dat de gouverneur er probeerde door te drukken. 'Je moet goed onthouden, Robin,' legde hij uit, 'dat politiek net een voetbalwedstrijd is. De gouverneur is de trainer die het spel bepaalt en zijn partijleiders zijn de voorspelers.'
'Daar bent u er ook een van, hè?' viel Robin hem in de rede.
'Zo zou je me in de senaat kunnen noemen,' beaamde Jonathan. 'En de rest van het elftal zorgt voor de verdediging.'
'En de anderen?'
'Het andere elftal werkt zich te pletter om te voorkomen dat je een goal maakt.'

'Jonathan,' zei Grace zacht.
'Het spijt me, liefste. Maar deze week hebben meer mensen geprobeerd de kas van hun stokpaardje te spekken dan ik in jaren heb meegemaakt.'
'Wat bedoelt u daarmee?' vroeg Robin.
'Het is een bekende maar niet bepaald eerbare gewoonte van bepaalde bewindslieden om onnodige kosten in hun budget op te nemen om de kiezers te paaien. Sommigen zijn daar bijzonder slim in.'
Kerry glimlachte. 'Robin, ik hoop dat je beseft hoe je boft dat iemand als oom Jonathan je de werkwijze van de regering kan uitleggen.'
'Dat doe ik voor mijn eigen genoegen,' verzekerde Jonathan hun. 'Tegen de tijd dat Kerry tot opperrechter in Washington wordt benoemd, hebben we Robin in de Kamer zitten en is ook zij op weg naar de top.'
Daar zullen we het hebben, dacht Kerry. 'Rob, als je klaar bent, mag je wel naar de computer, hoor.'
'Er ligt iets bij dat je heel leuk zult vinden, Robin,' zei Jonathan. 'Dat weet ik zeker.'
De huishoudster ging nogmaals met de koffie rond. Kerry wist zeker dat ze een tweede kopje nodig zou hebben. Nu heb je de poppen aan het dansen, dacht ze.
Ze wachtte niet af tot Jonathan over de zaak-Reardon begon. In plaats daarvan legde ze hem en Grace de zaak precies zo voor als zij tot dusverre had ontdekt. Ten slotte zei ze: 'Het is duidelijk dat dokter Smith heeft gelogen. De vraag is hoeveel. Het is ook duidelijk dat Jimmy Weeks een heel belangrijke reden heeft om die zaak niet opnieuw in behandeling te willen zien. Waarom zou hij of een van zijn mannen het anders op Robin gemunt hebben?'
'Heeft Kinellen werkelijk gedreigd dat er iets met Robin zou kunnen gebeuren?' Graces stem klonk ijskoud van minachting.
'Gewaarschuwd is waarschijnlijk een beter woord.' Kerry wendde zich smekend naar Jonathan. 'Hoor eens, je moet goed begrijpen dat ik Frank Green absoluut niet in de wielen wil rijden. Hij zal een goede gouverneur zijn. Ik weet best dat je het zowel tegen mij

als tegen Robin had toen je uitlegde hoe het er in de regering aan toegaat. Frank zal de politiek van gouverneur Marshall voortzetten. En verdomme, Jonathan, ik wil rechter worden. Ik weet zeker dat ik goed zal zijn. Ik weet dat ik eerlijk kan oordelen zonder een zacht ei of een meehuiler te zijn. Maar wat voor soort rechter zou ik worden als ik als aanklager iets dat steeds duidelijker op een rechterlijke dwaling gaat lijken de rug toekeerde?'

Ze realiseerde zich dat ze harder was gaan praten. 'Sorry,' zei ze, 'ik wind me veel te veel op.'

'We doen wat op onze weg komt,' zei Grace zacht.

'Ik ben niet van plan die hele toestand van de daken te gaan schreeuwen. Als er iets mis is, wil ik graag weten wat het is en dan de zaak aan Geoff Dorso overlaten. Ik ga morgenmiddag met dokter Smith praten. Zijn getuigenverklaring moet afdoende worden weerlegd. Ik denk eerlijk gezegd dat hij op de rand van een zenuwinstorting balanceert. Achtervolging is een misdaad. Als ik hem zover kan krijgen dat hij toegeeft dat hij in de getuigenbank heeft staan liegen, dat hij Suzanne die juwelen nooit heeft gegeven en dat het best mogelijk is dat er iemand anders bij betrokken was, dan staat de zaak er heel anders voor. Dan kan Geoff Dorso het overnemen en een nieuw proces aanvragen. Die procedure neemt wel een paar maanden in beslag. Tegen die tijd kan Frank allang gouverneur zijn.'

'Maar jij, mijn kind, bent dan misschien niet benoemd tot de rechterlijke macht.' Jonathan schudde zijn hoofd. 'Je bent heel overtuigend, Kerry. Ik bewonder je, hoewel ik me wel zorgen maak over de consequenties. Maar Robin is het belangrijkste. Het kan best zijn dat het alleen maar een dreigement is, maar je moet het toch serieus nemen.'

'Ik neem het heel serieus, Jonathan. Ik heb haar, behalve toen ze bij de familie van Geoff Dorso was, het hele weekend geen seconde uit het oog verloren. Ze is geen moment alleen.'

'Kerry, als je ook maar enigszins het gevoel hebt dat het bij jou thuis niet langer veilig is, moet je haar hier brengen, hoor,' drong Grace aan. 'Wij zijn uitstekend beveiligd en dan houden we het toegangshek op slot. Dat is aan het alarmsysteem gekoppeld, dus morken we het direct als iemand probeert binnen te komen. En dan zoeken we wel een gepensioneerde politieagent om haar op en neer naar school te rijden.'

Kerry legde haar hand over die van Grace en drukte er heel zacht op. 'Ik hou erg veel van jullie,' zei ze eenvoudig. 'Wees alsjeblieft niet teleurgesteld, Jonathan, omdat ik vind dat ik dit moet doen.'

'Ik ben eigenlijk trots op je,' zei Jonathan. 'Ik zal mijn best doen je naam op die lijst te houden, maar...'

'Reken er maar niet op, ik weet het,' zei Kerry langzaam. 'Lieve hemel, wat is het soms moeilijk om een keuze te maken, hè?'

'Ik geloof dat we nu maar beter een ander onderwerp kunnen aansnijden,' zei Jonathan ferm. 'Maar houd me wel op de hoogte, Kerry.'

'Natuurlijk.'

'Ik heb iets plezierigers te vertellen. Grace voelde zich een paar dagen geleden goed genoeg om uit eten te gaan,' zei hij.

'O Grace, wat fijn,' zei Kerry oprecht.

'Toen hebben we iemand ontmoet aan wie ik steeds moet terugdenken, alleen maar omdat ik me niet kan herinneren waar ik hem ooit eerder ben tegengekomen,' zei Grace. 'Hij heet Jason Arnott.'

Kerry had het niet nodig gevonden Jason Arnott erbij te betrekken. Ze besloot nog steeds niets te zeggen, behalve: 'Waarom denk je dat je hem kent?'

'Dat weet ik niet,' zei Grace. 'Maar ik weet zeker dat ik hem Of eerder heb gezien, of zijn foto in de krant heb zien staan.' Ze haalde haar schouders op. 'Het zal me wel weer te binnen schieten. Dat gebeurt altijd.'

Maandag, 6 november

76

De afgezonderde jury van het proces tegen Jimmy Weeks wist niets van de moord op Barney Haskell en Mark Young. De media zorgden er echter wel voor dat de rest van het land er niet omheen kon. De weekendkranten wijdden vele kolommen aan het onderzoek en op de televisie toonde ieder nieuwsprogramma het ene ter plekke opgenomen verslag na het andere.

Een bange getuige, wiens identiteit niet werd onthuld, had uiteindelijk de politie gebeld. Hij was op weg geweest naar een geldautomaat en had een donkerblauwe Toyota het parkeerterrein op zien rijden van het gebouwtje waarin het advocatenkantoor van Mark Young was gevestigd. Dat was om tien over zeven geweest. De rechtervoorband van de auto van de getuige had hobbelig aangevoeld en hij was even langs de stoeprand gestopt om ernaar te kijken. Hij had er op zijn hurken naast gezeten toen hij de deur van het gebouw zag opengaan en een man van in de dertig naar de Toyota terug zag rennen. Hij had het gezicht van de man niet kunnen zien, maar hij droeg iets dat eruitzag als een heel groot geweer.

De getuige had een gedeelte kunnen opnemen van het kenteken van de Toyota, die uit een andere staat kwam. Goed speurwerk van de politie bracht aan het licht dat de auto donderdagavond in Philadelphia was gestolen. Vrijdag tegen het eind van de middag werd het uitgebrande wrak in Newark teruggevonden.

Zelfs de geringste mogelijkheid dat Haskell en Young het slachtoffer waren geworden van een willekeurige beroving verdween bij dat bewijsmateriaal. Het stond nu wel vast dat het een maffia-aanslag was geweest, waartoe Jimmy Weeks opdracht had gegeven. Maar de politie kon niets bewijzen. De getuige kon de dader niet identificeren. De auto was vernietigd. De kogels die de slachtoffers hadden gedood, waren ongetwijfeld afkomstig uit een ongeregistreerd wapen, dat nu op de bodem van een rivier lag. Of dat met

Kerstmis zonder dat er vragen werden gesteld voor een stuk speelgoed zou worden omgeruild.
Maandag bracht Geoff Dorso opnieuw een paar uur bij de rechtszitting van Jimmy Weeks door. De Staat bouwde zijn zaak steen voor steen op met solide, onweerlegbare bewijzen. Royce, de openbare aanklager die vast van plan was Frank Greens tegenkandidaat in de strijd om het gouverneurschap te worden, deed zijn best er geen show van te maken. Hij had met zijn dunne haar en metalen brilmontuur het uiterlijk van een hoogleraar. Zijn strategie was om alles wat hij naar voren bracht totaal geloofwaardig te laten klinken. Hij sloot iedere afwijkende uitleg voor het krankzinnig ingewikkelde zakelijke en financiële beleid van de firma Weeks Enterprises uit.
Hij wees op grafieken met behulp van net zo'n soort lange aanwijsstok als Geoff zich herinnerde van de nonnen op de lagere school. Hij vond dat Royce er een meester in was om Weeks' zaken voor de jury begrijpelijk te maken. Men hoefde geen wiskundig genie of accountant te zijn om zijn uitleg te kunnen volgen.
Royce riep de piloot van het privévliegtuig van Jimmy Weeks op als getuige en vuurde genadeloos zijn vragen op hem af. 'Hoe vaak vulde u de vereiste formulieren voor het zakenvliegtuig in? Hoe vaak gebruikte meneer Weeks het uitsluitend voor een privéfeestje? Hoe vaak leende hij het uit aan vrienden voor hun privégenoegens? Werd de rekening voor iedere keer dat de motor van dat vliegtuig werd gestart niet naar de zaak gestuurd? Waren al die aftrekposten van zogenaamd zakelijke uitgaven in werkelijkheid niet van zijn persoonlijke plezierreisjes?'
Toen Bob Kinellen aan de beurt kwam om de getuige te verhoren, zag Geoff dat hij al zijn charme in het geweer bracht. Hij probeerde de piloot zich te laten verspreken en hem in verwarring te brengen over de data en redenen van die vluchten. Geoff dacht nogmaals dat Kinellen beslist goed was, maar waarschijnlijk niet goed genoeg. Hij wist dat het onmogelijk was de gedachten van de juryleden te lezen maar hij geloofde niet dat Kinellen hen kon overtuigen.
Hij bestudeerde het uitdrukkingsloze gezicht van Jimmy Weeks.

Jimmy verscheen altijd in de rechtszaal in een klassiek pak met een wit overhemd en een das. Hij zag er precies zo uit als zijn rol van hem verlangde: een vijftigjarige zakenman met een aantal verschillende ondernemingen ten prooi aan een heksenjacht van de belastinginspectie.
Vandaag bestudeerde Geoff hem vanuit het oogpunt van een relatie met Suzanne Reardon. Waaruit had die bestaan, vroeg hij zich af. Hoe serieus was die geweest? Had ze die juwelen van Weeks gekregen? Hij had gehoord van het briefje dat op het lichaam van Haskells advocaat was gevonden. Misschien had die boodschap op de avond van Suzanne Reardons dood inderdaad zo op een kaartje bij de rozen gestaan. Maar nu Haskell dood was en het werkelijke briefje onvindbaar, was het onmogelijk het verband met Weeks te bewijzen.
De juwelen vormden misschien een interessanter aspect, dacht Geoff, en waren zeker de moeite van een onderzoek waard. Ik vraag me af of hij de sieraden voor zijn vriendinnen altijd bij dezelfde juwelier koopt. Met wie ben ik een paar jaar geleden ook weer uit geweest die me vertelde dat ze ook met Weeks was omgegaan? Hij kon niet op haar naam komen maar hij zou beslist zijn agenda's van twee en drie jaar geleden eens doorbladeren. Hij had hem vast en zeker wel ergens neergekrabbeld.
Toen de rechter de zitting verdaagde, glipte Geoff snel de rechtszaal uit. Hij was al halverwege de gang toen hij achter zich iemand zijn naam hoorde roepen. Het was Bob Kinellen. Geoff wachtte tot Bob hem had ingehaald. 'Heb je niet wat al te veel belangstelling voor mijn cliënt?' vroeg Kinellen zacht.
'Voorlopig niets om je druk over te maken,' antwoordde Geoff.
'Ga je daarom met Kerry om?'
'Bob, ik geloof niet dat je ook maar het minste recht hebt die vraag te stellen. Maar ik zal hem toch beantwoorden. Ik was blij dat ik haar kon bijstaan toen je haar overviel met de informatie dat het je beroemde cliënt was die haar kind bedreigde. Heeft iemand je al aangemeld als vader van het jaar? Zo niet, verspil dan maar geen tijd bij de telefoon. Ik denk niet dat je in aanmerking komt.'

77

Maandagmorgen bleef Grace Hoover langer in bed liggen dan gewoonlijk. Ondanks het feit dat het huis behaaglijk warm was, scheen de winterse kou op de een of andere manier toch tot in haar botten en gewrichten door te dringen. Haar handen, vingers, benen, knieën en enkels deden verschrikkelijk pijn. Zodra de staatsregering op reces ging, vertrokken zij en Jonathan naar hun huis in New Mexico. Ze hield zichzelf voor dat ze daar beter zou gedijen, dat haar conditie in het hete, droge klimaat altijd drastisch verbeterde.

Jaren geleden, tijdens het begin van haar ziekte, had Grace besloten dat ze nooit zou zwelgen in zelfmedelijden. Dat vond ze het toppunt van gezeur. Toch moest ze in haar meest sombere momenten tegenover zichzelf toegeven dat het naast de steeds toenemende pijn afschuwelijk was om steeds minder te kunnen doen. Ze was een van de weinige echtgenotes geweest die het leuk had gevonden een politicus als Jonathan naar zijn vele sociale verplichtingen te vergezellen. God wist dat ze er niet al haar tijd aan had willen besteden, maar ze genoot van de bewondering die Jonathan ten deel viel. Ze was mateloos trots op hem. Hij had eigenlijk gouverneur moeten zijn. Daar was ze van overtuigd.

Nadat Jonathan op die officiële bijeenkomsten zijn gezicht had laten zien, gingen ze vaak samen gezellig ergens eten of besloten ze plotseling er het weekend tussenuit te gaan. Grace glimlachte bij de herinnering dat iemand in een vakantieoord in Arizona eens twintig jaar na hun huwelijksdatum had gezegd dat ze er nog steeds als een pasgetrouwd stel uitzagen.

Nu maakten de last van de rolstoel en de noodzaak een verpleegster mee te nemen om haar te helpen met baden en kleden een verblijf in een hotel het voor Grace tot een nachtmerrie. Ze wilde niet dat Jonathan haar bij die handelingen te hulp kwam en bleef liever thuis, waar een verpleegster haar iedere dag verzorgde.

Ze had onlangs erg genoten van dat etentje op de club. Het was voor het eerst sinds weken geweest dat ze de deur uit was gegaan. Maar die Jason Arnott – wat vreemd dat ik steeds aan hem moet denken, dacht ze. Ze probeerde rusteloos haar vingers te bewegen.

Ze had er Jonathan nogmaals naar gevraagd, maar het enige dat hij kon bedenken was dat ze ooit met hem naar het een of andere liefdadigheidsfeest was geweest, waar ze Arnott misschien had gezien. Het was minstens twaalf jaar geleden dat Grace naar zo'n gala-avond was geweest. Toen had ze al twee stokken moeten gebruiken en het vervelend gevonden zich in zo'n menigte te moeten begeven. Nee, ze wist zeker dat ze zich hem ergens anders van herinnerde. Nou ja, zei ze tegen zichzelf, het zal me heus wel te binnen schieten.

De huishoudster, Carrie, kwam met een dienblad de slaapkamer binnen. 'Ik dacht dat u inmiddels wel aan een tweede kopje thee toe was,' zei ze opgewekt.

'Inderdaad, Carrie, dank je wel.'

Carrie zette het blad neer en schudde de kussens op. 'Zo, dat is beter.' Ze stak haar hand in haar zak en haalde er een opgevouwen velletje papier uit. 'O mevrouw Hoover, dit heb ik in de prullenmand in de studeerkamer van de senator gevonden. Ik weet wel dat de senator het wilde weggooien, maar ik wil toch even weten of ik het mag meenemen. Mijn kleinzoontje Billy praat over niets anders dan dat hij later FBI-agent wil worden. Hij zal het enig vinden een echt opsporingsbiljet van ze te zien.' Ze vouwde het open en gaf het aan Grace.

Grace wierp er een blik op en wilde het teruggeven, toen ze zich bedacht. Jonathan had het vrijdagmiddag aan haar laten zien en gegrapt: 'Een van je kennissen?' Het begeleidende briefje vermeldde dat het biljet naar iedereen was gestuurd die te gast was geweest in huizen waar kort daarna was ingebroken.

De grofkorrelige, bijna onherkenbare foto was van een misdadiger bezig met een diefstal. Men dacht dat hij veel van dezelfde soort inbraken op zijn geweten had, die bijna allemaal waren voorafgegaan door een feestje of een ander soort avondje. Een van de theorieën was dat hij misschien een van de gasten was geweest.

Het briefje eindigde met de belofte dat alle inlichtingen vertrouwelijk zouden worden behandeld.

'Ik weet dat er een paar jaar geleden bij de Peales in Washington is ingebroken,' had Jonathan gezegd. 'Een vreselijke situatie. Ik was net op Jocks overwinningsfeestje geweest. Twee weken later kwam zijn moeder eerder thuis van een familievakantie en moet toen de dief tegen het lijf zijn gelopen. Ze werd met een gebroken nek onder aan de trap gevonden en dat schilderij van John White Alexander was weg.'

Misschien heb ik deze foto zo goed bekeken omdat ik de Peales ken, dacht Grace met het biljet in haar hand. De camera moet zo te zien lager dan zijn gezicht hebben gestaan. Ze bestudeerde het wazige beeld met de dunne hals, scherpe neus en gespitste lippen. Het was niet wat je zag als je iemand recht van voren aankeek, dacht ze. Maar als je vanuit een rolstoel naar iemand omhoogkeek, zag je hem op deze manier.

Ik durf er een eed op te doen dat hij sprekend op die man lijkt die ik onlangs op de club heb gezien, die Jason Arnott, dacht Grace. Zou dat kunnen?

'Carrie, wil je me de telefoon even aangeven?' Even later had Grace Amanda Coble aan de lijn, die haar op de club aan Jason Arnott had voorgesteld. Na de begroeting bracht ze het gesprek op hem. Ze zei dat ze de gedachte niet los kon laten dat ze hem ooit eerder had ontmoet. Waar woont hij, vroeg ze. En wat doet hij?

Nadat ze de hoorn had neergelegd, dronk Grace met kleine slokjes haar afgekoelde thee en keek nogmaals naar de foto. Volgens Amanda was Arnott een kunst- en antiekkenner, die van Washington tot en met Newport in de hoogste kringen verkeerde. Vervolgens belde Grace Jonathan in zijn kantoor in Trenton. Hij was niet aanwezig maar toen hij haar om halfvier 's middags terugbelde, vertelde ze hem hoe de vork volgens haar in de steel zat: Jason Arnott was de inbreker waarnaar de FBI op zoek was.

'Dat is een zware beschuldiging, liefste,' zei Jonathan voorzichtig.

'Ik heb heel goede ogen, Jonathan, dat weet je.'

'Ja, dat is waar,' stemde hij kalm in. 'Als het eerlijk gezegd ieder ander was dan jij, zou ik aarzelen zijn naam aan de FBI door te geven. Ik wil het niet zwart op wit zetten maar geef me dat vertrouwelijke telefoonnummer van dat biljet maar. Dan zal ik ze bellen.'

'Nee,' zei Grace. 'Als je het er mee eens bent dat ik contact opneem met de FBI, zal ik het zelf wel doen. Dan ben je er niet bij betrokken als ik me vergis. En als ik gelijk heb, krijg ik tenminste weer het gevoel dat ik iets nuttigs heb gedaan. Ik vond Jock Peales moeder heel sympathiek toen ik haar jaren geleden eens heb ontmoet. Ik zou het geweldig vinden als ik haar moordenaar zou helpen opsporen. Geen enkele moordenaar hoort vrijuit te gaan.'

78

Dokter Charles Smith was in een heel slecht humeur. Hij had een eenzaam weekend doorgebracht, waarin hij zich nog meer alleen had gevoeld doordat hij Barbara Tompkins niet had kunnen bereiken. Zaterdag was zo'n mooie dag geweest dat hij had gemeend dat ze het wel leuk zou hebben gevonden een ritje door Westchester te maken. Dan hadden ze in een van die kleine restaurantjes langs de Hudson kunnen lunchen.

Hij had echter alleen haar antwoordapparaat aan de lijn gekregen en als ze toch thuis was geweest, had ze hem niet teruggebeld.

Zondag was niet veel beter. Die dag dwong Smith er zich gewoonlijk toe om in de Kunst en Ontspanningbijlage van de *Times* te zoeken naar een toneelstuk of kamerconcert in de buurt van Broadway of een voorstelling in het Lincoln Center. Maar deze keer had hij zich daar niet toe kunnen zetten. Hij had het grootste deel van de dag doorgebracht met geheel gekleed op zijn bed naar het schilderij van Suzanne te liggen staren.

Ik heb toen iets ongelooflijks gepresteerd, had hij tegen zichzelf gezegd. Ik heb dat pijnlijk lelijke, norse product van twee knappe ouders haar geboorterecht teruggegeven en nog veel meer. Ik heb haar een zo'n natuurlijke, adembenemende schoonheid gegeven dat iedereen die haar ontmoette er diep van onder de indruk was.

Maandagmorgen probeerde hij Barbara op haar kantoor te bereiken en kreeg hij te horen dat ze op zakenreis naar Californië was. Ze zou pas over twee weken terugkomen. Dat maakte hem echt boos. Hij wist zeker dat het een leugen was. Donderdagavond tijdens hun etentje had Barbara laten vallen dat ze zich verheugde op een zakenlunch in La Grenouille aanstaande woensdag. Dat herin-

nerde hij zich omdat ze had gezegd dat ze daar nog nooit was geweest en er met plezier naar uitkeek.
De rest van de dag kon Smith zijn aandacht nauwelijks bij zijn patiënten houden. Niet dat hij veel afspraken had. Het leek wel of hij steeds minder patiënten kreeg. Degenen die voor een eerste consult kwamen, zag hij zelden terug. Niet dat het hem iets kon schelen, er waren er maar weinig die de potentie bezaten om een echte schoonheid te worden.
Hij voelde opnieuw hoe de ogen van Carpenter hem volgden. Ze was heel efficiënt maar hij had besloten dat hij haar maar beter kon ontslaan. Het was hem een paar dagen geleden opgevallen dat ze hem tijdens die rinoplastiek net zo gespannen in de gaten had gehouden als een bezorgde moeder, die hoopte dat haar kind zonder haperen zijn rol in de school voorstelling zou volbrengen.
Toen zijn afspraak van halfvier werd afgezegd, besloot Smith vroeg naar huis te gaan. Hij zou de auto gaan halen, naar Barbara's kantoor rijden en aan de overkant van de straat parkeren. Ze ging gewoonlijk om even over vijf weg, maar hij wilde voor alle zekerheid iets vroeger zijn. Hij kon de gedachte dat ze hem opzettelijk uit de weg ging niet verdragen. Als hij zou merken dat dat echt waar was...
Hij liep net uit de hal van het gebouw Fifth Avenue op toen hij Kerry McGrath zag aankomen. Hij keek snel om zich heen of hij haar kon vermijden, maar dat was onmogelijk. Ze bleef vlak voor hem staan.
'Dokter Smith, ik ben blij dat ik u nog tref,' zei Kerry. 'Ik moet u dringend spreken.'
'Mevrouw McGrath, mevrouw Carpenter en de receptioniste zijn nog in de praktijk. Als u hulp nodig hebt, kunnen zij dat wel regelen.' Hij probeerde langs haar heen te lopen.
Ze liep met hem mee. 'Dokter Smith, ik kan het met mevrouw Carpenter en de receptioniste niet over uw dochter hebben en ze zijn geen van beiden verantwoordelijk voor het feit dat er een onschuldig man gevangenzit.'
Charles Smith reageerde alsof ze hete pek over hem heen had gegooid. 'Hoe durft u!' Hij stond stil en pakte haar bij de arm.

Kerry realiseerde zich dat hij op het punt stond haar te slaan. Zijn gezicht was verwrongen van woede, zijn mond vertrokken als die van een roofdier dat tot de aanval overgaat. Ze voelde zijn hand trillen terwijl zijn vingers in haar pols knepen.
Een passerende man bekeek hen nieuwsgierig en bleef staan. 'Hebt u hulp nodig, juffrouw?' vroeg hij.
'Heb ik hulp nodig, dokter?' vroeg Kerry kalm.
Smith liet haar arm los. 'Natuurlijk niet.' Hij vervolgde snel zijn weg op Fifth Avenue.
Kerry bleef naast hem lopen. 'Dokter Smith, u weet dat u ten slotte toch met me zal moeten praten. En ik geloof dat het een veel beter idee is als u hoort wat ik heb te zeggen, voordat de situatie uit de hand loopt en er heel onplezierige dingen gaan gebeuren.'
Hij reageerde niet.
Ze liet hem niet gaan. Het viel haar op dat hij heel snel ademhaalde. 'Dokter Smith, het kan me niet schelen hoe hard u gaat lopen. Ik loop veel harder. Zullen we teruggaan naar uw kantoor of is er iets in de buurt waar we een kop koffie kunnen gaan drinken? We moeten praten. Anders spijt het me u te moeten zeggen dat u gearresteerd zult worden wegens achtervolging.'
'Gearresteerd wegens wát?' Smith draaide zich opnieuw abrupt naar haar toe.
'U hebt Barbara Tompkins de stuipen op het lijf gejaagd met al uw aandacht. Hebt u Suzanne ook bang gemaakt, dokter? U was bij haar op de avond dat ze stierf, nietwaar? Twee mensen, een vrouw en een jongetje, hebben een zwarte Mercedes voor het huis zien staan. De vrouw kon zich de nummerplaat gedeeltelijk herinneren: een 3 en een L. Ik hoorde vandaag dat uw nummerplaat een 8 en een L bevat. Dat klopt volgens mij aardig, of niet? Dus waar zullen we gaan praten?'
Hij bleef haar nog een ogenblik aanstaren, met ogen vol woede. Toen zag ze die langzaam veranderen in berusting, terwijl zijn hele lichaam zich ontspande.
'Ik woon een eindje verderop,' zei hij, zijn blik van haar afwendend. Ze stonden vlak bij een hoek en hij wees naar links.
Kerry beschouwde dat als een uitnodiging. Is het een vergissing om

met hem mee naar binnen te gaan, vroeg ze zich af. Het lijkt wel of hij een instorting nabij is. Zou hij een huishoudster hebben? Ze besloot echter dat ze het erop moest wagen omdat ze misschien nooit meer zo'n kans zou krijgen. De schok van haar woorden kon iets in zijn geest aan het wankelen hebben gebracht. Ze was er van overtuigd dat het dokter Smith niets deed een ander in de gevangenis te zien zitten, maar dat hij het niet bepaald aangenaam zou vinden om zelf als verdachte in een rechtszaal te staan.

Ze hadden Washington Mews nummer 28 bereikt. Smith haalde zijn sleutel tevoorschijn, stak hem zorgvuldig in het slot, draaide hem om en duwde de deur open. 'Kom binnen als u daarop staat, mevrouw McGrath,' zei hij.

79

Langzamerhand kwamen er bij de FBI steeds meer tips binnen van mensen die te gast waren geweest in een of meer van de huizen waarin ingebroken was. Ze hadden inmiddels twaalf potentiële aanwijzingen, maar Si Morgan dacht dat hij in de roos had geschoten toen zijn hoofdverdachte, Sheldon Landi, maandagmiddag toegaf dat zijn public-relationsfirma een dekmantel voor andere activiteiten was.

Landi was binnengebracht voor een verhoor en Si dacht even dat hij een bekentenis te horen zou krijgen. Maar toen fluisterde Landi handenwringend en met druppeltjes zweet op zijn voorhoofd: 'Hebt u ooit van *Tell All* gehoord?'

'Dat is toch zo'n krantje dat je bij de supermarkt koopt?' vroeg Si.

'Ja. Een van de grootste. Vier miljoen exemplaren per week,' antwoordde Landi even vol trots. Toen liet hij zijn stem zakken en zei bijna onhoorbaar: 'Dit moet absoluut onder ons blijven maar ik ben de belangrijkste verslaggever van *Tell All*. Als dat bekend wordt, laten al mijn vrienden me vallen.'

Mis geschoten, dacht Si nadat Landi was vertrokken. Die gladjanus is alleen maar een roddeljournalist. Hij zou niet eens het lef hebben zulke kraken uit te voeren.

Om kwart voor vier kwam een van zijn rechercheurs binnen. 'Si, er is iemand aan de vertrouwelijke lijn van de zaak-Hamilton die je volgens mij te woord moet staan. Ze heet Grace Hoover. Haar man is senator Jonathan Hoover van New Jersey. Ze denkt dat ze een paar dagen geleden de vent heeft gezien die we zoeken. Het is een van die lui die we al eens eerder onder de loep hebben genomen: Jason Arnott.'

'Arnott!' Si greep naar de telefoon. 'Mevrouw Hoover, u spreekt met Si Morgan. Dank u wel dat u ons belt.'

Luisterend kwam hij tot de conclusie dat Grace Hoover een van die getuigen was waar wetsdienaren naar snakten. Ze redeneerde logisch, deed duidelijk verslag en legde in begrijpelijke taal uit hoe haar ogen vanuit een rolstoel waarschijnlijk op dezelfde hoogte hadden gestaan als de cameralens in het huis van de Hamiltons.

'Als je meneer Arnott recht aankijkt, denk je waarschijnlijk dat zijn gezicht ronder is dan wanneer je hem van onderen bekijkt,' verklaarde ze. 'En toen ik hem vroeg of we elkaar kenden, tuitte hij strak zijn lippen. Ik denk dat dat misschien een gewoonte van hem is als hij zich concentreert. Kijk maar eens hoe zijn mond op uw foto ook op die manier is samengetrokken. Ik heb de indruk dat hij zich op het moment van die opname sterk op dat beeldje concentreerde. Waarschijnlijk om te beslissen of het echt was of niet. Volgens een vriendin van me is hij een expert op antiekgebied.'

'Dat klopt!' zei Si Morgen geestdriftig. Eindelijk een gouden spoor! 'Mevrouw Hoover, ik kan u nauwelijks zeggen hoezeer ik uw telefoontje op prijs stel. U weet toch wel dat de tip die tot een veroordeling leidt een beloning van honderdduizend dollar waard is?'

'O, dat kan me niets schelen,' zei Grace Hoover. 'Die stuur ik dan gewoon door naar het een of andere liefdadige doel.'

Toen Si neerlegde, dacht hij aan de rekeningen voor het volgende semester van de opleidingen van zijn zoons, die thuis op zijn bureau lagen. Hoofdschuddend riep hij via de intercom de drie rechercheurs bij zich die aan de zaak-Hamilton werkten.

Hij droeg hun op Jason Arnott dag en nacht in de gaten te houden. Terugkijkend op het onderzoek van twee jaar geleden had Arnott, als hij inderdaad de dief was, er uitstekend voor gezorgd dat

hij geen sporen naliet. Het was dus beter hem een tijdje te volgen. Dan leidde hij hen misschien naar de verblijfplaats van zijn gestolen goederen.
'Als dit niet weer een vals spoor is en we kunnen bewijzen dat hij die inbraken heeft gepleegd,' zei Si, 'moeten we hem daarna van de moordzaak-Peale zien te beschuldigen. De baas is er bijzonder op gebrand die op te lossen. De moeder van de president speelde altijd bridge met mevrouw Peale.'

80

Hoewel de studeerkamer van dokter Smith wel schoon was, maakte hij op Kerry een verwaarloosde indruk. De ivoorkleurige zijden lampenkappen, van het soort dat Kerry zich herinnerde uit het huis van haar grootmoeder, waren donker van ouderdom. Een ervan had een brandvlek en de zijde eromheen was ingescheurd. De bol gestoffeerde velours stoelen waren te laag en voelden ruw aan. Het was een hoge kamer die er prachtig zou kunnen uitzien, maar hij gaf Kerry het gevoel dat ze in het verleden was beland. Hij leek net een decor voor een filmscène uit de jaren veertig.
Ze had haar regenjas uitgetrokken maar dokter Smith maakte geen aanstalten hem van haar aan te nemen. Dat gebrek aan zelfs maar de minste beleefdheid moest haar misschien duidelijk maken dat ze niet lang genoeg zou blijven om het de moeite waard te maken. Ze vouwde de jas op en legde hem over de leuning van de stoel waarin ze ging zitten.
Smith zat kaarsrecht in een stoel met een rechte rugleuning. Ze was ervan overtuigd dat hij daar nooit zat als hij alleen was.
'Wat wilt u van me, mevrouw McGrath?' De randloze brillenglazen vergrootten zijn ogen, die haar koud en vijandig aankeken.
'Ik wil de waarheid van u horen,' zei Kerry kalm. 'Ik wil weten waarom u hebt gezegd dat u Suzanne die juwelen hebt gegeven, terwijl een andere man dat heeft gedaan. Ik wil weten waarom u hebt gelogen over Skip Reardon. Hij heeft Suzanne nooit bedreigd. Hij heeft misschien wel eens zijn geduld verloren of is boos op haar ge-

weest maar hij heeft haar nooit bedreigd, nietwaar? Waarom hebt u in vredesnaam gezworen dat dat wel zo was?'
'Skip Reardon heeft mijn dochter vermoord. Hij heeft haar gewurgd. Hij heeft haar zo hard gewurgd dat haar ogen ervan bloedden, zo gewelddadig dat de aderen in haar nek zijn gesprongen en haar tong als die van een stom beest uit haar mond hing...' Hij hield op. Wat als een woedende uitbarsting was begonnen, eindigde bijna in een snik.
'Ik besef heel goed hoe pijnlijk het voor u moet zijn geweest toen u die foto's onder ogen kreeg, dokter Smith,' zei Kerry zacht. Haar ogen vernauwden zich toen ze zag dat Smith langs haar heen keek. 'Maar waarom hebt u Skip altijd de schuld van die tragedie gegeven?'
'Hij was haar man. Hij was jaloers, waanzinnig jaloers. Dat was zo. Dat zag iedereen.' Hij zweeg. 'Mevrouw McGrath, ik wil er niet meer over praten. Ik eis dat u me uitlegt wat u bedoelt met uw beschuldiging dat ik Barbara Tompkins achtervolg.'
'Wacht even. Laten we het eerst nog even over Reardon hebben, dokter. U hebt het mis. Skip was niet waanzinnig jaloers op Suzanne. Hij wist best dat ze met een ander omging.' Kerry wachtte even. 'Maar dat deed hij ook.'
Het hoofd van Smith schokte alsof ze hem een klap had gegeven. 'Dat is onmogelijk. Hij was getrouwd met een beeldschone vrouw die hij aanbad.'
'U aanbad haar, dokter.' Dat was nog niet eerder bij Kerry opgekomen, maar ze besefte meteen dat het waar was. 'U verbeeldde zich dat u in zijn plaats was, nietwaar? Als u de man van Suzanne was geweest en erachter was gekomen dat ze een verhouding met een ander had, was u in staat geweest haar te vermoorden, nietwaar?' Ze keek hem strak aan.
Hij vertrok geen spier. 'Hoe durft u! Suzanne was mijn dochter,' zei hij op kille toon. 'Maak nu maar dat u wegkomt.' Hij stond op en kwam op Kerry toe alsof hij haar wilde vastgrijpen om haar de deur uit te gooien.
Kerry sprong op, pakte haar jas en deed een stap achteruit. Ze keek snel om zich heen om te zien of ze, als het nodig was, langs hem

heen naar de voordeur kon glippen. 'Nee, dokter,' zei ze. 'Susie Stephens was uw dochter. Suzanne was uw creatie. En toen dacht u dat ze van u was, net zoals u vindt dat Barbara Tompkins nu van u is. Dokter, u was op de avond van Suzannes dood in Alpine. Hebt u haar vermoord?'

'Suzanne vermoord? Bent u niet goed bij uw hoofd?'

'Maar u was er wel.'

'Niet waar!'

'Jazeker, en dat zullen we bewijzen ook. Dat beloof ik u. We gaan de zaak heropenen en we zullen ervoor zorgen dat de onschuldige man die door uw schuld veroordeeld is uit de gevangenis komt. U was jaloers op hem, dokter Smith. U hebt hem gestraft omdat hij altijd bij Suzanne kon zijn en u niet. Hoewel u daar uw uiterste best voor deed. U deed zozeer uw best dat ze doodziek werd van uw gesmeek om aandacht.'

'Dat is absoluut niet waar.' De woorden ontsnapten door zijn opeengeklemde kaken.

Kerry zag dat zijn hand hevig trilde. Ze liet haar stem zakken en zei op kalmerende toon: 'Dokter Smith, als u uw dochter niet hebt vermoord, heeft iemand anders het gedaan. Maar dat was niet Skip Reardon. Ik geloof echt dat u op uw manier van Suzanne hield. Ik geloof ook dat u wilde dat haar moordenaar gestraft werd. Maar beseft u wel wat u gedaan hebt? U hebt Suzannes moordenaar vrijuit laten gaan. Hij zit u ergens hard uit te lachen en hemelhoog te prijzen omdat u hem die vrijbrief heeft verschaft. Als we de juwelen hadden die Suzanne volgens Skip helemaal niet van u had gekregen, konden we proberen uit te vinden waar ze vandaan kwamen. Dan konden we er misschien achter komen wie ze wél aan haar had gegeven. Skip is ervan overtuigd dat er minstens één stuk weg is, dat het misschien die avond gestolen is.'

'Hij liegt.'

'Nee, dat is niet waar. Dat heeft hij vanaf het begin al gezegd. Er is die avond nog iets anders gestolen: een foto van Suzanne in een miniatuurlijstje. Dat stond op haar nachtkastje. Hebt u dat soms meegenomen?'

'Ik ben op de avond dat Suzanne stierf niet in dat huis geweest!'

'Wie heeft die avond dan uw Mercedes geleend?'
Zijn 'eruit!' klonk als het gebrul van een beest.
Kerry wist dat ze nu maar beter kon maken dat ze wegkwam. Ze liep om hem heen, maar keerde zich bij de deur weer naar hem om. 'Dokter Smith, ik heb Barbara Tompkins gesproken. Zeis bang. Ze heeft een zakenreis vervroegd alleen om bij u uit de buurt te zijn. Als ze over tien dagen terugkomt, ga ik met haar mee naar de politie van New York om een klacht tegen u in te dienen.'
Ze trok de deur van de vroegere rijtuigstalling open. Een stroom koude lucht werd de hal in geblazen. 'Tenzij,' voegde ze eraan toe, 'u kunt accepteren dat u zowel lichamelijke als geestelijke hulp nodig hebt. En tenzij u me ervan kunt overtuigen dat u over de avond van Suzannes dood de volledige waarheid hebt verteld. En me bovendien die juwelen geeft die ze volgens u van een ander dan van u of haar man heeft gekregen.'

Kerry zette haar kraag op en stak haar handen diep in haar zakken voor de wandeling naar haar auto die drie blokken verder stond. Ze was zich niet bewust van Smiths priemende ogen in haar rug van achter de tralies van het raam van zijn studeerkamer. Ook merkte ze de onbekende niet op wiens auto op Fifth Avenue stond geparkeerd en die via zijn zaktelefoon haar bezoek aan Washington Mews doorgaf.

81

De officier van justitie verkreeg in samenwerking met de openbare aanklagers van Middlesex en Ocean County een bevel tot huiszoeking voor zowel het woonhuis als het vakantiehuis van Barney Haskell. Barney had meestal gescheiden van zijn vrouw gewoond in een aardige, tegen een heuvel gebouwde bungalow in een rustige straat in Edison, een leuk, redelijk welvarend stadje. Zijn buren vertelden aan de verslaggevers dat Barney zich nooit met hen had bemoeid maar dat hij, als hij hen tegenkwam, altijd beleefd was geweest.
Zijn vrouw bewoonde het hele jaar door hun tweede huis, een mo-

dern bouwsel van twee verdiepingen met uitzicht op zee op Long Beach Island. De buren daar zeiden tegen de rechercheurs dat Barney er 's zomers vaak had rondgehangen. Dan bracht hij veel tijd door op zijn 23 voet Chris-Craft, en zijn andere hobby was timmeren geweest. Hij had een hobbyruimte in de garage.
Een paar buren zeiden dat zijn vrouw hen een keer binnen had gevraagd om hun de enorme blankeiken kast te laten zien die Barney had gemaakt voor hun audio- en videoapparatuur. Dat was zijn pronkstuk geweest.
Het onderzoekteam wist dat Barney harde bewijzen tegen Jimmy Weeks moest hebben gehad om zijn onderhandelingen voor strafvermindering kracht bij te zetten. Ze wisten ook dat ze die snel moesten zien te vinden om te voorkomen dat de handlangers van Jimmy Weeks ze zouden opsporen en vernietigen. Ondanks de schrille protesten van zijn weduwe die schreeuwde dat Barney een slachtoffer was, dat het haar huis was ook al stond Barney's naam op de deur en dat ze niet het recht hadden het te vernielen, haalden ze alles uit elkaar. Ook de eikenhouten kast die aan de muur van de televisiekamer zat vastgespijkerd. Toen ze het hout van het pleisterwerk hadden losgetrokken, stuitten ze op een brandkast die groot genoeg was om het archief van een klein kantoor te kunnen bevatten.
Verslaggevers van alle media verzamelden zich voor het huis en televisiecamera's filmden de aankomst van een gepensioneerde brandkastenkraker die nu op de loonlijst van de regering stond. Een kwartier later was de brandkast open en even later, om kwart over vier die middag, kreeg openbaar aanklager Royce een telefoontje van Les Howard.
Er was een tweede boekhouding van de firma Weeks Enterprises gevonden, samen met bureauagenda's van de afgelopen vijftien jaar waarin Barney al Jimmy's afspraken had opgeschreven met notities erbij over het doel en de inhoud van de vergaderingen.
De dolgelukkige Royce kreeg bovendien te horen dat er ook schoenendozen bij waren vol rekeningen van dure artikelen als bontjassen, juwelen en auto's voor Jimmy's verschillende vriendinnen. Barney had erbij vermeld dat er geen BTW over was betaald.
'Het is een geschenk uit de hemel, een schatkist,' verzekerde Howard

Royce. 'Barney moet beslist van dat oude gezegde "behandel je vrienden alsof ze eens je vijanden zullen zijn" hebben gehoord. Hij moet er sinds de eerste dag op voorbereid zijn geweest dat hij Jimmy eens aan ons zou moeten opofferen als hij zelf uit de gevangenis wilde blijven.'

De rechter had de zitting tot de volgende morgen verdaagd, omdat hij niet om vier uur nog een nieuwe getuige wilde laten oproepen. Nog een meevaller, dacht Royce. Toen hij de hoorn had neergelegd, bleef er een glimlach om zijn lippen spelen terwijl hij over het fantastisch goede nieuws nadacht. Hij zei hardop: 'Bedankt, Barney. Ik wist wel dat ik op je kon rekenen.' Toen bleef hij zwijgend over zijn volgende zet zitten nadenken.

Martha Luce, Jimmy's privéboekhoudster, zou als getuige à decharge worden opgeroepen. Ze waren al in het bezit van haar beëdigde verklaring dat haar boekhouding absoluut correct was en dat er geen tweede bestond. Royce was van mening dat juffrouw Luce, als ze de kans kreeg een lange gevangenisstraf in te ruilen voor een getuigenverklaring à charge niet moeilijk te overtuigen zou zijn van wat het beste voor haar was.

82

Jason Arnott was zondagmorgen met een grieperig gevoel wakker geworden en had besloten om niet, zoals hij van plan was geweest, naar zijn huis in de Catskills te gaan. In plaats daarvan bracht hij de dag in bed door. Hij stond alleen af en toe even op om een lichte maaltijd voor zichzelf klaar te maken. Op zulke momenten vond hij het een gemis dat hij geen inwonende huishoudster had.

Aan de andere kant vond hij het heerlijk het huis voor zich alleen te hebben, zonder dat er steeds iemand om hem heen was. Hij nam boeken en kranten mee naar zijn slaapkamer en zat de hele dag, glaasjes sinaasappelsap drinkend en af en toe wegdoezelend, te lezen. Om de paar uur haalde hij echter het biljet van de FBI tevoorschijn om zichzelf ervan te verzekeren dat niemand hem in die wazige, karikatuurachtige beeltenis zou kunnen herkennen.

Tegen maandagavond voelde hij zich een stuk beter en was hij er volkomen van overtuigd dat dat biljet geen bedreiging voor hem vormde. Hij hield zich voor dat, zelfs al kwam er een FBI-agent aan de deur voor een routine verhoor omdat hij op een feestje van de Hamiltons te gast was geweest, hij nooit met die inbraak in verband kon worden gebracht.
Niet vanwege die foto. Ook niet vanwege zijn telefoongesprekken. Noch vanwege enig stuk antiek of schilderij in dit huis, of het meest zorgvuldige onderzoek naar zijn financiën. Zelfs niet vanwege zijn reservering in dat hotel in Washington in het weekend van de inbraak bij de Hamiltons, omdat hij toen gebruik had gemaakt van een van zijn valse identiteiten.
Hij was er rotsvast van overtuigd dat hij veilig was. Hij beloofde zichzelf dat hij de volgende dag of anders beslist woensdag naar de Catskills zou rijden om een paar dagen van zijn schatten te gaan genieten.
Jason wist niet dat de FBI allang gerechtelijke toestemming had gekregen om zijn telefoon af te luisteren en dat zijn huis inmiddels in de gaten werd gehouden. Hij wist ook niet dat hij van nu af aan geen stap meer kon doen zonder te worden bespied en gevolgd.

83

Toen Kerry in noordelijke richting Greenwich Village in Manhattan verliet, kwam ze in de eerste stroom spitsuurverkeer terecht. Het was twintig voor vijf toen ze haar auto de parkeergarage in Twelfth Street uit reed. Het was vijf over zes toen ze haar oprit opreed en Geoffs Volvo voor haar tweede garagedeur zag staan.
Toen ze de garage verliet, had ze via de autotelefoon naar huis gebeld en was maar gedeeltelijk gerustgesteld door haar gesprekje met Robin en met Alison, de oppas. Ze had hen allebei gewaarschuwd onder geen voorwaarde naar buiten te gaan en totdat ze thuis zou zijn voor niemand de deur open te doen.
Bij het zien van Geoffs auto viel het haar op dat Alisons auto weg was. Was Geoff gekomen omdat er iets mis was? Kerry zette de

motor af, draaide de lichten uit, stapte snel uit, gooide het portier achter zich dicht en rende naar het huis.
Robin had blijkbaar op de uitkijk gestaan. Toen ze de stoep oprende, ging de voordeur open.
'Rob, is er iets aan de hand?'
'Nee, mam, alles is in orde. Toen Geoff aankwam, heeft hij tegen Alison gezegd dat ze wel naar huis mocht gaan omdat hij wel op je zou blijven wachten.' Robin keek opeens bezorgd. 'Dat was toch wel goed, hè? Ik bedoel dat ik Geoff heb binnengelaten?'
'Natuurlijk.' Kerry omhelsde Robin. 'Waar is hij?'
'Hier,' zei Geoff vanuit de keukendeur. 'Ik dacht dat je na zaterdagavond nog wel een keer een zelfgekookte Dorso-maaltijd zou lusten. Een heel eenvoudig menu: lamskarbonaadjes, sla en een gepofte aardappel.'
Kerry besefte dat ze zowel gespannen als hongerig was. 'Klinkt heerlijk,' zuchtte ze terwijl ze haar jas losknoopte.
Geoff kwam snel op haar af om haar bij het uittrekken te helpen. Het leek heel natuurlijk dat hij, nadat hij haar jas over zijn ene arm had gelegd, de andere arm om haar heen sloeg en haar op haar wang kuste. 'Zware dag op de fabriek?'
Ze drukte haar gezicht even tegen de warme plaats in zijn hals. 'Het kon makkelijker.'
Robin zei: 'Mam, ik ga naar boven huiswerk maken. Maar omdat ik degene ben die in gevaar verkeert, vind ik wel dat ik precies mag weten wat er aan de hand is. Wat heeft dokter Smith vandaag tegen je gezegd?'
'Maak eerst je huiswerk maar af en laat me eerst even bijkomen. Ik beloof je dat ik je straks alles zal vertellen.'
'Oké.'
Geoff had de gashaard in de woonkamer ontstoken. Hij had de sherry binnengebracht en die samen met twee glazen op de lage tafel gezet. 'Ik hoop niet dat je vindt dat ik me te veel gedraag of ik thuis ben,' verontschuldigde hij zich.
Kerry liet zich op de bank vallen en schopte haar schoenen uit. Ze schudde glimlachend haar hoofd. 'Nee, helemaal niet.'
'Ik heb een nieuwtje voor je, maar jij mag eerst. Wat zei Smith?'

'Ik vertel je liever eerst over Frank Green. Ik heb tegen hem gezegd dat ik vanmiddag vroeg van kantoor zou gaan en ook verteld waarom.'
'En wat zei hij daarop?'
'Het gaat erom wat hij niet zei. Maar ik moet eerlijk toegeven dat hij, hoewel de woorden hem bijna in de keel bleven steken, zei dat hij hoopte dat ik niet dacht dat hij liever een onschuldig man gevangen liet zitten dan politiek in verlegenheid te worden gebracht.'
Ze haalde haar schouders op. 'Ik wou dat ik hem kon geloven.'
'Misschien meende hij het wel. En Smith?'
'Ik heb hem behoorlijk van zijn stuk gebracht, Geoff, dat weet ik zeker. Die vent houdt het niet lang meer vol. Als hij niet gauw de waarheid vertelt, zal ik er bij Barbara Tompkins op aandringen een klacht wegens achtervolging in te dienen. Dat vooruitzicht beviel hem helemaal niet, dat zag ik duidelijk. Ik geloof echt dat hij het niet zover zal laten komen en dat hij met de waarheid voor de dag zal komen.'
Ze staarde naar de vlammetjes die de kunstmatige houtblokken deden opgloeien. Toen voegde ze er langzaam aan toe: 'Geoff, ik heb tegen Smith gezegd dat we twee getuigen hebben die op die avond zijn auto hebben zien staan. Ik heb hem voor de voeten geworpen dat hij Skip misschien zo graag veroordeeld wilde hebben omdat hij zelf degene is die Suzanne heeft gedood. Geoff, ik geloof dat hij verliefd op haar was, niet als dochter of zelfs als vrouw, maar als zijn schepping.'
Ze keerde zich naar hem toe. 'Stel je het volgende scenario eens voor. Suzanne heeft er schoon genoeg van dat haar vader altijd en eeuwig om haar heen hangt. Dat zei Jason Arnott en dat geloof ik best. Op de avond van de moord rijdt dokter Smith naar haar toe. Skip is thuis geweest en alweer vertrokken, precies zoals hij heeft gezegd. Suzanne staat in de hal bloemen te schikken die ze van een andere man heeft gekregen. Vergeet niet dat het kaartje nooit is gevonden. Smith is boos, gekwetst en jaloers. Hij moet nu niet alleen rekening houden met Skip, maar ook met Jimmy Weeks. In een opwelling van woede wurgt hij Suzanne en omdat hij Skip altijd heeft gehaat, neemt hij het kaartje mee. Hij verzint het verhaal dat Su-

zanne altijd al bang voor Skip is geweest en wordt de voornaamste getuige à charge. Op die manier wordt Skip, wat Suzanne betreft zijn rivaal, niet alleen gestraft met minstens dertig jaar gevangenisstraf, maar zoekt de politie ook niet verder naar een moordenaar.'

'Zou kunnen,' zei Geoff langzaam. 'Maar waarom is Jimmy Weeks dan zo bezorgd dat je de zaak heropent?'

'Daar heb ik ook over nagedacht. Je zou in feite zijn relatie met Suzanne net zo goed als argument kunnen gebruiken. Dan hadden ze die avond ruzie en heeft hij haar vermoord. Nog een mogelijkheid is dat Suzanne hem heeft verteld van dat stuk land in Pennsylvania waarop Skip een optie had. Heeft Jimmy soms per ongeluk laten vallen dat daar een verkeersweg doorheen kwam te lopen en heeft hij haar toen vermoord om haar te beletten dat tegen Skip te zeggen? Ik heb gehoord dat hij die optie voor een habbekrats heeft kunnen krijgen.'

'Je hebt heel wat nagedacht vandaag, dame,' zei Geoff. 'En al je scenario's zijn verdomd goed onderlegd. Heb je op weg naar huis toevallig naar het nieuws geluisterd?'

'Mijn hersens hadden rust nodig. Ik heb naar die zender met die gouwe ouwen geluisterd. Anders was ik stapelgek geworden van dat drukke verkeer.'

'Dat was een betere keus. Maar als je wél naar het nieuws had geluisterd, wist je nu dat het materiaal dat Barney Haskell in ruil voor strafvermindering had willen afdragen nu in handen van de officier van justitie is. Barney's boekhouding was blijkbaar het neusje van de zalm. Als Frank Green verstandig is, zal hij in plaats van je tegen te werken alle documentatie opeisen van juwelen die Weeks in de paar maanden voor de moord op Suzanne heeft gekocht. Als hij bijvoorbeeld iets met die dierenriemarmband te maken heeft gehad, hebben we het bewijs dat Smith een leugenaar is.' Hij stond op. 'Ik vind nu wel, Kerry McGrath, dat je je avondeten hebt verdiend. Blijf hier maar zitten. Ik roep je wel als het klaar is.'

Kerry trok haar benen op de bank en dronk met kleine slokjes haar sherry, maar zelfs met de haard aan vond ze het op de een of andere manier niet meer gezellig in de kamer. Even later stond ze op en liep naar de keuken. 'Mag ik komen pottenkijken? Het is hier warmer.'

Geoff ging om negen uur weg. Nadat de voordeur achter hem dicht was gevallen, zei Robin: 'Mam, ik moet je iets vragen. Het gaat over die man die papa moet verdedigen. Als ik jou hoor praten gaat papa dat niet winnen, hè?'
'Niet als al die bewijzen die ze inmiddels hebben gevonden zo steekhoudend zijn als ze zeggen.'
'Is dat slecht voor hem?'
'Niemand vindt het leuk een zaak te verliezen, Robin. Maar ik denk dat een veroordeling van Jimmy Weeks het beste zou zijn dat je vader kan overkomen.'
'Weet je zeker dat het Weeks is die me bang wil maken?'
'Ja, daar ben ik zo goed als zeker van. Daarom moeten we proberen zo gauw mogelijk zijn relatie met Suzanne Reardon te bewijzen, zodat hij geen reden meer heeft om ons de stuipen op het lijf te jagen.'
'Geoff is advocaat, hè?'
'Ja, dat is zo.'
'Zou Geoff ooit zo'n vent als Jimmy Weeks verdedigen?'
'Nee, Robin. Dat denk ik niet.'
'Dat denk ik ook niet.'
Om halftien schoot het Kerry te binnen dat ze had beloofd Jonathan en Grace van haar gesprek met dokter Smith op de hoogte te brengen. 'Geloof je dat hij zal instorten en toegeven dat hij heeft gelogen?' vroeg Jonathan toen ze hem aan de lijn had.
'Ik denk het wel.'
Grace was aan een ander toestel. 'Laten we Kerry mijn nieuwtje ook vertellen, Jonathan. Kerry, Of ik ben vandaag een prima detective geweest, Of ik heb iets ontzettend stoms gedaan.'
Kerry had het zondag niet belangrijk gevonden Arnotts naam te noemen toen ze Jonathan en Grace over dokter Smith en Jimmy Weeks vertelde. Toen ze hoorde wat Grace over hem te vertellen had, was ze blij dat ze geen van beiden haar gezicht konden zien. Jason Arnott. De vriend die vaak in het gezelschap van Suzanne

Reardon was gezien. Die ondanks zijn schijnbare openhartigheid te geaffecteerd was geweest om oprecht over te komen. Als hij een dief zou blijken te zijn, als hij, zoals volgens Grace op dat biljet van de FBI vermeld stond, ook van een moord werd verdacht, welk stukje was hij dan in die ingewikkelde puzzel van de babyrozenmoord?

84

Dokter Charles Smith bleef nadat hij Kerry de deur uit had gewerkt nog urenlang zitten. Voyeur! Moordenaar! Leugenaar! De beschuldigingen die ze hem had toegeworpen, deden hem rillen van weerzin. Hij voelde diezelfde weerzin als hij naar een gezicht keek dat vol littekens zat, mismaakt was of lelijk. Dan voelde hij zich tot in het diepst van zijn wezen trillen van de aandrang om het te veranderen, te transformeren, te perfectioneren. Om er de schoonheid in te zoeken die zijn begaafde handen aan beenderen, spieren en weefsel konden ontworstelen.
In die gevallen was zijn toom gericht op het vuur, het ongeluk of de oneerlijke vermenging van genen als oorzaak van de verminking. Nu was zijn toom gericht op de jonge vrouw die hem daar had zitten beschuldigen.
Voyeur! Hoe durfde ze hem een voyeur te noemen omdat een korte blik op zijn eigen bijna perfecte creatie hem genoegen verschafte! Hij wilde dat hij van tevoren had kunnen weten dat Barbara Tompkins op deze manier haar dank zou uiten. Dan had hij haar een heel ander gezicht gegeven: een gezicht met een huid die verzakte in rimpels, ogen die gingen hangen en opengesperde neusgaten!
Stel dat McGrath Tompkins mee naar de politie nam om die klacht in te dienen. Dat had ze tenminste gezegd en Smith wist dat ze het meende.
Ze had hem ook een moordenaar genoemd. Een moordenaar! Dacht ze nou werkelijk dat hij Suzanne zoiets had kunnen aandoen? Er ging een brandende pijn door hem heen toen hij terugdacht aan het moment dat hij keer op keer op de bel had gedrukt

en vervolgens had gemerkt dat de voordeur niet op slot zat.
En toen Suzanne daar had aangetroffen, bijna voor zijn voeten. Suzanne, maar ze leek helemaal niet meer op zichzelf. Dat misvormde schepsel met die uitpuilende, bloeddoorlopen ogen, opengesperde mond en uithangende tong was niet langer de beeldschone vrouw die hij had geschapen.
Zelfs haar lichaam had er vervormd en afstotelijk uitgezien. Haar linkerbeen had verdraaid onder het rechter gelegen met de hak van haar linkerschoen in haar rechterkuit geprikt, en die verse rozen hadden als een spottend eerbetoon aan de dood over haar heen gelegen.
Smith herinnerde zich dat, toen hij zich over haar had heen gebogen, de vreemde gedachte bij hem was opgekomen dat Michelangelo zich net zo zou hebben gevoeld als hij had gezien hoe zijn *Pietà* jaren geleden door die gek in de Sint-Pieter was gebroken en ontluisterd.
Hij dacht er weer aan hoe hij Suzanne had vervloekt, vervloekt, omdat ze niet naar zijn waarschuwingen had geluisterd. Ze was tegen zijn wens met Reardon getrouwd. 'Wacht nog even,' had hij aangedrongen. 'Hij is niet goed genoeg voor je.'
'In jouw ogen zal niemand ooit goed genoeg voor me zijn,' had ze teruggeschreeuwd.
Hij had moeten aanzien hoe ze naar elkaar keken, hoe hun handen elkaar op tafel vastpakten en hoe ze naast elkaar op de bank zaten. En hoe Suzanne bij Reardon op schoot in die diepe leunstoel zat, zoals hij soms 's avonds door het raam had kunnen zien.
Het was al moeilijk genoeg geweest dat alles te moeten verdragen. Maar het was hem te veel geworden toen Suzanne rusteloos werd en met andere mannen begon uit te gaan. Geen van hen was haar waard geweest. En toen was ze hem om gunsten komen vragen: 'Charles, je moet tegen Skip zeggen dat jij dit voor me hebt gekocht... of dit... en dat...'
Soms vroeg ze: 'Dokter, waarom ben je zo boos? Je hebt zelf gezegd dat ik al mijn pleziertjes moest inhalen. Dat doe ik dus ook. Skip werkt te hard. Met hem valt er niets te beleven. Jij neemt risico's als je opereert. Ik lijk precies op jou. Ik neem ook risico's. Dus

goed onthouden, dokter Charles, dat je een vrijgevige papa bent!' Met een schalkse, flirtende kus, zeker van haar macht over hem en zijn tolerantie.

Moordenaar? Nee, Skip was de moordenaar. Toen hij daar zo over het lichaam van Suzanne gebogen had gestaan, had hij precies geweten wat er was gebeurd. Haar lompe echtgenoot was thuisgekomen, had Suzanne aangetroffen met bloemen van een andere man en was woedend geworden. Dat was ik ook, had Smith gedacht. Toen was zijn oog op het kaartje gevallen dat half onder haar lichaam lag.

En toen, terwijl hij daar nog steeds stond, had hij het gevolg voor ogen gezien. Skip, de jaloerse echtgenoot. De jury zou een man die zijn vrouw in een opwelling van hartstocht had vermoord misschien niet zo zwaar straffen. Of misschien helemaal niet straffen.

Ik zal er voor zorgen dat dàt niet gebeurt, zwoer hij bij zichzelf. Smith herinnerde zich dat hij zijn ogen had gesloten om dat lelijke, vertrokken gezicht voor hem op de grond te vervangen door het beeld van Suzanne in al haar schoonheid. Suzanne, dat beloof ik je! Het was niet moeilijk geweest die belofte te houden. Hij hoefde alleen maar het kaartje dat bij die bloemen had gezeten mee naar huis te nemen en daar te gaan zitten wachten op het onvermijdelijke telefoontje waarin hem meegedeeld zou worden dat Suzanne, zijn dochter, dood was.

Toen de politie hem ondervroeg, had hij hun verteld dat Skip waanzinnig jaloers was geweest en Suzanne doodsbang. Gehoorzaam aan haar laatste verzoek had hij bovendien gezegd dat hij de gever van al die juwelen was geweest waarbij Skip een vraagteken had gezet.

Nee, mevrouw McGrath mocht zeggen wat ze wilde. De moordenaar zat in de gevangenis. En daar zou hij blijven.

Het liep tegen tienen toen Charles Smith opstond. Het was allemaal voorbij. Hij kon niet meer opereren. Barbara Tompkins wilde hij niet meer zien. Hij verafschuwde haar. Hij liep naar de slaapkamer, opende de kleine brandkast en haalde er een pistool uit.

Het zou zo gemakkelijk zijn. Waar zou hij naartoe gaan, vroeg hij zich af. Hij geloofde wel dat de geest doorleefde. Reïncarnatie? Mis-

schien wel. Misschien zou hij de volgende keer een leeftijdgenoot van Suzanne zijn. Misschien werden ze dan wel verliefd op elkaar. Hij glimlachte.
Maar toen hij de brandkast wilde sluiten, viel zijn oog op het juwelenkistje van Suzanne.
Als McGrath nu eens gelijk had? Als niet Skip maar iemand anders Suzanne van het leven had beroofd? Volgens McGrath zat die man hem nu uit te lachen en was hij hem vol spot dankbaar dat hij Skip had helpen veroordelen.
Hij zou dat nog recht kunnen zetten. Als Reardon de moordenaar niet was, kon hij McGrath alles nalaten wat ze nodig had om die man te vinden.
Smith nam het juwelenkistje uit de kluis, legde het pistool erbovenop en droeg beide naar het bureau in zijn studeerkamer. Toen haalde hij zorgvuldig een vel briefpapier tevoorschijn en schroefde de dop van zijn pen.
Toen hij klaar was met schrijven pakte hij het kistje samen met het briefje in en duwde het in een van de grote enveloppen die hij altijd bij de hand had. Hij adresseerde het pakje aan assistent-aanklager Kerry McGrath in het kantoor van de openbare aanklager van Bergen County, Hackensack, New Jersey. Hij had geen moeite zich dat adres te herinneren.
Hij trok zijn jas aan en liep acht blokken verder naar de brievenbus waarin hij wel eens eerder iets had gepost.
Even over elven was hij weer thuis. Hij deed zijn jas uit, pakte het pistool, liep naar de slaapkamer en ging volledig gekleed op zijn bed liggen. Hij knipte alle lichten uit, behalve dat wat op het schilderij van Suzanne scheen.
Hij zou de dag met haar beëindigen en zijn nieuwe leven om middernacht beginnen. Toen hij die beslissing had genomen, voelde hij zich kalm en zelfs gelukkig.
Om halftwaalf rinkelde de voordeurbel. Wie, vroeg hij zich af. Hij deed boos zijn best er niet naar te luisteren, maar de beller bleef volhouden. Hij wist zeker wat het zou zijn. Er was eens op de hoek een ongeluk gebeurd en toen had een van de buren zijn hulp ingeroepen. Hij was per slot van rekening arts. Als er werkelijk een on-

geluk was gebeurd, zou hij nog één keer zijn gave kunnen gebruiken.
Dokter Charles Smith deed open en zakte vervolgens met zijn rug tegen de deur in elkaar, nadat een kogel hem precies tussen zijn ogen had getroffen.

Dinsdag, 7 november

85

Dinsdagmorgen zaten Deirdre Reardon en Beth Taylor al in de wachtkamer van de advocatenpraktijk van Geoff Dorso, toen hij om negen uur binnenkwam.
Beth verontschuldigde zich namens hen allebei. 'Geoff, het spijt me dat we niet eerst hebben gebeld,' zei ze, 'maar Deirdre wordt morgenochtend in het ziekenhuis opgenomen voor die angioplastiek en het zal haar geruststellen als ze nog even met je kan praten. Ze wil je ook die foto van Suzanne geven waar we het onlangs over hadden.'
Deirdre Reardon keek hem bezorgd aan. 'Deirdre nou toch,' zei Geoff hartelijk, 'je weet toch wel dat je ook zonder reden bij me langs kunt komen? Je bent de moeder van mijn belangrijkste cliënt.'
'Ja, ja. En al die uren tikken zeker lekker aan, hè?' grapte Deirdre Reardon met een opgeluchte glimlach. Geoff nam haar handen in de zijne. 'Ik schaam me zo vreselijk dat ik vorige week bij die lieve Kerry McGrath ben binnengestormd en haar zo schandalig heb behandeld terwijl haar eigen kind bedreigd wordt omdat ze mijn zoon probeert te helpen.'
'Kerry begreep heel goed hoe je je die dag voelde. Kom maar mee naar mijn kantoor, ik weet zeker dat de koffie al klaarstaat.'

'We blijven maar heel even,' beloofde Beth, toen Geoff een mok koffie voor haar neerzette. 'En we zullen je tijd niet verdoen met gejubel over hoe heerlijk het is dat er deze keer misschien werkelijk hoop is voor Skip. Je weet best hoe we ons voelen en ook hoe dankbaar we zijn voor alles wat je doet.'
'Kerry heeft gisteren aan het eind van de middag dokter Smith gesproken,' zei Geoff. 'Ze denkt dat ze wel tot hem is doorgedrongen. Maar er zijn ook andere ontwikkelingen.' Hij vertelde hun

over het archief van Barney Haskell. 'We krijgen nu misschien eindelijk de kans om erachter te komen of Suzanne die juwelen nou van Weeks heeft gekregen of niet.'
'Dat is een van de redenen waarom we hier zijn,' zei Deirdre Reardon. 'Weet je nog dat ik tegen je zei dat ik een foto had waarop Suzanne die vermiste dubbele antieke broche met diamanten droeg? Meteen nadat ik zaterdagavond van de gevangenis was thuisgekomen, ben ik mijn mappen gaan doorzoeken, maar ik kon hem niet vinden. Ik heb de hele zondag en ook gisteren nog mijn appartement overhoopgehaald in de hoop hem te zullen vinden. Maar natuurlijk gebeurde dat niet want ik was stom genoeg vergeten dat ik er zo'n plastic hoes omheen had gedaan en hem bij mijn persoonlijke papieren had gelegd. Maar ik heb hem ten slotte toch gevonden. Omdat we het onlangs over die juwelen hadden gehad, vond ik dat je hem beslist moest hebben.'
Ze gaf hem een grote gele envelop. Hij haalde er een opgevouwen pagina van de *Palisades Community Life* uit, een klein formaat krant die wekelijks verscheen. Toen hij hem openvouwde, viel zijn oog op de datum: 24 april, bijna elf jaar geleden en nauwelijks een maand voordat Suzanne Reardon stierf.
De groepsfoto van de Palisades Country Club nam vier kolommen in beslag. Geoff herkende Suzanne Reardon in één oogopslag. Haar beeldschone gezicht sprong er meteen uit. Ze stond enigszins gedraaid en de camera had de schittering van de diamanten op de revers van haar jasje fraai weergegeven.
'Dit is die dubbele broche die verdwenen is,' legde Deirdre uit terwijl ze erop wees. 'Maar Skip weet niet meer wanneer hij Suzanne voor het laatst die broche heeft zien dragen.'
'Ik ben blij dat ik dit heb,' zei Geoff. 'Zodra we een kopie krijgen van een deel van Haskells boekhouding, kunnen we die speld misschien natrekken.'
Het deed Geoff bijna pijn de hoop op hun gezichten te zien. Laat me alsjeblieft niet falen, bad hij, terwijl hij met hen mee terugliep naar de receptie. Bij de deur omhelsde hij Deirdre. 'Denk eraan dat je na die angioplastiek je best moet doen gauw beter te worden, hè? Je kunt niet ziek zijn op het moment dat Skip die deur uit komt.'

'Geoff, ik heb niet al die tijd op blote voeten door de hel gelopen om nu de moed op te geven.'

Nadat Geoff een paar cliënten had teruggebeld en wat vragen had beantwoord, besloot hij Kerry te bellen. Misschien wilde ze wel een fax van die foto hebben die Deirdre had gebracht. Of misschien wil ik alleen haar stem maar horen, gaf hij zichzelf toe.

Nadat haar secretaresse hem had doorverbonden, schrok Geoff hevig van Kerry's bange stem. 'Ik heb net een pakje geopend dat dokter Smith me heeft gestuurd. Niet alleen zit er Suzannes juwelenkistje in maar ook een briefje plus het kaartje dat bij die babyrozen moet hebben gezeten. Geoff, hij geeft toe dat hij over Skip en die juwelen heeft gelogen. En hij schrijft ook dat hij tegen de tijd dat ik dit lees zelfmoord zal hebben gepleegd.'

'Mijn god, Kerry, heeft hij...'

'Nee, dat niet. Dat heeft hij juist niet. Geoff, ik werd net opgebeld door mevrouw Carpenter van zijn praktijk. Toen dokter Smith niet kwam opdagen voor een vroege afspraak en ook de telefoon niet opnam, is ze naar zijn huis gegaan. Zijn voordeur stond op een kier en ze is naar binnen gegaan. Toen vond ze zijn lichaam op de grond in de hal liggen. Hij was doodgeschoten en het hele huis was overhoopgehaald. Geoff, denk je dat iemand wilde voorkomen dat dokter Smith zijn getuigenverklaring introk en op zoek was naar die juwelen? Wie zit hier achter, Geoff? Gaan ze nu achter Robin aan?'

86

Die morgen om halftien keek Jason Arnott uit het raam. Hij zag de bewolkte, donkere lucht en voelde zich lichtelijk gedeprimeerd. Behalve nog wat napijn in zijn benen en rug had hij het virus van zich afgeschud dat hem gedurende het weekend in bed had gehouden. Maar hij kon het ongemakkelijke gevoel dat er iets mis was niet van zich afzetten.

Dat kwam natuurlijk door dat verdomde FBI-biljet. Hij had zich na die avond in het huis van congreslid Peale net zo gevoeld. Toen

hij daar aankwam, waren er beneden al een paar lampen automatisch aangegaan maar was het boven volkomen donker geweest. Hij was de gang af komen lopen met het schilderij en het kluisje dat hij van de muur had getrokken, en had voetstappen op de trap gehoord. Hij had nauwelijks tijd gehad het schilderij voor zijn gezicht te houden voordat de gang helder werd verlicht.
Toen had hij een trillende kreet gehoord: 'O mijn god,' en geweten dat het de moeder van het congreslid was. Hij was niet van plan geweest haar pijn te doen. Hij was instinctief naar haar toe gerend met het schilderij als een schild voor zich, en alleen van plan geweest haar tegen de grond te gooien en haar haar bril af te pakken, zodat hij de deur uit kon vluchten. Op het inhuldigingsfeest van Peale had hij een hele tijd met haar staan praten en hij had geweten dat ze zonder bril stekeblind was.
Maar de zware lijst was harder dan zijn bedoeling geweest was tegen haar hoofd aan geklapt en ze was achterover van de trap gevallen. Door die laatste rochel voordat ze niet meer bewoog, had hij geweten dat ze dood was. Maandenlang had hij daarna voortdurend achteromgekeken om te zien of er iemand met handboeien achter hem aan kwam.
Hoe hij nu ook zijn best deed zichzelf van het tegendeel te overtuigen, dat FBI-biljet gaf hem datzelfde gevoel van paniek.
Na de zaak-Peale was de schitterende aanblik van John White Alexanders meesterwerk *At Rest*, dat hij die avond had meegenomen, zijn enige troost geweest. Hij had het in de slaapkamer van zijn huis in de Catskills gehangen, net als Peale het in zijn slaapkamer had. Het was een heel amusante gedachte dat duizenden mensen naar het Metropolitan Museum of Art gingen om het begeleidende werk *Repose* te bekijken. Hij vond *At Rest* het beste doek van de twee. De achteroverliggende figuur van de mooie vrouw had dezelfde lange, vloeiende lijnen als die van *Repose*, maar de gesloten ogen en de uitdrukking op het sensuele gezicht deden hem tegenwoordig aan Suzanne denken.
Het miniatuurlijstje met haar portret stond op zijn nachtkastje. Hij schepte er genoegen in ze allebei in zijn kamer te hebben, ondanks het feit dat de imitatie Fabergé-lijst het niet waard was in zo'n luis-

terrijke omgeving te staan. Het nachtkastje was verguld met marmer, een prachtig voorbeeld van neogotiek. Hij had het meegenomen toen hij met behulp van een vrachtwagen zo goed als het hele huisraad van de Merrimans had gestolen.
Hij zou eerst opbellen. Hij hield ervan aan te komen als de verwarming al aan was en de koelkast gevuld. In plaats van zijn huishoudster via het normale toestel te bellen zou hij echter zijn zaktelefoon gebruiken, die op een van zijn valse namen stond geregistreerd.

In een auto die eruitzag als een reparatiewagen van het gas- en elektriciteitsbedrijf, kwam het signaal door dat Arnott iemand opbelde. De rechercheurs luisterden mee en glimlachten elkaar triomfantelijk toe. 'Ik geloof dat we op het punt staan de sluwe meneer Arnott naar zijn hol te kunnen volgen,' merkte de hoofdagent op. Ze hoorden Jason het gesprek beëindigen met: 'Dank je wel, Maddie. Ik ga hier over een uur weg en kom dan tegen enen aan.' Maddie antwoordde met haar diepe, eentonige stem: 'Ik zal zorgen dat alles klaarstaat. U kunt op me rekenen.'

87

Frank Green was in de rechtszaal, dus Kerry kon hem pas tegen het middaguur op de hoogte brengen van de moord op Smith en het pakje dat ze laat in de morgen van hem had ontvangen. Ze had haar zelfbeheersing weer helemaal terug en vroeg zich af hoe het kwam dat ze zich zo had laten gaan toen ze Geoff aan de lijn had. Maar over die emoties zou ze later wel nadenken. De wetenschap dat Joe Palumbo voor de school van Robin stond te wachten om haar naar huis te brengen en dat hij het huis zou blijven bewaken totdat Kerry thuiskwam, was voorlopig genoeg om haar gerust te stellen. Green bekeek de inhoud van het juwelenkistje zorgvuldig. Hij vergeleek ieder stuk met de beschrijving in het briefje dat Smith erbij aan Kerry had gezonden. 'Dierenriemarmband,' las hij. 'Daar heb je hem. Horloge met gouden cijfers, ivoren wijzerplaat, gouden band met diamanten. Oké, hier is-ie. Roodgouden ring met smaragden en diamanten, dat is deze. Antieke diamanten armband. Drie rijen diamanten, met diamanten gespen bijeen gehouden.' Hij hield hem omhoog. 'Wat een prachtstuk.'

'Ja. Misschien herinner je je nog dat Suzanne die armband droeg toen ze werd vermoord. Er ontbreekt nog één stuk, een antieke broche of dubbele broche die Skip Reardon heeft beschreven. Dokter Smith noemt hem niet en had hem blijkbaar ook niet in zijn bezit. Maar Geoff heeft me net een foto gefaxt uit een plaatselijk krantje, waarop Suzanne maar een paar weken voor haar dood die broche draagt. Hij is ook bij haar thuis niet gevonden. Je ziet wel dat hij erg op die armband lijkt en ook antiek is. De andere stukken zijn ook schitterend maar moderne ontwerpen.'

Kerry bestudeerde de vage afbeelding en begreep waarom Deirdre Reardon hem had beschreven als een soort moeder-en-kind-symbool. Zoals ze had gezegd bestond de broche uit twee delen, het grootste een bloem en het kleinste een knop. Ze zaten met een kettinkje aan elkaar vast. Ze bleef er een poosje perplex naar staren, omdat hij haar zo merkwaardig bekend voorkwam.

'We zullen nakijken of er iets over die broche in Haskells kwitanties staat,' beloofde Green. 'Laten we de zaak even op een rijtje zetten. Voor zover je weet, hebben we hier alle sieraden behalve die broche bij elkaar, waarvan de dokter van Suzanne tegen Skip moest zeggen dat ze van hem afkomstig waren?'

'Volgens deze brief van Smith wel en het klopt met wat Skip me zaterdag heeft verteld.'

Green legde de brief van Smith neer. 'Kerry, denk je dat je misschien gevolgd werd toen je gisteren bij Smith op bezoek ging?'

'Nu denk ik eigenlijk van wel. Daarom ben ik ook zo ongerust over Robins veiligheid.'

'We zullen vanavond een surveillanceauto voor je huis zetten. Maar je zou me een groot plezier doen als je met Robin een veiliger onderkomen zou kunnen zoeken nu dit allemaal op de spits wordt gedreven. Jimmy Weeks zit in de val. Royce kan hem misschien van belastingfraude beschuldigen maar door alles wat jij hebt ontdekt, kunnen wij hem misschien beschuldigen van moord.'

'Bedoel je vanwege dat kaartje van Jimmy bij die babyrozen?' Dat werd inmiddels al door handschriftdeskundigen onderzocht en Kerry had Green herinnerd aan het briefje dat aangetroffen was in de zak van Haskells advocaat nadat de twee mannen waren vermoord.
'Precies. Die muzieknoten zijn niet door een bloemenverkoper neergeschreven. Voor zo'n visitekaartje kun je nauwelijks telefonisch opdracht geven. Ik heb gehoord dat Weeks vrij muzikaal is. Het middelpunt van ieder feestje als hij aan de piano gaat zitten. Zo iemand, weet je wel... Dat kaartje en die juwelen, als ze kloppen met die kwitanties, werpen een heel ander licht op de zaak-Reardon.'
'Als Skip opnieuw wordt berecht, mag hij in afwachting daarvan in voorlopige vrijheid worden gesteld of wordt de aanklacht tegen hem ingetrokken,' zei Kerry kalm.
'Als het zover komt, zal ik dat aanbevelen,' stemde Green in.
'Frank, ik moet het nog over één ding hebben,' zei Kerry. 'We weten dat Jimmy Weeks er van alles aan doet om ons van dat onderzoek af te brengen. Maar dat kan ook een andere reden hebben dan we denken. Ik heb gehoord dat Weeks opties op dure grond in Pennsylvania van Skip Reardon heeft overgenomen toen Skip al zijn bezittingen moest verkopen. Weeks was duidelijk van tevoren ingelicht over de bestemming van die grond, dus bestaat er grote kans dat de hele transactie illegaal was. Natuurlijk is dat lang niet zo'n grote misdaad als moord – en we weten nog steeds niet zeker of hij Suzannes moordenaar is – maar als de belastingdienst van die informatie op de hoogte zou zijn, zou Weeks in combinatie met dat belastingontduikingvonnis heel lang achter de tralies kunnen worden gezet.'
'Dus je denkt dat hij bang is dat door jouw gesnuffel in de zaak-Reardon die transacties ook aan het licht komen?' vroeg Green.
'Ja, dat is best mogelijk.'
'Maar geloof je echt dat dat genoeg reden voor hem is om jou via Robin te bedreigen? Dat lijkt me wel een beetje vergaand.' Green schudde zijn hoofd.
'Frank, als ik mijn ex-man mag geloven, is Weeks wreed en arrogant genoeg om alle perken te buiten te gaan om zichzelf te beschermen. Het maakt hem niet uit of hij beschuldigd wordt van

moord of diefstal van een krant. Maar behalve dat, zou die hele moordsituatie ook nog heel anders in elkaar kunnen zitten, zelfs al kunnen we het verband tussen Jimmy Weeks en Suzanne aantonen,' zei Kerry. Vervolgens bracht ze hem op de hoogte van de connectie tussen Jason Arnott en Suzanne en de theorie van Grace Hoover dat hij een beroepsinbreker was.
'Denk je dan dat hij, zelfs als dat zo is, iets met die moord op Suzanne Reardon te maken heeft?' vroeg Green.
'Dat weet ik nog niet,' antwoordde Kerry langzaam. 'Het hangt ervan af of hij iets met die diefstallen te maken heeft.'
'Wacht maar even, dan laten we de FBI dat opsporingsbiljet meteen doorfaxen,' zei Green terwijl hij op de intercom drukte. 'Ik zal ook laten uitzoeken wie dat onderzoek leidt.'
Binnen vijf minuten bracht zijn secretaresse het biljet binnen. Green wees op het vertrouwelijke telefoonnummer. 'Zeg dat ze me met de hoogste baas van dit onderzoek moeten doorverbinden.'
Een minuut later had Green Si Morgan aan de lijn. Hij zette de luidspreker aan, zodat Kerry kon meeluisteren.
'Er komt nu schot in de zaak,' zei Morgan. 'Arnott heeft een tweede huis in de Catskills. We hebben besloten dat we erheen zullen gaan om te zien of de huishoudster ons te woord wil staan. We zullen u op de hoogte houden.'
Kerry klemde haar vingers om de stoelleuningen en draaide haar hoofd naar de stem uit de luidspreker. 'Meneer Morgan, dit is heel belangrijk. Als u uw rechercheur nog kunt bereiken, vraag hem dan of hij naar een ovaal miniatuurlijstje wil uitkijken. Het is van blauw email meteen rand van zoetwaterparels rond het glas. Er kan een foto van een heel mooie vrouw met donker haar in zitten. Als hij het kan vinden, kunnen we Jason Arnott misschien met een moord in verband brengen.'
'Ik kan hem nog steeds bereiken. Ik zal het hem vragen en het u laten weten,' beloofde hij.
'Wat bedoelde je daar precies mee?' vroeg Green toen hij de luidspreker uitzette.
'Skip Reardon heeft altijd volgehouden dat een miniatuurlijstje, een imitatie Fabergé, op de avond van Suzannes dood uit de slaapka-

mer is verdwenen. Dat en die antieke broche zijn de twee dingen waar we op dit moment geen verklaring voor hebben.'

Kerry leunde naar voren en pakte de diamanten armband. 'Kijk hier maar eens goed naar. Hij is van een heel andere klasse dan de rest van die juwelen.' Ze hield de foto van Suzanne met de antieke broche omhoog. 'Weet je wat ik zo vreemd vind? Dat ik het gevoel heb dat ik zo'n soort broche al eens eerder heb gezien. Ik bedoel waar zo'n kleine aan zo'n grote vastzit. Maar dat kan best alleen zijn omdat Skip en zijn moeder het er tijdens het onderzoek zo nadrukkelijk over hebben gehad. Ik heb het dossier zo vaak doorgenomen dat het me duizelt.'

Ze legde de armband terug in het kistje. 'Jason Arnott was vaak in Suzannes gezelschap. Misschien was hij lang niet zo'n eunuch als hij zich voorgaf te zijn. Stel je eens voor, Frank, dat hij ook voor Suzanne is gevallen. En dat hij haar die antieke broche en die armband heeft gegeven. Het zijn precies de soort juwelen die hij zou uitzoeken. Maar toen kwam hij erachter dat ze iets met Jimmy Weeks had. Misschien kwam hij die avond wel binnen en zag die babyrozen en dat kaartje van Jimmy.'

'Je bedoelt dat hij haar heeft vermoord en die broche weer heeft teruggenomen?'

'Samen met die foto. Mevrouw Reardon zegt dat het een schitterend lijstje is.'

'Maar waarom die armband dan niet?'

'Toen ik vanmorgen op je zat te wachten, heb ik de foto's zitten bekijken van het lichaam voordat iemand het had aangeraakt. Suzanne droeg een gouden schakelarmband om haar linkerarm. Dat kun je op de foto zien. De diamanten armband, die ze om haar andere arm droeg, is niet te zien. Ik heb het in het dossier nagekeken. Hij zat hoog om haar arm onder de mouw van haar blouse, zodat hij niet zichtbaar was. Volgens het rapport van de patholoog-anatoom zat er een nieuwe, heel stevige veiligheidssluiting aan. Het kan zijn dat ze die armband omhoog had geschoven omdat ze hem misschien nier wilde dragen en hem niet open kon krijgen. Het kan ook zijn dat ze besefte dat haar aanvaller hem terug wilde hebben, waarschijnlijk omdat hij hem haar had gegeven, en ze hem wilde

verbergen. Het heeft hoe dan ook effect gehad, want hij heeft hem niet gevonden.'
Terwijl ze zaten te wachten totdat Morgan terug zou bellen, stelden Green en Kerry een opsporingsbiljet samen van foto's van de juwelen, dat onder juweliers in New Jersey zou worden verspreid.
Op een gegeven ogenblik merkte Frank op: 'Kerry, besef je wel dat, als mevrouw Hoover gelijk heeft, een aanwijzing van de vrouw van onze staatssenator ertoe leidt dat we de moordenaar van de moeder van congreslid Peale te pakken krijgen? En als Arnott bovendien nog iets met die zaak-Reardon te maken blijkt te hebben...'
Frank Green, kandidaat-gouverneur, dacht Kerry. Hij zit al druk te bedenken hoe hij zijn aanklacht tegen een onschuldig mens kan verdoezelen. Nou ja, zo zijn politici.

88

Maddie Platt was zich niet bewust van de auto die haar volgde toen ze bij de supermarkt parkeerde om boodschappen te doen. Ze zocht zorgvuldig alle artikelen uit die op het haar opgedragen lijstje stonden. Ze merkte ook niet dat ze nog steeds werd gevolgd toen ze Ellenville verliet en over de smalle, bochtige wegen reed op weg naar het grote landhuis van de man die zij kende als Nigel Grey.
Ze ging het huis binnen en werd tien minuten later opgeschrikt door de bel. Er was nog nooit iemand aan de deur geweest. Bovendien had meneer Grey haar ten strengste verboden ooit iemand binnen te laten. Ze was dus niet van plan de deur open te doen zonder dat ze wist wie het was.
Ze keek uit een zijraam en zag een keurig geklede man op de bovenste trede van het bordes staan. Hij zag haar en hield een insigne omhoog om te laten zien dat hij een rechercheur van de FBI was. 'FBI, mevrouw. Wilt u alstublieft opendoen zodat ik met u kan praten?'
Zenuwachtig deed Maddie de voordeur open. Ze stond nu vlak voor het onmiskenbare FBI-insigne met de foto van de betrokken agent. 'Goedemiddag, mevrouw. Ik ben FBI-agent Milton Rose. Ik

wil u geen schrik aanjagen, maar ik moet u dringend spreken over meneer Jason Arnott. U bent toch zijn huishoudster?'
'Meneer, ik ken helemaal geen meneer Arnott. Dit huis is van meneer Nigel Grey en ik werk al jaren voor hem. Ik verwacht hem vanmiddag, hij moet er eigenlijk al zo aan komen. En ik zal u maar meteen vertellen dat hij me streng verboden heeft ooit iemand zonder zijn toestemming binnen te laten.'
'Mevrouw, ik vraag u niet me binnen te laten. Ik heb geen bevel tot huiszoeking. Maar ik moet wel met u praten. Uw meneer Grey heet in werkelijkheid Jason Arnott. We verdenken hem ervan dat hij tientallen inbraken heeft gepleegd en daarbij bijzondere kunstvoorwerpen en andere waardevolle stukken heeft gestolen. Misschien is hij zelfs verantwoordelijk voor de dood van de oude moeder van een congreslid, die hem tijdens een inbraak in haar huis tegen het lijf liep.'
'O mijn god,' riep Maddie uit. Meneer Grey had zich hier inderdaad nooit met iemand bemoeid maar ze had altijd aangenomen dat dat was omdat hij naar dit huis in de Catskills vluchtte om in alle rust te kunnen ontspannen. Het drong nu tot haar door dat hij misschien om heel andere redenen ergens voor vluchtte.
Rechercheur Rose beschreef haar vervolgens een groot aantal gestolen kunstvoorwerpen die verdwenen waren uit huizen waar Arnott ooit te gast was geweest. Ze gaf bedroefd toe dat bijna al die voorwerpen in dit huis aanwezig waren. En inderdaad stond er een ovaal miniatuurlijstje met zoetwaterparels, met de foto van een vrouw erin, op zijn nachtkastje.
'Mevrouw, we weten dat hij eraan komt. Ik moet u vragen met ons mee te gaan. Ik ben ervan overtuigd dat u niet hebt geweten hoe de vork in de steel zat en er overkomt u niets. Maar we gaan telefonisch om een huiszoekingsbevel vragen, zodat we het huis van meneer Arnott kunnen doorzoeken en hem kunnen arresteren.'
Met zachte hand leidde rechercheur Rose de beduusde Maddie naar de wachtende auto. 'Ik kan het nauwelijks geloven!' riep ze, 'ik wist nergens van!'

89

Om halfeen zat een bange Martha Luce, die twintig jaar boekhoudster van James Forrest Weeks was geweest, een vochtige zakdoek in en uit elkaar te draaien in het kantoor van openbaar aanklager Brandon Royce.

De beëdigde verklaring, die ze maanden geleden tegenover Royce had afgelegd, was haar zojuist opnieuw voorgelezen.

'Blijft u nog steeds bij wat u toen tegen ons hebt gezegd?' vroeg Royce terwijl hij op de papieren in zijn hand tikte.

'Ik heb toen voor zover ik wist de waarheid verteld,' zei Martha, haar stem nauwelijks meer dan een gefluister. Ze wierp een nerveuze blik opzij op de stenotypist en vervolgens op haar neef, een jonge advocaat, die ze in paniek had opgebeld toen ze hoorde van de succesvolle speurtocht door het huis van Barney Haskell.

Royce leunde naar voren. 'Juffrouw Luce, ik kan u niet genoeg op het hart drukken hoe ernstig uw situatie is. Als u onder ede doorgaat met liegen, zal u dat duur komen te staan. We hebben al genoeg om Jimmy Weeks de das om te doen. Ik zal eerlijk tegen u zijn. Aangezien Barney Haskell jammer genoeg zo plotseling uit ons midden is weggenomen, zou het ons goed van pas komen u als levende getuige te kunnen oproepen' – hij legde de nadruk op het woord levende 'om de accuratesse van zijn boekhouding te beamen. Als u dat niet doet, zullen we Jimmy Weeks nog steeds veroordelen. Maar daarna, juffrouw Luce, zullen we alle aandacht op u richten. Meineed is een ernstige overtreding. Belemmering van de rechtsgang is een ernstige overtreding. En iemand helpen bij het frauderen met inkomstenbelasting is ook een heel ernstige overtreding.'

Het timide gezicht van. Martha Luce vertrok. Ze begon te snikken. Haar lichtblauwe ogen werden rood van de opwellende tranen, die vervolgens over haar wangen rolden. 'Meneer Weeks heeft alle rekeningen betaald toen mijn moeder zo lang ziek was.'

'Dat was heel aardig van hem,' zei Royce. 'Maar dat deed hij wel met het geld van de belastingbetaler.'

'Mijn cliënt heeft het recht om geen woord meer te zeggen,' onderbrak de neef en advocaat.

Royce wierp hem een vernietigende blik toe. 'Dat hebben we al gezegd, raadsman. U kunt ook nog tegen uw cliënt zeggen dat we er niet bepaald happig op zijn om dames van middelbare leeftijd met een misplaatste loyaliteit in de gevangenis te zetten. We zijn bereid uw cliënt deze keer – en alleen deze keer – vrijuit te laten gaan in ruil voor volledige medewerking. Anders moet ze het zelf maar weten. Maar zegt u wel tegen uw cliënt' – de stem van Royce was opeens vol sarcasme – 'dat Barney Haskell zijn onderhandelingen voor strafvermindering zo lang heeft uitgesteld dat hij er geen baat meer bij kon hebben.'
'Volkomen vrijuit?' vroeg de neef en advocaat.
'Volkomen, en dan zullen we juffrouw Luce meteen in bescherming nemen. We willen niet dat haar ook iets overkomt.'
'Tante Martha,' begon de jongeman met schorre stem.
Ze hield op met snuiven. 'Ik weet het, lieve jongen. Meneer Royce, misschien had ik altijd al het vermoeden dat meneer Weeks...'

90

Het nieuws dat er een schat was gevonden in een verborgen kluis in het zomerhuis van Barney Haskell was voor Bob Kinellen de genadeslag wat zijn hoop op vrijspraak voor Jimmy Weeks betrof. Zelfs zijn schoonvader, Anthony Bartlett, begon eindelijk de onvermijdelijke afloop onder ogen te zien.
Deze dinsdagmorgen had openbaar aanklager Royce gedaan gekregen dat de lunchpauze een uur mocht worden verlengd. Bob vermoedde al wat dat te betekenen had. Martha Luce, een getuige à decharge en een van de meest geloofwaardige vanwege haar bedeesde uiterlijk, werd in de tang genomen.
Als Haskell een kopie van Jimmy's boekhouding had gemaakt, bestond die tang waarschijnlijk uit haar gezworen verklaring dat die boekhouding altijd goudeerlijk was geweest. Als Martha Luce in ruil voor immuniteit voor de aanklager ging getuigen, konden zij het verder wel vergeten.
Bob Kinellen liet zwijgend zijn blik door het hele vertrek dwalen,

maar vermeed zijn cliënt aan te kijken. Hij voelde zich dodelijk vermoeid, alsof hij gebukt ging onder een zware last. Hij vroeg zich af wanneer dat was begonnen. Hij liet zijn gedachten over de afgelopen dagen gaan en besefte het opeens. Toen ik een dreigement betreffende mijn eigen kind ging overbrengen, zei hij tegen zichzelf. Elf jaar lang had hij zich strikt aan de wet gehouden. Jimmy Weeks had recht op verdediging en het was zijn werk geweest hem van aanklachten te vrijwaren. Dat had hij op een legale manier voor elkaar gekregen. Als er ook sprake was geweest van illegale manieren, had hij dat niet geweten noch willen weten.
Maar in deze rechtszaak was hij betrokken geweest bij een proces van omzeiling van de wet. Weeks had hem onlangs de reden verteld waarom hij mevrouw Wagner in de jury wilde hebben: haar vader zat in Californië in de gevangenis. Hij had dertig jaar geleden een heel gezin vermoord, dat in Yosemite National Park aan het kamperen was. Hij was van plan die belastende informatie over jurylid Wagner achter te houden om later te gebruiken als Weeks in beroep ging. Hij wist heel goed dat dat onethisch was. Hij balanceerde niet langer op de rand van de afgrond. Hij was al naar beneden gevallen. De brandende schaamte die hij had gevoeld toen hij Robins kreet van schrik had gehoord terwijl hij met Kerry worstelde, gaf hem nog steeds een schrijnend gevoel. Hoe had Kerry dat aan Robin uitgelegd? Je vader kwam even een dreigement doorgeven van een cliënt van hem? Het is een cliënt van je vader die vorige week de een of ander rotzak opdracht heeft gegeven je de stuipen op het lijf te jagen? Jimmy Weeks was doodsbang voor de gevangenis. Hij kon het vooruitzicht opgesloten te worden niet verdragen. Hij zou alles doen om eronder uit te komen.
Het was duidelijk te merken dat Jimmy behoorlijk in paniek was geraakt. Ze lunchten in een restaurant een paar kilometer van het gerechtsgebouw. Nadat ze hun bestelling hadden opgegeven, zei Jimmy abrupt: 'Ik wil jullie geen woord horen zeggen over een eventuele strafvermindering, begrepen?'
Bartlett en Kinellen wachtten zwijgend af.
'Ik denk niet dat we erop kunnen rekenen dat die slapjanus met die zieke vrouw in de jurykamer niet zal toegeven.'

Dat had ik je ook kunnen vertellen, dacht Bob. Hij wilde er eigenlijk helemaal niet over praten. Als zijn cliënt dat jurylid had omgekocht, was dat buiten zijn medeweten gebeurd, stelde hij zichzelf gerust. En Haskell is het slachtoffer van een straatroof geweest, zei een innerlijke stem spottend.
'Bobby, mijn bronnen vertellen me dat de politieagent die de jury bewaakt je nog een wederdienst verschuldigd is,' zei Weeks.
'Waar heb je het over, Jimmy?' Bob Kinellen speelde met zijn vork.
'Je weet best waar ik het over heb. Je hebt ooit een kind van hem uit de puree gehaald. Daar is hij je dankbaar voor.'
'En?'
'Bobby, volgens mij moet die agent dat zure, bekrompen mens van Wagner maar eens laten weten dat haar papa, de moordenaar, op alle voorpagina's zal komen te staan tenzij ze redelijke twijfel koestert als de jury tot een uitspraak moet komen.'
Wie met pek omgaat, wordt ermee besmet. Dat had Kerry al voor Robins geboorte tegen hem gezegd.
'Jimmy, we hebben al een reden om een nieuw proces aan te vragen omdat ze dat feit niet heeft vermeld. Dat is onze troef. Meer hebben we niet nodig.' Bob wierp een blik op zijn schoonvader. 'Anthony en ik hebben al een geweldig risico genomen door dat niet aan het Hof kenbaar te maken. We kunnen als excuus aanvoeren dat we er pas na afloop van het proces achter kwamen. Zelfs als je veroordeeld wordt, laten ze je op borgtocht vrij. En dan kunnen we de zaak eindeloos rekken.'
'Niet goed genoeg, Bobby. Je moet nu maar eens laten zien wat je waard bent. Maak dus maar eens een praatje met die agent. Hij zal heus wel luisteren en een woordje gaan wisselen met die dame, die al op haar geweten heeft dat ze dat formulier niet eerlijk heeft ingevuld. En dan hebben we een jury die niet tot overeenstemming kan komen. Dat is wel geen vrijspraak maar dan kunnen we het net zolang rekken tot jullie tweeën een manier hebben bedacht om de volgende keer wel vrijspraak te krijgen.'
De kelner kwam terug met hun voorafje. Bob Kinellen had slakken besteld, die hier erg lekker werden klaargemaakt. Pas toen hij ze op had en de kelner zijn bord weghaalde, realiseerde hij zich dat

hij er niets van had geproefd. Jimmy is de enige niet die in een hoek wordt gedreven, dacht hij. Ik sta er net zo voor.

91

Kerry ging na het telefoongesprek met Si Morgan terug naar haar kantoor. Ze was er nu van overtuigd dat Arnott op de een of andere manier iets met de dood van Suzanne Reardon te maken had gehad. Op welke manier, dat was pas vast te stellen nadat zij en Green hem na zijn arrestatie door de FBI hadden verhoord.

Er lag een stapel boodschappen op haar bureau, waaronder een van Jonathan waarop DRINGEND stond. Hij had zijn privénummer op zijn plaatselijke kantoor achtergelaten. Ze belde hem meteen terug.

'Ik ben blij dat je terugbelt, Kerry. Ik moet naar Hackensack en wil met je praten. Zullen we samen gaan lunchen?'

Een paar weken geleden was hij zijn gesprekken steeds begonnen met: 'Zullen we samen gaan lunchen, edelachtbare?'

Kerry wist dat hij dat vandaag niet per ongeluk achterwege had gelaten. Jonathan was een eerbaar mens. Als de politieke consequentie van haar onderzoek Frank Green zijn benoeming zou kosten, zou zij haar rechterschap moeten opgeven, hoe juist ze ook had gehandeld. Zo zat de politiek in elkaar. Bovendien waren er meer dan genoeg bekwame mensen die naar dat baantje hunkerden.

'Natuurlijk, Jonathan.'

'Om halftwee bij Solari's.'

Ze dacht dat ze wel wist waarom hij had gebeld. Hij had het verhaal over dokter Smith gehoord en maakte zich zorgen over haar en Robin.

Ze draaide het kantoornummer van Geoff. Hij zat aan zijn bureau een broodje te eten.

'Ik ben blij dat ik al zit,' reageerde hij toen ze hem over Arnott inlichtte.

'De FBI zal alles wat ze in het huis in de Catskills vinden fotograferen en catalogiseren. Morgan zei dat ze nog niet hadden besloten of ze het in een loods zullen opslaan of de bestolen mensen zullen vragen hun spullen ter plekke te komen uitzoeken. Maar hoe dan ook willen Green en ik graag dat mevrouw Reardon als we met Arnott gaan praten met ons meegaat om dat fotolijstje te identificeren.'

'Ik zal vragen of ze die angioplastiek een paar dagen kan uitstellen. Kerry, een van onze partners was vanmorgen in de rechtszaal. Hij zei dat Royce om een extra uur lunchpauze had verzocht. Er wordt gezegd dat hij de boekhoudster van Weeks immuniteit heeft aangeboden. Hij wil blijkbaar geen kans lopen nog een eersteklas getuige te verliezen door zich hard op te stellen.'

'Dus de bom staat op barsten?'

'Precies.'

'Heb je Skip al over die brief van Smith verteld?'

'Meteen nadat ik met jou had gepraat.'

'Hoe reageerde hij?'

'Hij begon te huilen.' Geoffs stem werd schor. 'Ik ook. Hij komt eruit, Kerry, en dat heb jij voor elkaar gekregen.'

'Nee, dat zie je verkeerd. Dat hebben jij en Robin gedaan. Ik wilde hem aan zijn lot overlaten.'

'Daar zullen we het later nog wel eens over hebben. Kerry, ik heb Deirdre Reardon aan de andere lijn. Ik heb steeds geprobeerd haar te bereiken. Ik bel je straks nog wel. Ik wil niet dat jij en Robin vannacht alleen thuis zijn.'

Voordat Kerry Jonathan voor de lunch ging ontmoeten, draaide ze het nummer van Joe Palumbo's zaktelefoon. Hij nam meteen op.

'Palumbo.'

'Met Kerry, Joe.'

'De pauze is voorbij. Robin is weer naar binnen. Ik sta geparkeerd voor de hoofdingang, de enige deur die niet op slot zit. Ik zal haar naar huis brengen en bij haar en de oppas blijven.' Hij zweeg even. 'Maak je maar geen zorgen, mama. Ik zal heus goed op je kind passen.'

'Dat weet ik. Dank je wel, Joe.'

Het was tijd om Jonathan te ontmoeten. Terwijl ze haastig de gang afliep en nog net de lift in kon glippen, dacht Kerry aan de mis-

sende broche. Er was iets heel bekends aan. Die twee delen. Die bloem en die knop, als moeder en kind. Een mama en een baby... waarom kwam haar dat toch zo bekend voor, vroeg ze zich af.
Jonathan zat al aan een tafeltje een glas sodawater te drinken. Hij stond op toen hij haar zag aankomen. Zijn korte, bekende omhelzing stelde haar gerust. 'Je ziet er moe uit, jongedame,' zei hij. 'Of moet ik gespannen zeggen?'
Als hij op die manier tegen haar praatte, herinnerde Kerry zich de warmte uit de tijd dat haar vader nog leefde. Dan voelde ze een grote dankbaarheid dat Jonathan in zoveel opzichten als een vader voor haar was.
'Het is me tot nu toe het dagje wel,' zei ze terwijl ze ging zitten. 'Heb je het nieuws over dokter Smith al gehoord?'
'Grace heeft me gebeld. Ze hoorde het over de radio toen ze om tien uur zat te ontbijten. Klinkt als weer een typisch karweitje van Weeks. We maken ons allebei vreselijk bezorgd over Robin.'
'Ik ook. Maar Joe Palumbo, een van onze rechercheurs, staat voor de deur van haar school. Hij blijft bij haar tot ik thuiskom.'
De kelner stond naast hen. 'Laten we eerst iets bestellen,' stelde Kerry voor, 'en dan breng ik je helemaal op de hoogte.'
Ze bestelden allebei uiensoep, die niet lang daarna voor hen werd neergezet. Terwijl ze zaten te eten, vertelde ze hem over het pakje met de juwelen en de brief van dokter Smith.
'Ik schaam me dat ik je van je onderzoek heb geprobeerd af te houden, Kerry,' zei Jonathan zacht. 'Ik zal mijn best voor je doen maar als de gouverneur van mening is dat Greens benoeming in gevaar is gekomen, zou het net iets voor hem zijn jou daarvan de schuld te geven.'
'Nou ja, we kunnen in ieder geval hopen,' zei Kerry. 'En Grace bedanken voor haar tip aan de FBI.' Ze vertelde hem wat ze over Jason Arnott aan de weet was gekomen. 'Frank Green probeert nu al te verzinnen hoe hij de aandacht kan afleiden van het feit dat Skip Reardon ten onrechte is vervolgd. Hij popelt om aan te kondigen dat de insluiper die de moeder van congreslid Peale heeft vermoord, gepakt is via een tip van de vrouw van senator Hoover. Jij staat op het punt zijn beste vriend te worden en wie kan hem dat

kwalijk nemen? God weet dat je waarschijnlijk de meest gerespecteerde politicus van New Jersey bent.'

Jonathan glimlachte. 'We kunnen de waarheid altijd een handje helpen door te zeggen dat Grace eerst Green heeft geraadpleegd en dat hij erop aangedrongen heeft dat ze belde.' Toen verdween de glimlach. 'Kerry, als Arnott eventueel een schuldige in de zaak-Reardon blijkt te zijn, hoe breng je dat dan in verband met Robin? Is het mogelijk dat Arnott die foto van haar heeft genomen en die jou heeft toegestuurd?'

'Absoluut niet. Robins eigen vader heeft dat dreigement overgebracht en zo goed als toegegeven dat Jimmy Weeks die foto heeft laten maken.'

'Wat is de volgende stap?'

'Waarschijnlijk nemen Frank Green en ik morgenochtend Deirdre Reardon mee naar de Catskills om dat miniatuurlijstje te identificeren. Arnott wordt als het goed is op dit moment gearresteerd. Ze zullen hem voorlopig hier vasthouden. Zodra ze weten wat waar is gestolen, zal hij voor de verschillende rechtbanken worden gedagvaard. Volgens mij zijn ze erop gebrand om hem allereerst voor de moord op de moeder van congreslid Peale te berechten. Als hij schuldig is aan de dood van Suzanne Reardon, vervolgen we hem daar natuurlijk hier voor.'

'En als hij weigert zijn mond open te doen?'

'We zijn opsporingsbiljetten voor die juwelen aan het rondsturen naar alle juweliers in New Jersey. We concentreren ons natuurlijk op Bergen County, omdat zowel Weeks als Arnott hier woont. Ik denk dat een van hen die moderne sieraden wel zal herkennen en Weeks als de koper zal noemen, en dat die antieke armband van Arnott zal blijken te zijn. Toen die om Suzannes arm werd gevonden, zat er een duidelijk nieuwe sluiting aan. Die armband is zo bijzonder dat een juwelier hem vast wel herkent. Hoe meer we kunnen vinden om tegen Arnott te gebruiken, hoe gemakkelijker het waarschijnlijk zal zijn hem te dwingen het op een akkoordje te gooien.'

'Je verwacht dus dat je morgenochtend naar de Catskills gaat?'

'Ja. Maar ik laat Robin beslist niet weer alleen achter, dus als Frank

vroeg wil vertrekken, zal ik de oppas vragen of ze wil blijven slapen.'
'Ik heb een beter idee. Laat Robin vannacht bij ons logeren. Dan breng ik haar morgenvroeg wel naar school. Of als je dat liever hebt, kun je die Palumbo vragen haar op te komen halen. Ons huis is op en top beveiligd, dat weet je. Ik zal natuurlijk thuis zijn en ik weet niet of je weet dat zelfs Grace een pistool in de la van haar nachtkastje heeft liggen. Daar heb ik haar jaren geleden mee geleerd te schieten. Bovendien denk ik dat het Grace goed zal doen als Robin op bezoek komt. Ze is de laatste tijd nogal gedeprimeerd en Robin is zo'n gezellig kind om om je heen te hebben.'
Kerry glimlachte. 'Ja, dat is zo.' Ze dacht even na. 'Jonathan, ik vind het een goed idee. Ik moet hoognodig nog wat aan een andere zaak werken en bovendien wil ik het dossier van Reardon nog eens zorgvuldig doorlezen om te zien of ik er bij het verhoor van Arnott nog iets van kan gebruiken. Ik zal Robin zodra ze uit school is opbellen om te zeggen wat we hebben afgesproken. Ze vindt het vast enig. Ze is stapel op jou en Grace, en dol op die roze logeerkamer van jullie.'
'Vroeger sliep jij daar altijd, weet je nog wel?'
'Natuurlijk. Dat zal ik nooit vergeten. Dat was in de tijd dat ik die neef van Grace, die tuinarchitect, voor misdadiger heb uitgemaakt.'

92

Toen de verlengde lunchpauze voorbij was, keerde openbaar aanklager Royce terug naar de rechtbank voor de middagzitting van het proces van het openbaar ministerie tegen James Forrest Weeks. Het stelde hem gerust te weten dat Martha Luce achter dat timide, onopvallende uiterlijk het geheugen van een computer had. In antwoord op het zachtaardig aandringen van twee van Royces assistenten ratelde ze het belastende bewijsmateriaal af waarmee ze Jimmy Weeks eindelijk konden veroordelen.
Royce moest toegeven dat die neef en advocaat van Luce toch niet achterlijk was. Hij had erop aangedrongen dat het akkoord dat Martha had gesloten voordat ze een woord mocht zeggen met ge-

tuigen erbij ondertekend moest worden. In ruil voor haar eerlijke en volledige medewerking, die ze in een later stadium niet zou ontkennen, zou de Staat nu noch in de toekomst ooit enige straf- of burgerrechterlijke aanklacht tegen haar indienen.
Maar de getuigenverklaring van Martha Luce zou nog even moeten wachten. De aanklachtprocedure verliep volgens plan. De getuige van vandaag was een restauranthouder, die toegaf dat hij in ruil voor hernieuwing van zijn huurcontract vijfduizend dollar contant per maand betaalde aan een van Jimmy's geldinners.
Toen de verdediging aan de beurt was om het kruisverhoor af te nemen, moest Royce keer op keer opspringen om te protesteren terwijl Bob Kinellen de getuige onder vuur nam. Kinellen wist hem op kleine fouten te betrappen en te dwingen toe te geven dat hij Weeks nooit daadwerkelijk het geld had zien aanraken, zodat hij er niet absoluut zeker van kon zijn dat de geldinner niet zelfstandig werkte. Kinellen doet het niet slecht, dacht Royce. Jammer dat hij zijn talenten verkwanselt aan dit soort tuig.
Royce had er geen flauw vermoeden van dat Kinellen op hetzelfde moment dat hij met groot succes de jury wist te bespelen dezelfde mening was toegedaan.

93

Jason Arnott voelde dat er iets mis was op het moment dat hij zijn huis in de Catskills betrad en zich realiseerde dat Maddie er niet was.
Als Maddie er niet was en ze geen briefje had achtergelaten, was er iets aan de hand. Het is voorbij, dacht hij. Hoe lang zou het nog duren voordat ze voor zijn neus stonden? Niet lang meer, dat wist hij zeker.
Hij had plotseling honger. Hij liep snel naar de koelkast en haalde er de gerookte zalm uit die Maddie voor hem had gekocht. Daarna pakte hij kappertjes, smeerkaas en een pakje toastjes. Er stond ook een fles Pouilly-Fuissé koud.
Hij maakte een bord zalmhapjes klaar en schonk een glas wijn voor

zichzelf in. Hij droeg ze mee terwijl hij door het huis wandelde. Een laatste rondgang, dacht hij, terwijl hij de schatten om zich heen bekeek. De tapisserie in de eetkamer – schitterend. De Aubusson in de woonkamer – een voorrecht om op een kleed van dergelijke schoonheid te mogen lopen. Het bronzen beeld van een sierlijke vrouwenfiguur met een klein kind in de palm van haar hand, van Chaim Gross. Hij had een grote voorkeur voor het moeder-en-kind-thema. Arnott herinnerde zich dat de moeder en de zuster van Gross in de Holocaust om het leven waren gekomen.

Hij had natuurlijk een advocaat nodig. Een heel goede zelfs. Maar wie? Hij glimlachte wrang. Hij wist precies wie hij moest hebben: Geoffrey Dorso, die al tien jaar lang zo onvermoeibaar voor Skip Reardon aan het werk was. Dorso had een uitstekende reputatie en was misschien wel bereid een nieuwe cliënt aan te nemen. Vooral een die hem bewijsmateriaal kon leveren dat hem kon helpen om die arme Reardon vrij te krijgen.

De voordeurbel rinkelde. Hij negeerde hem. Hij rinkelde nogmaals en bleef vervolgens aanhouden. Arnott kauwde op zijn laatste stukje toast, genietend van de delicate smaak van de zalm en de scherpzure smaak van de kappertjes.

Nu klingelde de bel van de achterdeur. Omsingeld, dacht hij. Nou ja. Hij had geweten dat het eens zou gebeuren. Hij had vorige week zijn intuïtie moeten volgen en het land moeten verlaten. Jason dronk de laatste slok wijn uit zijn glas, besloot het nog eens vol te schenken en liep naar de keuken. Hij zag nu gezichten achter alle ramen, gezichten met die agressieve, zelfvoldane uitdrukking van mannen die het recht hebben macht uit te oefenen.

Arnott knikte hen toe en hief zijn glas in een spottend saluut. Hij nam een slokje, liep naar de achterdeur, deed hem open en ging een stap opzij terwijl ze naar binnen stormden. 'FBI, meneer Arnott,' riepen ze. 'We hebben een bevel tot huiszoeking.'

'Heren, heren,' mompelde hij. 'Ik smeek u voorzichtig te zijn. Het huis staat vol met schitterende, onbetaalbare voorwerpen. Daar bent u misschien niet aan gewend maar behandel ze alstublieft met respect. Hebt u modder onder uw schoenen?'

94

Kerry belde Robin om halfvier. Alison en zij zaten achter de computer, zei ze, en speelden met een van de spelletjes die ze van oom Jonathan en tante Grace had gekregen. Kerry vertelde haar wat ze had geregeld: 'Ik moet vanavond laat doorwerken en morgenochtend om zeven uur weg. Jonathan en Grace willen dolgraag dat je bij hen komt logeren en dat zou mij ook geruststellen.'

'Waarom stond meneer Palumbo voor onze school? Waarom moest hij me thuisbrengen en staat hij nog buiten? Ben ik nu echt in gevaar?'

Kerry probeerde neutraal te klinken. 'Het spijt me dat ik je moet teleurstellen, Rob, maar het is alleen uit voorzorg. Er gaat in die rechtszaak binnenkort van alles gebeuren.'

'Spannend. Ik vind meneer Palumbo erg aardig. Goed dan, ik ga wel naar tante Grace en oom Jonathan. Die vind ik ook heel lief. Maar jij dan? Blijft meneer Palumbo dan voor jou voor het huis staan?'

'Ik kom pas laat thuis en dan zal de plaatselijke politie ongeveer eens per kwartier langs ons huis rijden. Meer heb ik niet nodig.'

'Wees voorzichtig, mam.' Robin klonk even een stuk minder flink en meer als een bang, klein meisje.

'Jij ook, schat. En vergeet je huiswerk niet.'

'Nee hoor. Ik zal tante Grace vragen of ik nog een keer haar oude fotoalbums mag bekijken. Ik vind die ouderwetse kleren en kapsels echt te gek en als ik me goed herinner zijn ze in chronologische volgorde ingeplakt. Misschien kom ik dan op een idee, want onze volgende opdracht in de fotografieklas is een familiealbum samenstellen dat echt een verhaal vertelt.'

'Ja, daar staan heel bijzondere foto's in. Toen ik op hun huis paste, vond ik het ook zo leuk die albums door te bladeren.' Kerry mijmerde verder: 'Dan telde ik al die bedienden met wie tante Grace en oom Jonathan zijn opgegroeid. Ik denk er nog wel eens aan als ik met de stofzuiger loop te slepen of de was vouw.'

Robin giechelde. 'Nou ja, als je maar lang genoeg wacht, win je misschien ooit nog eens een lot uit de loterij. Ik hou van je, mam.'

Om halfzes belde Geoff vanuit zijn auto. 'Je raadt nooit waar ik

ben.' Hij wachtte niet op antwoord. 'Ik was vanmiddag in de rechtszaal en toen heeft Jason Arnott geprobeerd me te bereiken. Hij had een boodschap achtergelaten.'
'Jason Arnott!' riep Kerry uit.
'Ja. Toen ik hem een paar minuten geleden terugbelde, zei hij dat hij me onmiddellijk wilde spreken. Hij wil dat ik hem ga verdedigen.'
'Zou je dat willen doen?'
'Dat kan niet omdat het met de zaak-Reardon te maken heeft. Maar al kon het wel, dan zou ik het nog niet doen. Dat heb ik ook tegen hem gezegd, maar hij dringt er nog steeds op aan dat ik met hem praat.'
'Geoff! Geef hem geen kans je iets te vertellen dat onder je beroepsgeheim valt.'
Geoff grinnikte. 'Dank je wel, Kerry. Daar zou ik zelf nooit aan gedacht hebben.'
Kerry lachte met hem mee. Daarna legde ze hem uit wat ze die avond voor Robin had geregeld. 'Ik blijf hier op kantoor laat doorwerken. Als ik naar huis ga, zal ik de politie van Hohokus laten weten dat ik eraan kom. Dat heb ik al met ze afgesproken.'
'Vergeet dat dan niet.' Zijn stem werd vastberaden. 'Hoe meer ik erover nadenk dat je gisteravond alleen met Smith mee naar huis bent gegaan, hoe meer ik besef wat een slecht idee dat was. Je had wel naast hem kunnen staan toen ze hem doodschoten, precies zoals Mark Young tegelijk met Haskell werd neergeknald.'
Nadat Geoff Kerry had beloofd te zullen bellen zodra hij met Arnott had gesproken, verbrak hij de verbinding.

Kerry was pas om acht uur klaar met de voorbereidingen voor een komende rechtszaak. Daarna pakte ze nogmaals het dikke dossier van de zaak-Reardon.
Ze bestudeerde zorgvuldig de foto's van het moordtafereel. Dokter Smith had in zijn brief geschreven dat hij die avond het huis was binnengegaan en toen het dode lichaam van Suzanne had aangetroffen. Kerry sloot haar ogen en stelde zich voor hoe ontzettend het zou zijn als ze ooit Robin op die manier zou vinden. Smith had beweerd dat hij expres dat kaartje met JE BENT MIJN LIEVELING had

weggenomen, omdat hij ervan overtuigd was dat Skip Suzanne in een opwelling van jaloerse woede had vermoord. Hij wilde er zeker van zijn dat Skip de maximumstraf kreeg en er niet met minder vanaf zou komen.

Ze geloofde de brief van Smith. De meeste mensen liegen niet als ze van plan zijn zichzelf te doden, beredeneerde ze. Bovendien bevestigt zijn brief het verhaal van Skip Reardon. Dus, dacht Kerry, is de moordenaar de man die dat huis binnenging tussen ongeveer halfzeven, toen Skip weer weg was, en de komst van de dokter om een uur of negen.

Jason Arnott? Jimmy Weeks? Wie van de twee had Suzanne vermoord, vroeg ze zich af.

Om halftien sloeg Kerry het dossier dicht. Ze had geen enkel nieuw gezichtspunt gevonden van waaruit ze Arnott morgen kon ondervragen. Als ik in zijn schoenen stond, dacht ze, zou ik beweren dat Suzanne me die dag dat lijstje had gegeven omdat er een paar parels loszaten en ze me had gevraagd die weer vast te zetten. En toen ze daarna vermoord bleek te zijn, wilde ik niet bij een moordzaak betrokken worden en heb ik het lijstje gehouden.

Een dergelijk verhaal zou in de rechtszaal heel aannemelijk klinken, omdat het heel goed waar had kunnen zijn. Maar die juwelen waren een ander verhaal. Daar lag de kern van de zaak. Als zij kon bewijzen dat Arnott Suzanne die kostbare, antieke stukken had gegeven, zou hij met geen mogelijkheid kunnen volhouden dat het alleen maar een vriendschappelijk cadeautje was geweest.

Om tien uur verliet ze het stille kantoor, en liep naar de parkeerplaats. Toen besefte ze opeens dat ze omviel van de honger. Ze reed naar het Arena-restaurant om de hoek en nam een hamburger, patat en een kop koffie.

Als je in plaats van die koffie een cola neemt, heb je Robins lievelingsmaal, dacht ze zuchtend. Ik moet zeggen dat ik mijn kind mis.

De moeder en de baby...

De moeder en de baby...

Waarom bleef die zin maar steeds door haar hoofd malen, vroeg ze zich voor de zoveelste keer af. Er was iets mis mee, vreselijk mis. Maar wat?

Ze had voordat ze van kantoor ging Robin moeten bellen om haar welterusten te wensen, realiseerde ze zich opeens. Waarom had ze dat niet gedaan? Kerry at vlug haar eten op en ging terug naar de auto. Het was al twintig voor elf, veel te laat om nu nog te bellen. Ze reed net het parkeerterrein af toen de autotelefoon rinkelde. Het was Jonathan.
'Kerry,' zei hij met een lage, gespannen stem. 'Robin is bij Grace. Ze weet niet dat ik je bel. Ze wilde niet dat ik je lastig viel. Maar ze heeft een vreselijke nachtmerrie gehad. Ik vind echt dat je langs moet komen. Er is ook zoveel gebeurd. Ik denk dat ze je nodig heeft.'
'Ik kom eraan.' Kerry sloeg in plaats van rechts af links af, gaf gas en reed snel naar haar kind.

95

Het was een lange, vreselijke rit van New Jersey via de autoweg naar de Catskills. Bij Middletown begon het te ijzelen en kwam het verkeer nog maar nauwelijks vooruit. Een omgevallen tractor met aanhangwagen blokkeerde alle banen en zorgde ervoor dat de verschrikkelijke reis nog een uur langer duurde.
Om kwart voor tien kwam een vermoeide, hongerige Geoff Dorso aan op het politiebureau van Ellenville, waar Jason Arnott werd vastgehouden. Er zaten een paar FBI-agenten te wachten tot ze Arnott konden ondervragen zodra hij met Geoff had gesproken.
'Jullie hoeven wat mij betreft geen tijd te verspillen,' had Geoff tegen hen gezegd. 'Ik kan zijn advocaat niet worden. Heeft hij dat niet gezegd?'
Een geboeide Arnott werd de vergaderkamer binnengeleid. Geoff had de man in de elf jaar sinds de dood van Suzanne niet meer gezien. Men had toen aangenomen dat hij een relatie met Suzanne Reardon had die bestond uit een combinatie van vriendschap en zaken. Niemand, Skip inbegrepen, had ooit vermoed dat hij ook op een andere manier in haar geïnteresseerd was geweest.
Nu bekeek Geoff de man zorgvuldig. Arnott had een wat voller ge-

zicht dan Geoff zich herinnerde maar hij had nog steeds diezelfde arrogante, blasé uitdrukking. De rimpels om zijn ogen gaven blijk van grote vermoeidheid maar de kasjmier coltrui onder zijn tweed jasje zag er fris uit. Landheer en beschaafd levensgenieter, dacht Geoff. Zelfs onder deze omstandigheden doet hij die rol eer aan.
'Ik waardeer het dat je gekomen bent, Geoff,' zei Arnott vriendelijk.
'Ik weet werkelijk niet wat ik hier doe,' antwoordde Geoff. 'Ik heb door de telefoon al tegen u gezegd dat u nu betrokken bent bij de zaak-Reardon. Mijn cliënt is Skip Reardon. Ik moet u waarschuwen dat u niets tegen me kunt zeggen dat onder mijn beroepsgeheim valt. Er is u verteld dat u het recht hebt te zwijgen. Ik ben uw advocaat niet. Ik zal alles wat u zegt doorgeven aan de aanklager omdat ik zal proberen te bewijzen dat u op de avond van Suzannes dood in het huis van de Reardons was.'
'O, dat was ik ook. Daarom heb ik je gevraagd hier te komen. Maak je maar geen zorgen. Het is geen vertrouwelijke informatie. Ik ben van plan dat toe te geven. Ik heb je gevraagd te komen omdat ik voor Skip kan getuigen. Maar in ruil daarvoor wil ik dat je, als hij vrijgesproken is, mij vertegenwoordigt. Dan zijn er geen tegenstrijdige belangen meer.'
'Hoor eens, ik ga u helemaal niet vertegenwoordigen,' zei Geoff botweg. 'Ik heb tien jaar van mijn leven besteed aan de verdediging van een onschuldig man die naar de gevangenis is gestuurd. Als u Suzanne hebt vermoord of weet wie dat heeft gedaan en u hebt Skip al die tijd in die cel laten verkommeren, ga ik nog liever naar de hel voordat ik u te hulp kom.'
'Zie je wel, dat soort vastberadenheid heb ik nou nodig,' zuchtte Arnott. 'Goed dan, laten we het anders proberen. Je bent advocaat in strafzaken, dus je weet welke collega' s goed zijn, in New Jersey of waar dan ook. Als jij belooft dat je de beste verdediger voor me zoekt die er bestaat, zal ik je alles vertellen wat ik weet over de dood van Suzanne Reardon. Die ik tussen haakjes niet op mijn geweten heb.'
Geoff bleef de man een ogenblik nadenkend aanstaren. 'Goed. Maar voordat we verder gaan, wil ik een in het bijzijn van getui-

gen getekende verklaring dat geen enkele van uw inlichtingen vertrouwelijk is en dat ik ze naar eigen goeddunken kan gebruiken om Skip Reardon te helpen.'
'Natuurlijk.'
De FBI-agenten hadden een stenotypiste bij zich. Ze noteerde Arnotts korte verklaring. Toen hij en een paar getuigen hem hadden ondertekend, zei hij: 'Het is al laat en voor vandaag is het genoeg geweest. Heb je al bedacht wie ik als advocaat moet nemen?'
'Ja,' zei Geoff. 'George Symonds uit Trenton. Dat is een uitstekende advocaat en een prima onderhandelaar.'
'Ze zullen proberen me te veroordelen wegens moord op mevrouw Peale. Dat is een ongeluk geweest, dat zweer ik je.'
'Als hij een manier kan vinden om er doodslag van te maken, zal hem dat wel lukken. Dan wordt u in ieder geval niet ter dood veroordeeld.'
'Bel hem dan nu maar.'
Geoff wist dat Symonds in Princeton woonde omdat hij ooit eens bij hem thuis had gegeten. Hij herinnerde zich ook dat hun telefoonnummer onder de naam van zijn vrouw stond. Hij gebruikte zijn zaktelefoon om hem in het bijzijn van Arnott op te bellen. Het was halfelf.
Tien minuten later borg Geoff het apparaat weer op. 'Ziezo, nu hebt u een van de beste advocaten die er zijn. Dus vertel nou maar op.'
'Ik had de pech dat ik me in het huis van de Reardons bevond op het moment dat Suzanne stierf,' zei Arnott, plotseling ernstig. 'Suzanne liet haar juwelen, waaronder hele bijzondere stukken, zo achteloos rondslingeren dat ik de verleiding niet kon weerstaan. Ik wist dat Skip voor zaken in Pennsylvania moest zijn en Suzanne had me verteld dat ze die avond een afspraak met Jimmy Weeks had. Het mag je misschien vreemd in de oren klinken, maar ze was werkelijk verliefd op hem.'
'Was hij tegelijk met u in dat huis?'
Arnott schudde zijn hoofd. 'Nee. Ze hadden afgesproken dat zij naar het winkelcentrum in Pearl River zou rijden, haar auto daar zou achterlaten en met hem mee zou rijden in zijn limousine. Ik

had begrepen dat ze Jimmy al vroeg in de avond zou ontmoeten. Het bleek dat ik me had vergist. Toen ik bij het huis van Suzanne aankwam, brandden er beneden een paar lampen, maar dat was normaal. Die gingen automatisch aan. Aan de achterkant zag ik dat de ramen van de grote slaapkamer wijd openstonden. Het was doodsimpel om naar boven te klimmen want het dak van de eerste verdieping van dat moderne huis loopt bijna af tot op de grond.'

'Hoe laat was dat?'

'Klokslag acht uur. Ik was op weg naar een etentje in Cresskill. Een van de redenen voor mijn lange, succesvolle loopbaan is dat ik bijna altijd voor een stel uiterst respectabele getuigen voor bepaalde avonden kon zorgen.'

'U ging het huis binnen...' moedigde Geoff hem aan.

'Ja. Het was er doodstil, dus nam ik aan dat iedereen zoals gezegd afwezig was. Ik had er geen flauw idee van dat Suzanne nog beneden was. Ik ben door de zitkamer van de slaapkamervleugel gelopen en toen naar het nachtkastje in de slaapkamer. Ik had dat fotolijstje alleen in het voorbijgaan gezien en was er nooit zeker van geweest of het een echte Fabergé was. Ik had er natuurlijk nooit te veel belangstelling voor willen tonen. Ik had het opgepakt en was het juist aan het bestuderen toen ik Suzannes stem hoorde. Ze schreeuwde tegen iemand, ik schrok er gewoon van.'

'Wat zei ze?'

'Zoiets als: "Je hebt ze me gegeven en nu zijn ze van mij. Maak nu maar dat je wegkomt, ik heb schoon genoeg van je."'

Je hebt ze me gegeven en nu zijn ze van mij. De juwelen, dacht Geoff. 'Dus dat betekende dat Jimmy Weeks van plan was veranderd en Suzanne die avond kwam afhalen,' redeneerde hij.

'O nee. Ik hoorde een man schreeuwen: "Ik moet ze terughebben," maar die stem was veel te beschaafd om van Jimmy Weeks te zijn, en die arme Skip was het zéker niet.'

Arnott zuchtte. 'Op dat moment heb ik bijna gedachteloos dat lijstje in mijn zak laten glijden. Bij nader inzien een afschuwelijke imitatie, maar ik heb altijd graag naar Suzannes foto gekeken, dus was het toch een plezierig bezit. Ze was werkelijk heel amusant, ik mis haar oprecht.'

'Toen liet u het lijstje in uw zak glijden,' spoorde Geoff hem aan.
'En realiseerde ik me opeens dat er iemand naar boven kwam. Ik zei al dat ik in de slaapkamer stond, dus sprong ik in de kleerkast van Suzanne en probeerde me achter haar avondjurken te verstoppen. Ik had de deur niet helemaal dichtgetrokken.'
'Hebt u gezien wie er binnenkwam?'
'Nee, niet het gezicht.'
'En wat deed die persoon?'
'Liep recht op het juwelenkistje af, rommelde wat in haar spullen rond en haalde er iets uit. Toen hij niet alles vond waarnaar hij zocht, begon hij alle laden te doorzoeken. Hij was zo te zien nogal in paniek. Na een paar minuten vond hij wat hij zocht of gaf hij het op. Gelukkig liet hij de kleerkast met rust. Ik heb zolang mogelijk gewacht en ben toen, wetend dat er iets vreselijk mis was, naar beneden geslopen. Toen zag ik haar liggen.'
'Er zaten heel wat juwelen in dat kistje. Wat heeft die moordenaar van Suzanne meegenomen?'
'Naar wat ik later tijdens het proces heb gehoord, moet het die bloem met knop zijn geweest, die antieke diamanten broche, weet je wel. Dat was werkelijk een prachtstuk, gewoon uniek.'
'Had degene die haar die broche cadeau had gedaan haar ook die armband gegeven?'
'O ja. Ik denk dat hij waarschijnlijk ook op zoek was naar die armband.'
'Weet u soms wie Suzanne die armband en die broche heeft gegeven?'
'Natuurlijk weet ik dat. Suzanne had bijna geen geheimen voor me. Je moet er wel aan denken dat ik er geen eed op kan doen dat hij die avond in dat huis was maar het is wel waarschijnlijk, hè? Dus nu weet je wat ik bedoel. Mijn getuigenverklaring zal je helpen de echte moordenaar in te rekenen. Daarom verdien ik wel een bijzondere behandeling, vind je ook niet?'
'Meneer Arnott, wie heeft die armband en die broche aan Suzanne gegeven?'
Arnott glimlachte geamuseerd. 'Je zult me nooit geloven.'

96

Kerry deed twintig minuten over de rit naar Old Tappan. Hij leek een eeuwigheid te duren. Robin, die dappere, kleine Robin, die altijd probeerde te verbergen hoe teleurgesteld ze was als Bob zich van haar afmaakte. Die vandaag zo goed voor zich had weten te houden hoe bang ze was. Ten slotte was het allemaal toch te veel voor haar geworden. Ik had haar nooit bij anderen moeten achterlaten, dacht Kerry. Zelfs niet bij Jonathan en Grace.

Jonathan en Grace.

Jonathan had aan de telefoon zo vreemd geklonken, dacht Kerry.

Van nu af aan zorg ik zelf voor mijn kind, beloofde ze zichzelf.

De moeder en de baby. Daar had je hem weer, die zin die steeds door haar hoofd maalde.

Ze draaide Old Tappan in. Nog een paar minuten.

Robin had het nog wel zo leuk gevonden om bij Grace en Jonathan te logeren en die fotoalbums te bekijken.

Die fotoalbums.

Kerry reed langs het laatste huis voor dat van Jonathan. Ze draaide de oprit op. Bijna onbewust drong het tot haar door dat de sensorlampen niet aangingen.

De fotoalbums.

Die bloem-met-knop-broche.

Ze had hem al eens eerder gezien.

Bij Grace.

Jaren geleden, toen Kerry pas voor Jonathan werkte. Toen droeg Grace nog juwelen. Dat was nog op veel foto's in die albums te zien. Grace had een grapje gemaakt toen Kerry die broche bewonderde: 'De moeder en de baby.'

Suzanne Reardon droeg op die krantenfoto de broche van Grace! Dat betekende... Jonathan? Zou hij hem aan haar hebben gegeven?

Ze herinnerde zich nu dat Grace tegen haar had gezegd dat ze Jonathan had gevraagd al haar juwelen in de bankkluis te leggen. 'Ik kan ze niet aan- of afdoen zonder hulp en ik zou me er alleen maar zorgen over maken als ze thuis bleven liggen.'

Ik heb tegen Jonathan gezegd dat ik naar dokter Smith toe ging,

besefte Kerry. En gisteravond toen ik thuiskwam, heb ik tegen hem gezegd dat Smith volgens mij op instorten stond. O mijn god! Hij moet Smith hebben doodgeschoten.
Kerry zette de auto stil voor het mooie kalkstenen landhuis. Ze duwde de deur open en holde het bordes op.
Robin was bij een moordenaar.
Kerry hoorde het vage gerinkel van de autotelefoon niet toen ze haar vinger op de bel drukte.

97

Geoff probeerde Kerry thuis te bereiken. Toen er niet werd opgenomen, drukte hij het nummer in van haar autotelefoon. Waar was ze in vredesnaam, vroeg hij zich doodongerust af. Hij belde het kantoor van Frank Green terwijl de bewaker Arnott wegleidde.
'Het kantoor van de aanklager is gesloten. In geval van nood kunt u...'
Geoff drukte vloekend het alarmnummer in. Robin logeerde bij de Hoovers. Waar was Kerry? Eindelijk kwam er iemand aan de alarmlijn.
'Met Geoff Dorso. Ik móet Frank Green bereiken. Het gaat over de oplossing van een moordzaak. Geef me zijn privénummer maar.'
'Hij is niet thuis, meneer. Hij is weggeroepen vanwege een moord in Dradell.'
'Kunt u hem bereiken?'
'Ja, een ogenblikje alstublieft.'
Het duurde minstens drie minuten voordat Green aan de lijn kwam.
'Geoff, ik ben bezig. Ik neem aan dat het belangrijk is.'
'Dat is het ook, heel belangrijk zelfs. Het heeft met de zaak-Reardon te maken. Frank, Robin Kinellen logeert vannacht bij Jonathan Hoover.'
'Dat heeft Kerry me verteld.'
'Frank, ik heb net gehoord dat het Jonathan Hoover was die die antieke juwelen aan Suzanne Reardon heeft gegeven. Hij had een

verhouding met haar. Ik geloof dat hij haar moordenaar is en Robin is bij hem thuis.'
Het bleef een hele tijd stil. Toen zei Frank Green op vlakke toon: 'Ik ben in het huis van een oude man, die gespecialiseerd was in het repareren van antieke juwelen. Hij is vroeg in de avond vermoord. Er lijkt niets gestolen te zijn, maar zijn zoon zegt dat zijn Rolodex-register met de namen van zijn klanten weg is. Ik zal meteen de politie naar het huis van de Hoovers sturen.'

98

Jonathan deed de deur voor Kerry open. Het huis was schaars verlicht en heel stil. 'Ze is alweer gekalmeerd,' zei hij. 'Maak je maar geen zorgen meer.'
Kerry hield haar van angst en woede gebalde vuisten in haar jaszakken. Ze kreeg het voor elkaar te glimlachen. 'O Jonathan, ik heb jou en Grace te veel last bezorgd. Ik had moeten weten dat Robin bang zou zijn. Waar is ze?'
'In haar kamer, vast in slaap.'
Ben ik niet goed snik, vroeg Kerry zich af toen ze achter Jonathan de trap opliep. Is mijn fantasie op hol geslagen? Hij lijkt heel normaal.
Ze kwamen bij de deur van de logeerkamer. De roze kamer, noemde Robin hem, vanwege de lichtroze muren, gordijnen en bedsprei.
Kerry duwde de deur open. In het schijnsel van een nachtlampje lag Robin zoals gewoonlijk opgerold op haar zij met haar lange, bruine haar over het kussen gespreid. Kerry stond met twee grote stappen naast het bed.
Robin lag met haar wang op haar handpalm. Ze ademde rustig.
Kerry keek naar Jonathan. Hij stond bij het voeteneinde naar haar te kijken. 'Ze was helemaal van streek. Toen je hier aankwam, besloot je haar weer mee naar huis te nemen,' zei hij. 'Kijk maar, haar tas met schoolkleren en boeken staat al gepakt. Ik zal hem wel voor je dragen.'
'Jonathan, ze heeft helemaal geen nachtmerrie gehad. Ze is niet eens wakker geweest, hè?' vroeg Kerry op een neutrale toon.

'Nee,' antwoordde hij onverschillig. 'En het zou beter voor haar zijn als ze ook nu niet wakker werd.'

In het zachte licht van het nachtlampje zag Kerry dat hij een pistool in zijn hand had.

'Jonathan, wat doe je in vredesnaam? Waar is Grace?'

'Grace is diep in slaap, Kerry. Dat leek me het beste. Soms zie ik dat ze een sterk slaapmiddel nodig heeft om de pijn te helpen verzachten. Dat los ik dan op in de warme chocolademelk die ik haar iedere avond boven breng.'

'Jonathan, wat wil je eigenlijk?'

'Ik wil doorgaan met leven zoals we nu doen. Ik wil voorzitter van de senaat en een vriend van de gouverneur blijven. Ik wil de rest van mijn leven doorbrengen met mijn vrouw, van wie ik nog steeds heel veel houd. Soms gaan mannen vreemd, Kerry. Dan doen ze heel domme dingen. Ze laten zich inpalmen door jonge, mooie vrouwen. Misschien was ik daar vanwege de ziekte van Grace wel ontvankelijk voor. Ik wist dat ik een vreselijke vergissing had begaan. En toen wilde ik alleen maar die juwelen terughebben, die ik stom genoeg aan dat vulgaire vrouwtje van Reardon had gegeven. Maar ze wilde ze niet meer afstaan.'

Hij zwaaide met het pistool. 'Maak Robin nou maar wakker of til haar uit bed. We hebben geen tijd meer.'

'Jonathan, wat ga je dan doen?'

'Alleen maar wat ik moet doen en met grote spijt. Kerry, Kerry, waarom moest je dan ook zo nodig tegen windmolens vechten? Wat deed het ertoe dat Reardon in de gevangenis zat? Wat deed het ertoe dat Suzannes vader zei dat hij haar die armband had gegeven die mij zoveel kwaad had kunnen doen? Het was goed zo. Ik moest gewoon doorgaan met het dienen van de staat waarvan ik hou en leven met de vrouw die ik liefheb. Het was al straf genoeg te weten dat Grace mijn verraad zo gemakkelijk had doorzien.'

Jonathan glimlachte. 'Ze is werkelijk geweldig. Ze liet me die foto zien en zei: "Doet die je niet aan mijn bloem-met-knop-broche denken? Ik zou hem eigenlijk wel graag weer willen dragen. Wil je hem alsjeblieft voor me uit de bankkluis halen, liefste?" Ze wist het en

ik wist dat ze het wist, Kerry. En toen voelde ik me vies in plaats van een romantische gek van middelbare leeftijd.'
'En vermoordde je Suzanne.'
'Niet alleen omdat ze weigerde me de juwelen van mijn vrouw terug te geven maar ook omdat ze het lef had me te vertellen dat ze een interessante nieuwe vriend had: Jimmy Weeks. Mijn god, dat is een schurk. Een misdadiger. Kerry, maak Robin wakker of draag haar terwijl ze slaapt.'
'Mam.' Robin bewoog. Ze deed haar ogen open. Ze ging rechtop zitten. 'Mam,' glimlachte ze. 'Waarom ben je hier?'
'Kom je bed uit, Rob. We gaan nu weg.' Hij vermoordt ons, dacht Kerry. En dan zal hij beweren dat Robin een nachtmerrie had gehad en ik haar kwam halen en met haar ben weggereden.
Ze sloeg haar arm om Robin heen. Robin voelde dat er iets mis was en kroop tegen haar aan. 'Mam?'
'Het komt wel goed.'
'Oom Jonathan?' Robin had het pistool gezien.
'Zeg maar niets meer, Robin,' zei Kerry zacht. Wat moet ik in vredesnaam doen, dacht ze. Hij is stapelgek. Hij weet niet meer wat hij doet. Was Geoff maar niet naar Jason Arnott toe gegaan. Dan zou hij ons hebben geholpen. Geoff had ons op de een of andere manier wel geholpen.
Toen ze de trap afliepen, zei Jonathan kalm: 'Geef me je autosleutel, Kerry. Ik loop achter jullie aan naar buiten en dan klimmen jij en Robin in de kofferbak.'
O god, dacht Kerry. Hij vermoordt ons en dan rijdt hij ergens naartoe en laat daar de auto achter. Dan zal het net een maffiamoord lijken en Weeks zal er de schuld van krijgen.
Jonathan zei toen ze de hal doorliepen: 'Het spijt me werkelijk, Robin. Doe de deur langzaam open, Kerry.'
Kerry bukte zich om Robin een kus te geven. 'Rob, als ik me omdraai, ren jij weg,' fluisterde ze. 'Ren naar de buren en gil zo hard als je kunt.'
'De deur, Kerry,' drong Jonathan aan.
Ze deed hem langzaam open. Hij had het bordes-licht uitgedaan, zodat de enige verlichting van de lantaarn aan het begin van de op-

rit kwam. 'De sleutel zit in mijn zak,' zei ze. Ze draaide zich langzaam om en riep toen: 'Rennen, Robin!'
Op hetzelfde moment vloog ze de hal door naar Jonathan. Terwijl ze naar hem toe rende, hoorde ze het pistool afgaan. Ze voelde een brandende pijn aan de zijkant van haar hoofd, meteen gevolgd door een golf van duizeligheid. De marmeren vloer van de hal kwam op haar af. Ze hoorde een geweldig lawaai om haar heen: nog een schot, Robins geroep om hulp dat langzaam in de verte verdween, naderende sirenes.
Toen hoorde ze alleen nog maar sirenes en de gebroken kreet van Grace: 'Het spijt me, Jonathan, het spijt me zo verschrikkelijk. Dat kon ik je Kerry en Robin niet laten aandoen, dat kon ik niet.'
Kerry stond met moeite op en drukte haar hand tegen de zijkant van haar hoofd. Er druppelde bloed over haar gezicht, maar het duizelige gevoel trok weg. Ze keek op en zag dat Grace zich vanuit haar rolstoel op de vloer liet glijden, een pistool uit haar gezwollen vingers liet vallen en haar man in haar armen nam.

Dinsdag, 6 februari

99

De rechtszaal zat stampvol voor de beëdiging van assistent-aanklager Kerry McGrath tot lid van de rechterlijke macht. Het feestelijke geroezemoes veranderde in stilte toen de deur die naar de rechterkamers leidde openging en een statige processie van rechters in zwarte toga's binnenkwam om een nieuwe collega te verwelkomen.

Kerry liep rustig van een zijkant van het vertrek naar haar plaats rechts van de rechterstoel, terwijl de rechters hun gereserveerde plaatsen op de eerste rij innamen.

Ze keek de zaal in. Haar moeder en Sam waren speciaal voor de ceremonie overgevlogen. Ze zaten naast Robin, die met grote ogen van opwinding kaarsrecht op het puntje van haar stoel zat. Er was nauwelijks meer iets te zien van de snijwonden, die de aanleiding waren geweest voor de ontmoeting met dokter Smith die zoveel teweeg had gebracht.

Geoff zat met zijn vader en moeder op de rij achter hen. Kerry dacht eraan hoe hij in de FBI-helikopter mee was gevlogen om haar in het ziekenhuis bij te staan, en hoe hij een hysterische Robin had gekalmeerd en vervolgens naar zijn ouderlijk huis had gebracht toen de dokter erop aandrong dat Kerry de nacht in het ziekenhuis zou blijven. Ze knipperde met haar ogen om haar tranen te bedwingen bij het zien van de uitdrukking op zijn gezicht toen hij naar haar glimlachte.

Margaret, haar oudste en beste vriendin, was er om, zoals beloofd, op deze dag haar rol te vervullen. Kerry dacht aan Jonathan en Grace. Die hadden er ook bij moeten zijn.

Grace had een briefje gestuurd:

> Ik naar terug naar South Carolina en ga bij mijn zuster wonen. Ik geef mezelf de schuld van alles wat er is gebeurd. Ik wist dat

Jonathan een verhouding had met die vrouw. Ik wist ook dat het niet lang zou duren. Als ik niets had gezegd van die foto waarop ze mijn broche droeg, was dit allemaal niet gebeurd. Dat sieraad kon me niets schelen. Ik wilde alleen Jonathan op mijn manier waarschuwen dat hij haar moest opgeven. Ik wilde niet dat zijn carrière door een schandaal geruïneerd zou worden. Vergeef me alsjeblieft, en Jonathan ook als je kunt.

Kan ik dat, vroeg Kerry zich af. Grace heeft mij het leven gered, maar Jonathan zou Robin en mij hebben gedood om zichzelf te redden. Grace wist dat Jonathan een verhouding met Suzanne had gehad en dat hij haar zelfs kon hebben vermoord maar toch liet ze Skip Reardon al die jaren in de gevangenis verkommeren.
Skip, zijn moeder en Beth zaten ook ergens tussen de gasten. Skip en Beth gingen volgende week trouwen, Geoff zou getuige zijn.
Het was de gewoonte dat een paar goede vrienden of medewerkers voor de beëdiging iets zeiden. Frank Green was de eerste: 'Als ik in mijn herinnering graaf, kan ik me niemand anders – man of vrouw – voorstellen die geschikter voor deze hoge functie zou zijn dan Kerry McGrath. Haar gevoel voor rechtvaardigheid bracht haar ertoe mij te verzoeken een moordzaak te heropenen. We moesten samen het afschuwelijke feit onder ogen zien dat een wraakzuchtige vader de man van zijn dochter de gevangenis injoeg, terwijl de echte moordenaar van zijn vrijheid genoot. We...'
Typisch Frank, dacht Kerry. De een z'n dood is de ander z'n brood. Maar Frank had ten slotte toch achter haar gestaan. Hij had er bij de gouverneur persoonlijk op aangedrongen dat haar naam ter goedkeuring aan de senaat zou worden voorgedragen.
Frank had ook het verband tussen Jimmy Weeks en Suzanne Reardon aangetoond. Een van zijn bronnen, een kleine crimineel die als loopjongen voor Jimmy werkte, was met het antwoord gekomen. Suzanne had inderdaad een verhouding met Jimmy gehad en hij had haar juwelen gegeven. Hij had haar die avond ook die rozen gestuurd en zou met haar gaan eten. Toen ze niet was komen opdagen, was hij kwaad geworden en had zelfs in zijn dronken woede uitgeroepen dat hij haar zou vermoorden. Omdat Weeks ge-

woonlijk geen loze dreigementen uitte, had een aantal van zijn mannen gedacht dat hij haar inderdaad had vermoord. Hij was altijd bang geweest dat hij van de moord op haar beschuldigd zou worden als bekend werd dat hij met haar was omgegaan.

Nu was Robert McDonough, de rechter die haar zou beëdigen, aan het woord. Hij vertelde dat Kerry, toen ze elf jaar geleden voor het eerst als assistent-aanklager de rechtszaal was binnengekomen, er nog zo jong had uitgezien dat hij had gedacht dat ze een studente met een vakantiebaantje was.

Toen was ik zelfs ook al een jonge bruid, dacht Kerry wrang. En Bob was ook assistent-aanklager. Ik hoop alleen maar dat hij van nu af aan verstandig genoeg is dat soort mensen als Jimmy Weeks links te laten liggen. Weeks was voor alle aanklachten veroordeeld. Er stond hem nu een proces te wachten voor het omkopen van een jurylid. Daar had hij Bob de schuld van proberen te geven maar dat was hem niet gelukt. Maar Bob was zelf op het nippertje aan een aanklacht ontsnapt. Als Weeks ging klagen over het jurylid wier vader gevangenzat, zou hem dat geen stap verder brengen. Dat had hij tijdens het proces al geweten en hij had op dat moment om vervanging moeten vragen. Misschien had Bob nu, voor het te laat was, de schrik te pakken. Ze hoopte het.

Rechter McDonough glimlachte haar toe. 'Ik geloof dat het tijd is, Kerry,' zei hij.

Robin kwam naar voren met de zware bijbel. Margaret stond op en liep achter haar aan, met de zwarte toga over haar arm die ze Kerry na de eed zou aanbieden. Kerry hief haar rechterhand, legde haar linkerhand op de bijbel en herhaalde de woorden van rechter McDonough: 'Ik, Kerry McGrath, beloof plechtig...'